Anne Wiazemsky

Canines

Gallimard

Anne Wiazemsky s'est fait connaître comme comédienne dès sa dix-septième année, tournant avec Bresson, Pasolini, Jean-Luc Godard, Marco Ferreri, Philippe Garrel des rôles aussi importants que ceux de *La Chinoise* ou de la jeune fille de *Théorème*, avant d'aborder le théâtre (Fassbinder, Novarina) et la télévision. Elle a publié des nouvelles, *Des filles bien élevées* (Grand Prix de la nouvelle de la Société des gens de lettres, 1988), et trois romans, *Mon beau navire* (1989), *Marimé* (1991) et *Canines* (Prix Goncourt des lycéens, 1993).

N'y a-t-il point quelque danger à contrefaire le mort?

MOLIÈRE,
Le Malade imaginaire

Paris

Le ciel bas et sombre pesait de tout son poids sur le jardin du Luxembourg. C'était un ciel de début d'hiver, loin du printemps, sans rapport avec ce mois d'avril qui pourtant commençait. Il y avait eu une tempête. D'innombrables enveloppes de bourgeons couvraient le sol qu'un petit vent tenace soulevait par à-coups. Des lycéens se pressaient en relevant le col de leur blouson, irrités par ce changement soudain de température. Ils s'étaient mal réveillés, ils se croyaient en retard, ils détestaient d'emblée ce lundi matin. Quelques passants plus âgés traversaient aussi le jardin avec ce même air désolé, cette même façon de rentrer la tête dans les épaules, de serrer contre soi un porte-documents, un sac, un journal.

— Pardon, bredouilla une femme. Elle tremblait de froid dans son tailleur de demi-saison. Son visage parfaitement maquillé exprima pendant deux secondes une détresse absolue. Puis il redevint tel qu'il serait sans doute tout au long de la journée : lisse et indifférent.

— Pardon.

Déjà elle repartait, marchant, courant, sur la partie bétonnée de l'allée, en direction de la rue de Vaugirard. Ses hauts talons claquaient.

Alexandra et Adrien, que l'inconnue venait de bousculer par mégarde, la regardèrent s'éloigner sans comprendre. Ils n'avaient fait attention à rien, ils n'avaient pas entendu les excuses. Seul le claquement soudain des hauts talons les avait surpris.

Le bras d'Adrien se resserra autour de la taille d'Alexandra. Mais celle-ci aussitôt se dégagea. Une vivacité agacée, hostile, qui l'envoya à un mètre de lui et qui fit qu'à son tour il faillit heurter quelqu'un. Il voulut l'appeler, la retenir, la ramener contre lui. Mais le prénom de la jeune femme resta en lui, figé, comme il l'était lui-même, entre ce banc, ces arbres, ce court de tennis. C'était comme une paralysie. Mais elle allait comprendre, se retourner, revenir. Elle le connaissait si bien. Et de penser qu'ils étaient en train de se quitter, qu'ils pourraient ne jamais se revoir, lui arracha un gémissement. Il voyait les cheveux bruns ramenés en queue de cheval, la fourrure qui bordait le capuchon de la parka, les longues jambes dans le jean noir, les mocassins qui traçaient machinalement des dessins sur le sable.

— Je sais, dit-elle sans se retourner.

Sans doute. Mais savait-elle tout ? Il lui avait expliqué la veille au soir qu'on avait besoin de lui, qu'il ne pouvait plus se partager entre elle et sa famille à lui, qu'il partait pour plusieurs mois au Japon les rejoindre. Mais qu'il était sûr de la retrouver. Une question non pas de jours ou de semaines, mais de mois, d'années peut-être. Sûr que cette femme-là, avec son capuchon à fourrure, ses mains maigres et son souffle de voix était à lui. Comme il était à elle.

— Je sais, répéta Alexandra.

Elle s'efforçait d'affermir sa voix.

— Je sais tout ce que je suis pour toi. Je sais que nous nous reverrons.

Mais les épaules se soulevaient de lassitude et la queue de cheval, en se balançant, apportait comme un démenti. « Elle fait la brave », pensa Adrien. Il était tout près d'elle maintenant, luttant contre son désir de la prendre dans ses bras, s'interdisant tous les mots d'amour. Il se serait voulu son frère, son père, sa mère, une famille à lui tout seul. Pour la protéger de cet ennemi, Adrien, lui-même. C'était absurde.

— Je sais que tu reviendras, poursuivit Alexandra. Mais quand tu parles de mois, d'années, c'est trop loin.

Elle s'était remise en marche. Elle zigzaguait un peu comme cela lui arrivait souvent. Deux jambes qui semblaient hésiter à la porter et qui se méfiaient du sol. Des articulations fragiles dont on pouvait craindre qu'elles ne la lâchent. Des pieds qui avaient toujours l'air sur le point de se prendre dans les plis d'un tapis. Voilà comme il la voyait, son Alexandra.

— Attention ! supplia Adrien.

Les pieds heurtaient une racine. Alexandra chancela, retrouva un précaire équilibre et reprit sa marche hasardeuse. « Elle en rajoute pour m'émouvoir », pensa Adrien qui se rappela lui avoir dit, un jour, qu'elle lui évoquait Bambi. Le Bambi de Walt Disney faisant ses premiers pas sur l'étang gelé. Le cœur d'Adrien se serra d'amour. « Je t'aime tant », murmura-t-il. Mais elle ne l'entendit pas. Ou fit semblant.

Elle s'était arrêtée à la hauteur de la buvette — un petit pavillon peint en vert, encore fermé. Des tables s'entassaient tout autour. Les chaises étaient pliées et enchaînées contre trois troncs d'arbre. Un groupe de Japonais se rapprochait. Ils venaient de photographier la statue de la Liberté, ils se dirigeaient vers le grand bassin. À moins que ce ne soit vers les statues des reines de France. L'un d'eux quitta le groupe et demanda en anglais à Alexandra si elle pouvait les prendre en photo. Un autre s'y opposa : il n'y avait pas assez de lumière, sous les arbres. Ils discutèrent un moment puis s'éparpillèrent en direction du Sénat.

— Je suis vieille ! dit Alexandra.

Les trois mots avaient la force d'un cri. Pour la première fois depuis des heures, depuis cette terrible nuit blanche, depuis des jours, peut-être,

16

l'ombre d'un sourire éclaira le visage d'Adrien. Il ignorait encore si elle parlait sincèrement ou si elle jouait. Il était si loin du théâtre, lui, avec son cabinet d'architecture. Ses problèmes de cités nouvelles et ses commandes à l'étranger. Pourtant jamais encore il n'avait rencontré un être aussi sincère. « Aussi pur », se disait-il quand il était loin d'elle et qu'il s'efforçait de se la représenter en toute objectivité.

— Sandra !

Elle se retourna et lui fit face. Non sans accrocher l'ourlet de sa parka au dossier d'un banc. Une grimace de désapprobation tordait sa bouche tandis qu'elle tentait de libérer son vêtement.

— Vieille, répéta-t-elle, mais avec moins de conviction.

— Abominablement vieille, approuva Adrien avec sérieux.

Il l'aida à se dégager. Ses yeux ne quittaient plus le visage d'Alexandra. Comme s'il cherchait à mémoriser tous ses traits. Alors qu'il n'y avait pas un centimètre de ce visage, de ce corps, qu'il ne connût par cœur. Une soudaine faiblesse lui prit les jambes et il s'affaissa sur le banc.

— Sandra ! appela-t-il en lui tendant la main. Et presque aussitôt après, cet autre diminutif, plus intime, et qu'il pensait être le seul à utiliser : « Sandro ! »

Mais elle refusait la main, les poings enfoncés dans ses poches.

17

— Je n'ai plus l'âge d'attendre, dit-elle. La moitié de ma vie est derrière moi !

C'était comique. Alexandra venait d'avoir trente et un ans, on lui en donnait à peine vingt-cinq et, à cette minute-là, entre douze et quinze. Adrien se souvint qu'il avait un an de moins. Ce petit écart l'attendrit si fortement que de nouveau il supplia : « Sandro, viens t'asseoir près de moi ! » Elle obéit. Sans le regarder. Sans le toucher. Toute résistance semblait l'avoir abandonnée. Mais la nuit sans sommeil n'avait laissé aucune trace sur son visage lisse. Adrien s'étonna de cette fraîcheur que rien encore n'avait abîmée : ni les chagrins, ni les échecs, ni cette vie qu'elle menait loin de lui et qu'il jugeait instable et agitée. « Le malheur n'a pas de prise sur elle », pensa-t-il. Pour tout de suite s'accuser : « C'est faux ! C'est injuste ! C'est trop commode ! » Car le malheur, justement, apparaissait partout : dans sa façon de se tenir assise, le buste cassé, la nuque trop inclinée ; dans sa difficulté à respirer, comme si l'air, autour d'eux, se raréfiait de minute en minute. Elle était vaincue, résignée, engloutie dans sa détresse. Mais un détail contestait tout cela : son nez, petit, retroussé et qui donnait à son visage quelque chose d'irrémédiablement joyeux et impertinent. Malgré elle, contre elle.

— Oh, Adrien !

Elle glissait vers lui, il lui ouvrit les bras.

De longues minutes ils demeurèrent emmêlés. Leurs caresses et leurs baisers rejoignaient le souvenir d'autres caresses, d'autres baisers. Le banc sur lequel ils se tenaient le souvenir d'autres bancs. Peut-être l'un des deux s'endormit-il quelques secondes dans la chaleur retrouvée, oublieux de l'heure présente, apaisé, prêt à renouer avec un sentiment d'éternité. L'autre, gagné par cette confiance, oubliait à son tour. Le jardin du Luxembourg se taisait. On n'entendait plus que le bruissement des branches de marronniers, tout autour.

Alexandra la première ouvrit les yeux. Penché au-dessus d'elle, le beau visage pâle et creusé d'Adrien. Elle regarda les yeux clos, les épais sourcils qui se rejoignaient presque, les lèvres entrouvertes sur un demi-sourire — ce sourire qu'il avait lorsqu'il la tenait serrée contre lui. Et elle retrouva instantanément cette sensation de déchirure : d'ici peu, il s'en irait.

— Que vas-tu faire ? demanda Adrien.

Il continuait à la tenir contre lui. Elle esquissa un mouvement d'épaules indifférent.

— Il faut que tu acceptes de jouer cette pièce.

Beaucoup plus pour lui que pour elle, il argumentait :

— Lucerne est un très bon metteur en scène... Célèbre... Le spectacle sera sûrement très beau... On en parlera... On te verra... On saura que tu existes... C'est la première fois qu'on te propose quelque chose d'aussi important !

Il la serra davantage.

— Je serai fier de toi !

Son visage se rapprochait de celui d'Alexandra. Son souffle lui réchauffait le front, les joues. Sa voix devenait hésitante.

— Ça ne sera pas facile. Lucerne t'en veut toujours, n'est-ce pas ?

— Je m'en fiche tellement, de Lucerne !

Elle l'avait rencontré six mois auparavant, alors qu'Adrien prolongeait au-delà du supportable ses séjours dans sa famille et qu'il lui semblait qu'elle dépérissait. Elle avait été flattée qu'un metteur en scène aussi talentueux que Jean Lucerne s'intéresse à elle ; très tentée lorsqu'il lui avait dit : « Je ferai de toi une actrice » ; très touchée qu'il s'éprenne d'elle. Elle s'était même crue amoureuse de lui. Pas longtemps, quelques semaines. Ils ne se voyaient d'ailleurs pas beaucoup : Lucerne, à cette époque-là, montait un opéra en province. Puis, elle avait voulu mettre fin à ce qui pour elle n'était qu'une aventure, qu'une parenthèse dans son histoire avec Adrien. Mais Lucerne ne l'avait pas supporté. Il parlait « passion », « grand amour ». Il l'avait suppliée, menacée, et presque brutalisée, une nuit. Au point de lui faire si peur que rien dès lors n'avait pu la retenir.

— Ne sois pas cruelle, il t'aime.

C'était bien d'Adrien ! Son amour pour Alexandra l'amenait à s'identifier à ceux qui, croyait-il, souffraient à cause d'elle, à plaider leur cause, parfois à son détriment. Elle se souvint d'un

Adrien muet, ravagé par le chagrin et la peur de la perdre chaque fois qu'elle était allée rejoindre Lucerne. Pas un reproche, jamais. Comment avait-elle pu faire souffrir cet homme qu'elle aimait tant ? Et Lucerne ? Maintenant, c'était son tour. Et un dégoût d'elle-même, de tous ces chagrins inutiles, commença à l'envahir.

— Lucerne ne m'aime pas. Je lui ai plu, c'est vrai. Et puis je l'ai quitté et il s'est inventé Dieu sait quelle passion malheureuse, dit Alexandra d'une voix morne.

Son dégoût s'accentuait, se transformait en nausée. La nuit blanche, trop de café, Adrien qui avait regardé furtivement sa montre et dont elle devinait les muscles tendus, le corps prêt à se dresser. Sur une piste d'aéroport, un avion l'attendait. Et à des milliers de kilomètres, au Japon, une femme et deux petits enfants.

— Je te téléphonerai, dit Adrien.

Voilà, il était debout. Blême, tremblant, les yeux égarés, mais debout.

— Non.

Et craignant qu'il ne proteste :

— Ne m'appelle pas, ne m'écris pas. Reviens.

Elle se détournait pour ne plus le voir. Lui, il voyait la queue de cheval entre les plis du capuchon ; le corps qui se tassait sur le banc ; un pied qui venait de perdre sa chaussure, et la blancheur de la socquette sur la terre humide de l'allée. Il chercha le mocassin égaré et le repéra sous le banc. Il se pencha pour l'atteindre. Mais le corps d'Alexandra se contracta avec une telle violence qu'il n'osa plus bouger.

Un couple se déplaçait lentement en se donnant le bras. Il se dégageait d'eux quelque chose de si calme, de si serein, que ce fut pour Adrien comme une douleur de plus. La prostration d'Alexandra l'inquiétait. Et si elle était malade ? Gravement malade ? Jamais il ne pourrait l'abandonner sur ce banc. Il se pencha sur elle. Il chuchota des mots d'amour, des encouragements à vivre, à tenir sans lui, pour eux, pour ce couple qu'ils formaient et qui, malgré les apparences, ne se déferait pas. Mais quand son visage effleura ses cheveux, la fourrure du capuchon, il l'entendit qui murmurait : « Laisse-moi. »

C'était une sorte de cadeau, cette affreuse envie de vomir. Alexandra s'y accrochait, se concentrait sur elle, en oubliait le reste. Il lui sembla que les arbres se mettaient à tourner. Leur cime, sur le ciel, se balançait de plus en plus vite sans jamais se rejoindre. Un gros et gras pigeon s'avançait vers elle en se dandinant comme s'il allait lui passer au travers. Et un début de colère la saisit à l'idée que, même pour le plus vulgaire des oiseaux, elle avait cessé d'exister. Son pied déchaussé frappa le sol, le pigeon s'enfuit. Puis doucement, prudemment, comme si ce petit mouvement de rien du tout lui demandait un effroyable effort, elle regarda derrière elle, dans la direction où Adrien avait disparu. Les arbres, les buissons, les bancs, tout était à sa place. Une seconde équipe de joueurs avait envahi le court de tennis. Ils jouaient en silence, sobrement. Des touristes étrangers traversaient le jardin en prenant soin de ne pas s'écarter des allées principales, un guide de Paris à la main. Ainsi c'était ça, la vie. Il y avait eu quelqu'un, là, à ses côtés, quelqu'un qui représentait le monde entier à lui tout seul, et puis il n'y avait plus personne. À croire qu'Adrien n'existait pas, n'avait jamais existé. Ou alors sous forme de rêve qu'elle se serait inventé pour se consoler d'on ne savait pas quoi. Un compagnon, un double, comme seuls savent en créer les tout petits enfants quand ils sont trop singuliers et le monde trop menaçant.

Elle ramassa le mocassin et se leva. L'envie de vomir s'atténuait, se fondait dans un malaise généralisé où se côtoyaient pêle-mêle le manque de sommeil, le froid, l'absence de nourriture et un bizarre sentiment d'irréalité. Elle marcha jusqu'au petit théâtre de marionnettes sur le fronton duquel on pouvait lire : *Fondation Robert Desarthis*. Elle l'aimait tout particulièrement, ce petit théâtre, et regrettait toujours de ne pas l'avoir connu enfant. Mais elle avait grandi en Suisse, au bord du lac de Genève, loin de Paris et de son jardin du Luxembourg. « Mon frère Olivier », pensa-t-elle alors.

Une cloche sonna un coup. La demie de neuf heures, de dix heures ou de onze heures ? Alexandra n'en avait pas la moindre idée. Elle consulta sa montre. Dix heures trente. Elle devait rentrer chez elle, se coucher et dormir. Pour des heures, la journée si c'était possible. Son appartement se trouvait situé tout près, au dernier étage d'un immeuble de la rue Servandoni. Mais l'image du lit défait la traversa, avec une violence inouïe. Une brusque, et brève, et fulgurante douleur dans le bas-ventre. Adrien serait partout. Dans les draps et les couvertures qui traînaient sur le plancher. Dans les murs et les rideaux de la chambre. Pas un centimètre du petit appartement qu'il n'ait investi, pas un recoin qui ne le reflète, qui ne l'évoque, qui ne le rappelle. À croire qu'il avait toujours vécu là et qu'Alexandra n'avait été qu'une invitée de passage. « Il m'a tout pris », pensa-t-elle. Alors le sentiment de ce qu'elle avait perdu lui donna avec une précision glaciale le désir de mourir.

Une équipe de jardiniers remuait un parterre, un peu plus loin. Des jacinthes roses et violettes succédaient aux jacinthes blanches et bleues. Les dernières de la saison. Après viendraient les fleurs de printemps.

L'odeur de terre arrivait jusqu'à Alexandra. Une odeur terrible et consolante, qui vous donnait envie de vous dissoudre en elle, de n'être rien d'autre que ce caillou, que cette racine. Mais des images de cimetière et de pierres tombales vinrent se superposer à la pelouse qui s'étendait devant elle et au bord de laquelle travaillaient les jardiniers. Mourir, alors, perdit de son attrait.

Sur sa gauche, groupés, harnachés, résignés, plus tristes que tout ce qu'on pouvait imaginer de plus triste, avançaient douze poneys. Comme s'ils n'attendaient que ça, prévenus par quelque mystérieux signal connu d'eux seuls, accoururent les premiers enfants. « Je vais vivre », décida soudain Alexandra. Et dans un même élan volontariste : « Je vais jouer dans *Penthésilée*. »

La télécarte glissa dans la fente, l'écran indiqua le montant du crédit et Alexandra pianota de mémoire le numéro de téléphone. Il y eut plusieurs sonneries durant lesquelles elle se répéta les mots qu'elle lui dirait. L'autobus 58 s'arrêta le long de l'abribus accolé à la cabine téléphonique. Des passagers descendirent, d'autres montèrent. Tous conservaient cet air frileux et morose qu'elle se souvenait d'avoir aperçu chez les lycéens, au début de la matinée. Dans l'appartement on avait décroché et on s'impatientait.

— J'accepte de jouer Prothoé, dit Alexandra.

Elle avait hésité, sa voix manquait de fermeté. Il ne fallait pas qu'elle trahisse ainsi son désarroi. Il fallait qu'elle manifeste plus de chaleur, plus d'enthousiasme ; qu'elle feigne si nécessaire. Elle n'en eut pas le loisir.

— Je n'en ai jamais douté.

Une certaine arrogance perçait dans la voix rauque de Jean Lucerne. Alexandra l'entendit craquer une allumette, aspirer et avaler la fumée. Sans doute savourait-il ce moment où Alexandra

25

lui revenait. Ne lui avait-elle pas affirmé, quinze jours auparavant, au téléphone, parce qu'elle refusait obstinément de le rencontrer : « Nous ne pourrons jamais travailler ensemble » ?

— Ne t'y trompe pas, crut devoir préciser Alexandra. J'accepte de jouer dans ton spectacle, rien de plus.

Déjà elle regrettait ces paroles, leur involontaire brutalité. Le silence, entre eux, devint très lourd.

Un deuxième autobus 58 remontait la rue Guynemer. Il ne s'arrêta pas.

— De ça aussi, je n'ai jamais douté, dit enfin Lucerne.

Sa voix s'était durcie. Une agressivité qu'Alexandra reconnut, qu'elle savait annonciatrice de colère, de dispute, et qui l'effraya. Comme s'il l'attendait embusqué derrière la vitre de la cabine téléphonique. Mais lui, là-bas, s'était ressaisi.

— Je suis heureux que tu acceptes, Sandra. Avec Alma en Penthésilée, je tiens mon couple d'Amazones.

Sa voix avait perdu toute son agressivité, se faisait douce. Une voix de velours, chaleureuse, persuasive et qui, maintenant, proposait :

— Voyons-nous aujourd'hui. Je te passerai l'adaptation que Didier et moi avons tirée de celle de Gracq... Nous en sommes *tous* très satisfaits.

Le *tous* sonna rond et plein. À croire qu'il regroupait la terre entière.

— *Tous* ? répéta Alexandra.

26

— Mais oui. Didier, Alma, les gens du festival d'Avignon et ceux du festival d'Automne. Nous avons raccourci la pièce, supprimé des personnages, la figuration, etc. Mais nous n'avons pas trahi Kleist, au contraire !

— Je suis impatiente de la lire, dit Alexandra.

Elle était sincère. Quelque chose de chaud s'installait entre eux qu'elle avait peur de briser par un propos maladroit, une question trop abrupte. Elle se tut.

Lucerne continuait de parler. Il annonça les dates des représentations : huit jours en Avignon, un mois à Paris en octobre et la possibilité d'une tournée à Lyon, Grenoble et Marseille en septembre. Il évoqua des acteurs, décrivit le décor. Pour finir par une question :

— Tu ne me demandes pas qui va jouer Achille ?

Elle l'entendit qui allumait une nouvelle cigarette au mégot de la précédente.

— Si. Quelqu'un que je connais ?

— Non. Je t'expliquerai tout à l'heure. D'autant qu'il n'a pas encore dit oui. Didier et moi partons à Londres à la fin de la semaine pour le rencontrer et le convaincre.

Il eut un petit rire satisfait.

— Mais je ne m'inquiète pas. On ne refuse pas une proposition comme la mienne ! Surtout quand on doit se faire opérer d'un névrome plantaire !

Alexandra n'était pas sûre de bien comprendre.

Une sensation désagréable la gagnait qui s'apparentait à de la méfiance. À une mesquine et peureuse méfiance. Parce qu'il avait dit : « Je t'expliquerai tout à l'heure » et qu'elle redoutait la perspective de ce tête-à-tête. Le premier depuis leur rupture. Comme s'il l'avait devinée, il précisa :

— À quatre heures au café près de chez toi. Et puis rassure-toi, tu ne seras pas seule avec moi, et à cent mètres de ton cher petit appartement...

De nouveau l'ironie. Une ironie qui la fit frissonner tant elle en percevait l'agressivité. Mais presque simultanément, Lucerne changeait de registre.

— N'aie pas peur de moi, chuchota-t-il. Je suis si heureux de te revoir. Ce qui s'est passé entre nous ne compte plus. Tu n'as pas peur, dis ?

Jean Lucerne était arrivé très en avance. La table qu'il avait choisie, au fond du café, suffisamment éloignée du bar et des jeux vidéo, lui permettait de surveiller les deux entrées, la rue.

Il buvait un verre de vin blanc et s'apprêtait à en réclamer un autre. Devant lui s'étalaient ses trois paquets de cigarettes : des brunes, des blondes, des mentholées. Pour le moment, il fumait une gitane. Le manuscrit de *Penthésilée* attendait, posé bien en évidence au centre de la table. Il venait d'y inscrire le nom d'Alexandra Balsan. Il songeait à ses deux actrices. L'une craignait toujours d'être en retard, l'autre aimait se faire attendre. Il savait qu'Alexandra arriverait en premier. À vrai dire, il comptait même là-dessus. Un besoin de la voir seule. Avant Alma et les quatre autres personnes qu'il avait aussi convoquées et dont il ignorait encore si elles avaient pu se libérer. Besoin qu'il qualifiait de « stupide », de « hors de propos », de « dépassé ».

Il en avait fini avec cette fille-là. Qu'elle retourne auprès de son Adrien, qu'il divorce ou qu'il la quitte, peu lui importait désormais. Mais une rapide et fulgurante bouffée de haine le transperça. Pour disparaître aussitôt dans un deuxième verre de vin blanc bu cul sec, parce qu'il venait de l'apercevoir qui traversait la place Saint-Sulpice de sa drôle de démarche hésitante. Comme il l'avait prévu, elle se hâtait.

Elle ne le vit pas tout de suite et resta quelques secondes dans l'embrasure de la porte. Il en profita pour l'observer. Tout chez elle indiquait le doute, l'indécision et quelque chose de meurtri qu'il attribuait, à tort, à de la timidité. Une timidité d'actrice sur le point de rencontrer son futur metteur en scène. La conscience qu'il ne dépendait que de lui de la rassurer ou de l'effrayer davantage lui procura un brûlant sentiment de triomphe. Et il la considéra avec un mélange nouveau d'indulgence et de froideur. Comme elle lui semblait anodine, à cette minute, Alexandra Balsan !

Quelqu'un la heurta et elle s'excusa. On refermait derrière elle la porte du café. Alors seulement Jean Lucerne lui fit signe.

Elle s'assit en face de lui sur la chaise qu'il lui indiquait. Elle avait failli l'embrasser comme il aurait été normal qu'elle le fît, mais il lui avait tendu la main. Une main aux ongles rongés, aux doigts tachés de nicotine et qui n'avait fait qu'effleurer la sienne. Une main impersonnelle et sans chaleur, qu'elle avait serrée maladroitement.

— Les autres ne vont plus tarder, dit-il.

Il lui tendit la brochure :

— C'est pour toi.

Elle ouvrit le manuscrit, le feuilleta, heureuse de pouvoir s'abriter derrière les gestes si simples, si concrets.

Lui la regardait tourner les pages, attentif surtout à ce qu'il éprouvait pour elle. Il ne l'avait pas vue depuis des semaines. Il examinait l'arrondi enfantin des joues, les pommettes hautes et marquées, les sourcils bien dessinés qui se soulevaient parfois au détour d'une page. Il devinait ses seins sous le chandail d'homme à col roulé en cachemire beige, dont il soupçonnait avec irritation qu'il avait dû appartenir à Adrien. Il reconnaissait la vague odeur de vanille que dégageait sa peau, ou ses cheveux, ou ses vêtements, il n'avait jamais su. Il aurait pu continuer à la détailler des pieds à la tête sans être davantage ému. Il ne la trouvait même pas belle. Un joli visage, un joli corps, rien de plus. Pas de quoi provoquer des passions. C'était si nouveau, cette froideur, qu'il s'encouragea à poursuivre dans cette direction.

Il pensa avec ennui qu'il ne l'avait vue jouer qu'une seule fois. Un petit rôle, dans une petite troupe, presque des amateurs. Un peu de télévision aussi ; un peu de cinéma. Trois fois rien, en somme. Saura-t-elle faire le poids en face de la très grande comédienne de théâtre qu'était Alma ? Il envisagea d'autres actrices qui lui avaient plu et dont il avait noté le numéro de téléphone. Il les savait disposées à tout pour jouer dans sa pièce, prêtes à lui tomber dans les bras s'il le fallait. L'une d'elles le lui avait clairement laissé entendre la veille encore. Une autre confiait à son répondeur des messages d'une provocante ambiguïté. Il était un enjeu important pour elles, pour leur carrière. L'indifférence d'Alexandra à ce sujet le choquait. Elle avançait dans la vie avec une ignorance spontanée des règles du jeu social qui veut que certaines choses ne s'obtiennent qu'à certaines conditions. Il oubliait que c'était pour ce désintéressement-là qu'il l'avait estimée et puis aimée.

— Vous avez pas mal coupé dans le texte de Gracq, dit Alexandra.

— Il le fallait. La tragédie se jouera avec dix personnages. Pas de figuration. Exit les Charmion, les Glaucothoé, les...

Alexandra ne put s'empêcher de sourire. Lucerne lui jeta un coup d'œil méfiant.

— Ce sont ces noms, crut devoir expliquer Alexandra. Des noms pas possible...

— Il faudra t'y faire.

Il se tut, soudain sombre. Alexandra lissait une page du plat de la main. Ce silence la mettait mal à l'aise. Elle tenta de le regarder en face tandis qu'il fixait la porte d'entrée, guettant, pensait-elle, l'arrivée d'Alma et de Didier Lalouette, son dramaturge. Il lui parut fatigué, vieilli, plus vieux que les trente-huit ans que d'ordinaire il ne faisait pas. Il ne s'était pas rasé, ses cheveux étaient trop longs et un peu sales. Mais elle se souvint que ce laisser-aller était prémédité et qu'il l'entretenait avec un soin maniaque quand il travaillait. Comme cette obstination à ne s'habiller qu'en noir, l'été, l'hiver, en toutes circonstances. Il était grand, massif, elle lui trouvait ce jour-là des airs malheureux d'ours captif. Pour la deuxième fois elle sourit.

— Qu'est-ce qui te fait ricaner ? demanda-t-il.

Elle le lui dit.

— « Captif ? » Pourquoi « captif » ? Toujours des comparaisons désobligeantes ! Ça t'arrangerait bien, hein, que je sois un « ours malheureux et captif » ?

Lucerne ne voyait plus que le petit nez retroussé d'Alexandra qui semblait le narguer.

— Tu as vraiment... commença-t-il d'un ton rogue. Il allait ajouter « une sale tête à claques » mais la porte refermée avec fracas l'interrompit.

— Voilà Alma, dit-il.

Celle-ci avançait à grandes enjambées, avec une détermination de guerrière prête à l'assaut. Ses vêtements noirs, eux aussi, sa mini-jupe et son blouson d'aviateur en accentuaient l'effet. Alma, d'emblée, avait tout d'une Amazone.

— Excusez mon retard.

Elle les enveloppa d'un regard bleu aussi caressant que pénétrant.

— J'ai pensé que vous aviez des choses à vous dire.

Elle ne leur laissa pas le temps de répondre et se glissa sur la banquette. Sa main, aussitôt, se posa sur l'avant-bras de Lucerne. Un geste affectueux, qui ne prêtait pas à conséquence, qui semblait spontané, mais qui avait quelque chose d'immédiatement conquérant. Le regard bleu cherchait à rencontrer celui d'Alexandra.

— Je suis contente que tu acceptes de jouer Prothoé. Je suis sûre qu'ensemble nous ferons du bon travail.

Cette déclaration ne demandait aucune réponse. Le regard bleu quitta Alexandra et se posa sur Lucerne, espiègle, joyeux, très différent.

— J'ai croisé ton dramaturge en train de fouiller dans les boîtes d'un libraire. Il m'a dit de te dire qu'il arrivait. Où en es-tu avec David ? J'ai relu la pièce en l'imaginant dans le rôle d'Achille. C'est une idée merveilleuse !

Elle avait une façon subtile de ne s'adresser qu'à Lucerne. Alexandra eut soudain envie de se lever, de fuir ce café, ces gens qui ne lui étaient rien, cette entreprise théâtrale dont elle se sentait, à cette minute-là, si étrangère.

Alma continuait son bavardage. Sa voix variait, tour à tour rauque et basse, chantante et insinuante. Elle en modulait les inflexions, s'arrêtait sur une syllabe, en précipitait une autre. Les critiques, quand ils parlaient d'elle, en revenaient toujours à cette voix, à ce phrasé. Elle était grande, vigoureuse, presque masculine. Ses yeux bleu clair — des yeux de chien husky, avait un jour pensé Alexandra — ne se dérobaient jamais. On l'imaginait volontaire, courageuse et invulnérable. Aucun rôle ne lui faisait peur, y compris ceux qui semblaient les plus éloignés d'elle. Alexandra l'admirait. C'était elle qui la première l'avait imaginée incarnant Penthésilée. Lucerne s'en souvenait-il ? Apparemment pas.

— C'est le désir de travailler avec toi qui me pousse à monter *Penthésilée*, disait-il.

— J'ai toujours su que je jouerais ce rôle, un jour.

— Je ferai de toi une Penthésilée inoubliable !

Alma eut un rire de gorge qui se prolongea plus qu'il n'aurait dû.

— Qu'est-ce qu'il y a de drôle ? s'inquiétait déjà Lucerne.

— Rien. Tout. Je suis heureuse.

« Je m'en vais », pensa Alexandra. Mais les images de l'appartement vide et du lit défait continuaient à la traverser, obsédantes, douloureuses. Elle était sans forces, sans courage. Comment rentrer chez elle ? Avant le rendez-vous de quatre heures elle avait marché au hasard le long de la Seine, était allée s'asseoir dans un cinéma. Pas longtemps, car l'histoire qui se déroulait sur l'écran était une sinistre version déformée de la sienne. Où était l'avion d'Adrien ? Quel pays survolait-il ?

— Tu es verte. Ça ne va pas ? demanda Alma.

Et comme Alexandra faisait « non » de la tête :

— Peut-être n'as-tu pas déjeuné. C'est une

erreur. Il faut se nourrir convenablement pour jouer dans une pièce comme *Penthésilée*. Nous devrons nous entraîner comme des sportifs de haute compétition. D'ailleurs nous devrions nous mettre à l'aïkido. Qu'en pensez-vous?

Elle tira de son grand sac une barre de chocolat vitaminé qu'elle poussa en direction d'Alexandra. « Je peux? » demanda aussitôt Lucerne. Sans attendre la réponse, il mordit dans la barre de chocolat.

— Aïkido? répétait Alexandra bêtement.

Elle détestait le sport et tout ce qui s'en approchait. À plus forte raison les arts martiaux.

— J'ai expliqué à *Jean* ce que je pensais à ce propos, poursuivait Alma. Pour être crédibles en tant qu'Amazones, nous devons travailler physiquement, devenir des athlètes. N'est-ce pas, *Jean*?

La douceur insistante avec laquelle elle prononçait à chaque fois le prénom de Lucerne, sa façon de lui serrer le bras, de laisser aller sa tête sur son épaule pour la redresser ensuite avec des airs de jeune fille confuse, tout cela finit par attirer l'attention d'Alexandra. « Mais elle le drague! » pensa-t-elle, stupéfaite. Elle se rappelait l'unique fois où ils s'étaient trouvés ensemble auparavant. C'était il y avait de cela deux mois, dans l'appartement de Lucerne, durant les quelques semaines où Alexandra et lui avaient été amants. Lucerne, sur les conseils d'Alexandra, avait convié Alma pour lui parler de *Penthésilée*. Il l'avait vue jouer au théâtre, appréciait son talent.

Mais il se méfiait de son statut d'actrice vedette. Alexandra, maintenant, se souvenait du regard précis qu'Alma avait posé sur elle, sur lui, sur le faux couple qu'ils formaient alors. Un regard qui l'avait mise mal à l'aise par tout ce qu'il lui paraissait contenir d'intentions cachées.

— Les voilà enfin, dit Lucerne. Quand nous répéterons, je ne tolérerai pas le moindre retard !

— Dieu merci, les répétitions ne commencent que dans trois semaines !

C'était Didier Lalouette, le dramaturge attitré de Lucerne et son ami le plus ancien. Il embrassa affectueusement Alexandra sur le front, puis après une seconde d'hésitation, la joue qu'Alma lui tendait. Au passage, il avait murmuré : « Content de te revoir, petite Sandra. » Il avait une bonne tête d'étudiant, une myopie dont il abusait et une calvitie précoce et assumée. Il était maigre, anguleux, d'une subtile coquetterie dans le choix de ses vêtements.

Derrière lui, un peu en retrait, un jeune homme attendait qu'on le présente. Lucerne dit un nom qui se perdit dans un grincement de chaise. « ... Il a collaboré à l'adaptation de *Penthésilée*. Il écrit des articles sur le théâtre. Il suivra nos répétitions », acheva Lucerne. Il agitait les bras pour attirer l'attention d'un couple qui venait d'entrer dans le café et qui hésitait à s'engager plus avant.

— Jo et Linou, nous sommes au complet, dit-il avec satisfaction.

On élargit le cercle autour de la table, on

déplaça des chaises. Lucerne se rapprocha d'Alma de façon à libérer un peu de banquette. Des mains se tendirent en direction des nouveaux venus qui s'excusaient de leur retard : ils habitaient la banlieue, une grève partielle du RER les avait bloqués à la périphérie de Paris. Le dénommé Jo ne décolérait pas.

— Une heure et demie pour venir jusqu'à Saint-Sulpice ! Et ma voiture est toujours au garage ! Elle ne sera pas prête samedi pour partir à Londres ! Il va falloir en louer une sur place !

— Ce n'est pas grave, dit gentiment Lucerne. Tu as réglé le problème de la salle de répétition ?

— Affirmatif. On a la salle que tu souhaites, la grande, dans le Marais. On peut la retenir dès le début du mois de mai. Ce n'est pas trop tôt ?

— C'est parfait. Même si nous ne démarrons qu'officiellement le 10, je veux pouvoir y faire des lectures. Tu confirmeras tout à l'heure.

Jo était le régisseur de Lucerne, mais aussi son assistant et son ami. Une sorte de mimétisme affectif le poussait à s'habiller et à fumer comme lui, à adopter l'essentiel de ses idées. Le regard qu'il posa sur Alexandra fut froid, presque hostile. « Il se demande ce que je fais ici. Il ne me pardonnera jamais de l'avoir quitté », pensa-t-elle avec embarras. Pour se rebeller ensuite : « Qu'est-ce que j'en ai à fiche, de Jo ! » Elle se souvenait du jour récent où Linou et Jo s'étaient mariés. Lucerne était leur témoin et avait insisté pour qu'elle l'accompagne. Au cours de la cérémonie, il lui avait brusquement serré le bras. « Épouse-moi », avait-il demandé. À voix haute, distinctement, de manière que tous l'entendent. Et comme elle refusait, chuchotait des « Ne dis pas de bêtises » et des « On nous regarde », il avait eu ce cri : « Dommage ! » Alexandra, alors, avait concentré son attention sur Linou. Ce mariage la troublait. Linou, avec son mètre cinquante, son corps gracile et son visage de poupée, semblait à peine sortie de l'enfance — en fait, elle avait dix-neuf ans et Jo douze de plus. Ses silences, son apparente soumission à tout ce qu'on décidait pour elle, avaient quelque chose de déconcertant. Comme cette passion qu'elle avait suscitée chez Jo et qui ne semblait pas l'émouvoir outre mesure. Elle avait accepté le mariage, un peu comme elle aurait accepté une croisière dans les mers du Sud. Avec plaisir et gratitude. « Elle est folle, elle ne réalise pas à quoi elle s'engage », avait pensé Alexandra qui s'était, elle aussi, mariée à dix-neuf ans. Il s'appelait Olivier, comme son frère dont il était le meilleur ami. C'était un de ces mariages de fin d'enfance, dans lequel on se jette étourdiment, par sympathie animale, et aussi pour quitter un lieu et s'en aller vivre ailleurs, Alexandra ne savait pas vraiment et ne voulait pas s'appesantir sur cet épisode de sa vie. Le divorce, d'ailleurs, n'avait guère posé de problème. Pourquoi fallait-il que son frère, l'autre Olivier, le vrai, le seul, lui en veuille encore ?

Le bruit des chaises cessa soudain, chacun

venait de trouver sa place. On commanda des boissons. L'exiguïté de la banquette exigeait qu'on s'y tienne serrés, buste contre buste, genoux contre genoux. Était-ce cela qui autorisait Alma à poser sa main gauche sur la cuisse droite de Lucerne ? Alexandra croyait voir la longue main sur le tissu noir du pantalon, les bagues qui scintillaient. Une chaise se colla contre la sienne : celle de Didier Lalouette.

— Tu vas bien ? demanda-t-il.

Elle esquissa une grimace qui pouvait tout aussi bien signifier oui que non.

— Je vois.

Il sortit de son cartable la brochure de *Penthésilée*, des cahiers et des blocs de papier.

— Je suis très satisfait de ton personnage, poursuivit-il. La Prothoé du début est dure et farouche : une vraie militante de la loi amazone ! Elle s'oppose à Penthésilée avec la hargne d'une louve. Après...

— Tu as l'intention de faire la mise en scène à ma place ? demanda Lucerne.

La brutalité de sa question ne provoqua chez Didier Lalouette qu'un haussement d'épaules amusé. Habitué aux éclats d'humeur de Lucerne, il ne s'en formalisait que lorsqu'ils nuisaient directement au travail. Le reste du temps, il patientait. Comme les petits enfants, Lucerne se calmait tout seul et très vite. Déjà il se reprenait, bouffonnait.

— Puisque tu parles si bien, monsieur mon

dramaturge, raconte-leur comment et pourquoi nous en sommes venus à choisir David.

— Non : raconte, toi, demanda Alma. Raconte-leur comme tu m'as raconté, hier...

Elle insistait des yeux, des lèvres ; la pression de sa main sur la jambe s'accentuait. Mais une juvénile timidité retenait soudain Lucerne. Il regardait Didier et Jo comme pour en tirer des forces. Alexandra pensa que c'était beaucoup ce Jean-là qui l'avait émue et séduite. Un Jean que l'enfance traversait encore et qui laissait deviner le petit garçon trop sensible, trop craintif, que la terre entière, aurait-on dit, avait blessé.

— Vas-y, demanda à son tour Didier.

— Tu es sûr... Tu ne préfères pas toi... Après tout, c'est ton adaptation...

Lucerne résistait, s'empêtrait.

— C'est *mon* adaptation, mais David, c'est *ton* idée.

— Le coup de foudre de Penthésilée pour Achille m'a tout de suite posé un problème, commença Lucerne. Elle parle de lui comme du dieu Mars, comme d'un soleil. Quel est l'acteur capable de justifier par sa seule beauté, sa seule présence physique, une telle passion ? J'ai cherché quelqu'un qui s'impose immédiatement, quelqu'un dont tous les spectateurs s'éprendraient en même temps que Penthésilée... Un corps qui sache bouger, désirable, irrésistible...

De seconde en seconde, Lucerne s'affirmait. Il émanait de lui une force chaleureuse infiniment

41

séduisante, infiniment convaincante. Sa voix, belle, grave et bien timbrée, envoûtait. Son regard se chargeait de passion. Il imposait une pensée, une vision. Alexandra elle-même se troublait, de nouveau sensible à tout ce qui, chez cet homme, lui avait plu. Alma écoutait, sérieuse et concentrée, les mains jointes sur la poitrine. « Pour elle le travail est commencé », pensa Alexandra avec un vague sentiment d'envie. Mais de voir que la main d'Alma avait quitté la jambe de Lucerne lui procura une autre sensation, bizarre, inattendue, et qui s'apparentait à du soulagement.

— Voilà en quels termes Ulysse décrit la rencontre de Penthésilée et d'Achille, son ami, son compagnon, sur le champ de bataille, voilà comme il la décrit, elle : *Tout à coup elle aperçoit Achille, et la voilà qui rougit jusqu'aux seins, comme si brusquement le monde autour d'elle était en flammes. Comme si elle n'en croyait pas ses yeux, elle se tourne vers une amie et lui crie : « Un tel homme, Prothoé, jamais Otréré, ma mère, n'en a rencontré de pareil ! » L'amie paraît troublée, Achille et moi nous nous regardons en souriant. Mais elle, fascinée, elle ne cesse de dévorer des yeux le poitrail étincelant d'Achille, jusqu'à ce qu'il lui rappelle qu'elle me doit une réponse. Alors — je ne sais si c'est de honte ou de fureur — une rougeur inonde ses joues, son cou, jusqu'à la cuirasse, jusqu'à la ceinture.*

Lucerne avait récité de mémoire. Il marqua une pause, alluma une cigarette. La présence de ses amis — que déjà il appelait « les miens » ou « ma troupe » — leur silence, cet air de concentration avide qu'il lisait sur leur visage, tout cela le comblait, le portait. C'était comme une promesse échangée, comme un accord secret : quel que soit le spectacle qu'il entreprendrait, ils le suivraient. Il reprit :

— Bref, nous avons pensé, Didier et moi, que seul un danseur pouvait interpréter l'Achille dont nous rêvons. Ce héros-là ne parle pas beaucoup, il *est*. Ce sont les autres qui parlent autour de lui : Penthésilée, Prothoé, Ulysse, les Grecs. J'ai contacté le danseur anglais David Mathews. C'est une chance, il doit se faire opérer du pied en juin et le Royal Ballet lui accorde un congé — arrêt de travail de quatre mois. Je l'ai vu danser. En scène, la force qu'il dégage est virile et guerrière. Il sera ce *héros solaire déchiqueté par le peuple lunaire et nocturne des femmes* que décrit si bien Gracq. À propos...

Il s'interrompit pour dévisager Alma. Celle-ci le laissait faire, paisible, comme offerte, attendant qu'il veuille bien achever sa phrase.

— David est très blond, reprit-il. Toi, Alma, tes cheveux sont...

— ... châtains !

Alma eut un geste délicat pour réclamer à la fois le silence et la parole.

— Tu souhaiterais que je les fonce, dit-elle. Tu voudrais un plus grand contraste entre David et moi ; que nous soyons à nous deux le soleil et la lune. J'y avais déjà pensé. C'est oui, bien sûr !

— Tu es extraordinaire ! Non seulement tu

43

comprends ce que je veux, mais en plus tu me précèdes !

Ils se complimentèrent l'un l'autre pendant quelques minutes. Alexandra, un instant distraite par la perspective d'avoir à jouer avec David Mathews, sentait ses forces l'abandonner. Elle éprouvait une lassitude extrême dans les jambes et dans le dos, dans la nuque. Le dossier de la chaise lui meurtrissait les épaules. La fumée des cigarettes l'écœurait ainsi que les odeurs de nourriture. Par vagues successives des adolescents envahissaient le café. Ils se comportaient comme en terrain conquis, s'apostrophaient d'une table à l'autre, appelaient les serveurs par leur prénom. Une gaieté d'après la classe, bruyante, animale, avec ses codes et ses mots de passe.

— L'idée de David Mathews pour jouer Achille te plaît ? demanda Didier Lalouette.

Alexandra sursauta.

— Oui, oui, s'empressa-t-elle de répondre.

Et parce qu'elle sentait que ce n'était pas suffisant, qu'on attendait d'elle un peu plus d'intérêt :

— Sur scène, il dansera ?

Didier eut pour elle un regard critique.

— Tu n'as rien écouté de ce que vient de nous développer Lucerne.

C'était vrai. De l'autre côté de la table, Alma exprimait maintenant son enthousiasme. Elle commentait les choix de Lucerne, posait des questions, revenait au texte. Passionnément, intelligemment. Et ces questions relançaient Lucerne, lui permettaient de pousser davantage sa pensée, de l'affiner. Un éclat insolite l'auréolait qui le rendait plus jeune et plus séduisant. Et cet éclat, il savait qu'il le lui devait. Parfois il se tournait vers les autres, vers Jo, comme pour les prendre à témoin. « N'est-ce pas qu'elle est formidable ? » disait clairement son regard.

— Et si je vous accompagnais à Londres ? proposa soudain Alma.

— Nous serons trois dans la voiture : Jean, Didier et moi. Il y a une place pour toi, répondit Jo.

— Merci.

Alma posa sa main sur celle de Lucerne, ignorant — ou feignant d'ignorer — qu'il se taisait, et même qu'il regardait ailleurs, vers la porte d'entrée où deux adolescents jouaient à se bousculer.

— Qu'en penses-tu, Jean ? Peut-être pourrais-je vous aider à le convaincre, ce merveilleux David Mathews...

Une sorte de mystérieuse tension apparut, émanant d'on ne savait qui. Chacun attendait de Lucerne qu'il se prononce. Alexandra comme les autres. Mais son cœur se serrait, en proie à une subite et scandaleuse petite douleur. « Qu'il lui dise non. Qu'il lui refuse ce voyage », priait-elle. Pour aussitôt après implorer l'inverse : « Qu'il accepte. S'il tombe amoureux d'elle, s'il l'aime, j'aurai la paix. » Alma souriait, sûre d'elle, invulnérable. Sa main retenait toujours celle de Lucerne au centre de la table, entre les verres et les cendriers.

— Qui sait, en effet... commença Lucerne.

Ses yeux quittèrent les adolescents pour venir se planter dans ceux d'Alexandra, exigeants, arrogants, avec une provocation si évidente qu'Alexandra, gênée, détourna les siens. Presque une minute s'écoula.

— Je serai enchanté que tu te joignes à nous, Alma, dit enfin Lucerne.

Puis sur un autre ton, plus affable :

— J'offre une tournée pour fêter cette première rencontre. Pour moi, ce sera un whisky ! Double !

Et sa main, sur la table, étreignit celle d'Alma. Un geste destiné à être vu de tous et qu'Alexandra reçut en plein cœur.

Sur le trottoir, ils se séparèrent très vite. La réunion s'était prolongée au-delà de ce qui avait été prévu, chacun avait affaire ailleurs. Jo et Linou partirent d'un côté, Alma et Lucerne d'un autre. Alexandra se retrouva seule. Elle avait confusément espéré que Didier s'attarderait, qu'il lui parlerait, la réconforterait, comme il l'avait fait, parfois. Mais il s'était esquivé le premier, prétextant un rendez-vous urgent.

La cloche de la mairie de Saint-Sulpice sonna six coups. Des promeneurs traversaient lentement la place, des touristes se photographiaient devant la fontaine. Une allégresse nouvelle était dans l'air. Alexandra regardait, incrédule, le ciel bleu, les pousses vertes des arbres, les vestes ouvertes et les écharpes dénouées ; les enfants qui couraient en chandail. Oui, tout avait changé en quelques heures. On était passé de l'hiver au printemps sans qu'elle s'en rende compte. Ce printemps qui tardait et qu'elle souhaitait tant hier encore. Elle défit le premier bouton de sa parka et sa main frôla la fourrure du capuchon. C'était un cadeau d'Adrien. Il aimait lui offrir de belles choses : des pulls en cachemire, des fleurs blanches rares, des bijoux anciens. Ce matin encore il se trouvait à ses côtés. Elle en revenait toujours à ça : il y avait eu quelqu'un, il n'y avait plus personne. La terre entière l'avait abandonnée. Adrien. Lucerne. Jusqu'aux lions de la fontaine qui lui tournaient le dos. Alexandra se sentait laide et vieille, plus personne jamais ne l'aimerait. La fatigue devenait intolérable. Une douleur qui la prenait aux épaules, qui descendait dans le dos et dans les jambes. « Est-ce que la vie se termine à trente et un ans ? » eut-elle envie de demander à une vieille dame assise sur un banc et qui nourrissait des pigeons.

Alexandra fit quelques pas le long de l'église, en direction de la rue Palatine. Elle éprouvait une étrange sensation, qui peu à peu se précisait. La sensation que quelqu'un depuis un moment déjà se trouvait à ses côtés. Quelqu'un qu'elle refusait de voir et qui maintenant marchait avec elle. Une voix d'une stupéfiante douceur alors récita :

> *Un grand sommeil noir*
> *Tombe sur ma vie,*
> *Dormez, tout espoir,*
> *Dormez, toute envie...*

Elle sursauta. Proche d'elle à la toucher, un jeune garçon en duffle-coat gris, les mains dans les poches, lui souriait. Il avait la blancheur d'une mouette, les cheveux très noirs et c'est ce contraste d'abord qui l'étonna. Puis elle vit l'ovale parfait du visage, le dessin gracieux de la bouche, les yeux sombres bordés de cils épais, longs, et très noirs eux aussi. Il se dégageait de lui quelque chose de si délicat, de si agréable, qu'on ne pouvait faire autrement que de lui sourire en retour.

— J'étais avec vous dans le café.

Le murmure de sa voix, sa douceur, de nouveau saisirent Alexandra. Un murmure qui agissait comme une caresse et qui correspondait exactement à son visage, à son sourire. Alors elle se rappela. C'était le jeune homme qui accompagnait Didier Lalouette et dont Lucerne avait annoncé la présence aux répétitions.

— Comment tu t'appelles? demanda Alexandra en adoptant d'emblée un tutoiement que d'ordinaire elle refusait.

— Jérémy. Jérémy Simon.

Il retira de la poche de son duffle-coat un paquet de cigarettes qu'il lui tendit. Elle en prit une, machinalement, pour lui faire plaisir, ou pour occuper ses doigts, elle ne savait pas et cela importait peu. Il en prit une aussi.

Un groupe d'enfants en patins à roulettes les obligea à se déplacer vers la gauche. Les premiers mots de ce qui lui semblait être un poème résonnaient encore dans la tête d'Alexandra : *Un grand sommeil noir tombe sur ma vie.* Était-elle si transparente ? Le malheur l'imprégnait-il à ce point ? Avait-il une odeur ? Une couleur ? Elle s'imaginait entourée d'un maléfique halo.

Sans l'avoir décidé, ils s'étaient engagés dans la rue Servandoni.

— J'habite là, dit Alexandra en désignant un vieil immeuble. Et très vite, parce que le souvenir de l'appartement déserté revenait, intolérable, effrayant, elle proposa : « Tu veux monter boire un verre ? » Peu lui importait à cette minute, le désordre, les volets fermés, l'aspect désolé du petit appartement. Mais Jérémy secouait négativement la tête.

— J'ai un rendez-vous à Montparnasse. Une autre fois...

Il parlait si bas que c'était un effort de l'écouter, de le comprendre. Alexandra n'insista pas. Comment avait-elle imaginé qu'un garçon comme lui puisse ne pas être attendu ailleurs ? Elle lui tendit une main qu'il serra.

— Eh bien... À dans trois semaines, dit-il.

Il esquissa un sourire gentil et embarrassé. Le sourire de quelqu'un qui se force à en dire plus.

— En trois semaines, les chagrins se transforment... Forcément.

Pendant deux semaines, le travail se fit autour de la table où Jean Lucerne, secondé par Didier Lalouette, expliquait la pièce. On décortiquait, on critiquait, on lisait à voix haute, lentement, sans effet, « à plat », comme on le fait toujours, au début.

Une comédienne d'une quarantaine d'années et cinq jeunes acteurs — trois garçons et deux filles — complétaient maintenant la distribution. Certains sortaient du Conservatoire d'art dramatique de Paris, d'autres venaient de province. Pour quatre d'entre eux *Penthésilée* représentait leur première expérience professionnelle importante. Tous rêvaient de travailler avec Lucerne, tous l'admiraient : il était pour eux un maître dans un métier qu'ils jugeaient déjà sévèrement. Un maître qu'ils écoutaient avidement, qu'ils n'osaient pas encore interrompre et dont à l'avance ils acceptaient tout.

Et Lucerne oubliait ses peurs, ses irritations et

ses rancunes. Il demeurait d'humeur égale, traitait tout le monde avec gentillesse. Particulièrement Alexandra à qui, souvent, il semblait s'adresser. On aurait dit que sa présence à l'autre bout de la table l'attirait et l'inspirait.

Alexandra intervenait peu. Elle écoutait, les yeux baissés, noircissait de notes son cahier. La façon dont Lucerne se comportait avec elle l'aidait à ne pas se sentir complètement rejetée. Elle en éprouvait de la reconnaissance, de l'amitié et un regain de tendresse qu'elle se gardait bien d'exprimer. Par crainte qu'il se méprenne mais aussi et surtout à cause d'Alma : celle-ci à présent l'avait officiellement remplacée auprès de Lucerne. Rien de ce qui les liait n'était explicite et pourtant tous, dans l'équipe, savaient. Alma et Lucerne arrivaient ensemble et repartaient de même. Alma souvent disait « nous ». Mais elle était si intégrée au travail, si bonne camarade, qu'on ne savait plus si elle parlait du spectacle ou de Lucerne. Son application, son énergie et sa disponibilité la rendaient sympathique à tous. Quelle importance, alors, qu'ils fussent amants ? Les couples metteur en scène-actrice principale relevaient presque de la tradition théâtrale et personne n'aurait songé à s'en formaliser.

Le jour arriva où il fallut quitter le relatif confort de la table. On débarrassa la pièce de tous ses meubles à l'exception d'une dizaine de chaises. Un espace fut délimité sur le sol, qui avait les proportions exactes du futur plateau, et dont on traça à la craie les entrées et les sorties.

Toujours en avance d'une idée sur les exigences de Lucerne, Jo s'affairait. Il établissait les horaires de travail, faisait le lien entre le décorateur, le costumier, le festival d'Avignon et David Mathews qui avait accepté d'interpréter Achille, mais que la danse retenait encore à Londres. Une gaieté continuelle l'animait : beaucoup pour lui faire plaisir, Lucerne avait engagé Linou pour jouer une jeune Amazone. Elle n'avait que deux courtes scènes et quelques répliques, mais elle était présente à toutes les répétitions et cela, pour Jo, comptait plus que tout.

Souvent il l'observait à la dérobée. Il ne voulait pas la gêner, il ne voulait pas peser sur elle. Il assista ainsi à ses premiers pas, le cœur battant, plus effrayé qu'elle ne le serait jamais. Mais Linou parlait juste, bougeait bien. Elle respectait scrupuleusement les indications de Lucerne sans poser jamais une seule question. Le reste du temps, elle s'asseyait dans un coin du local et suivait, immobile et silencieuse, le travail des autres. Sa maigreur, sa petite taille et son visage triangulaire l'avaient fait surnommer « le petit chat ». Une idée d'Alma. Sur le moment Jo s'irrita de cette familiarité, puis il n'y pensa plus : Linou semblait heureuse, Lucerne se félicitait de l'avoir engagée, Jo pouvait être fier de sa jeune femme.

— Vingt minutes de pause !

Lucerne referma la brochure de *Penthésilée* et se pencha vers Didier, assis près de lui. Celui-ci précéda l'inévitable et rituel « Qu'est-ce que tu en penses ? » par un hochement de tête approbateur. Mais Lucerne ne partageait pas sa satisfaction.

— Ça ne va pas assez vite à mon goût, dit-il.

— Tu es trop impatient. Ils sont sur le plateau depuis trois jours et tu voudrais tout de suite des résultats.

— Je ne crois pas que ces acteurs soient des Grecs et ces actrices des Amazones !

— Comment pourrait-il en être autrement ? Et puis, c'est ton boulot de les y amener !

Lucerne et Didier avaient beau chuchoter, on percevait l'irritation de l'un et l'agacement de l'autre. Pour la première fois depuis le début du travail, quelque chose d'électrique vibrait dans l'air. Il faisait chaud. Jo ouvrit la lucarne. Une fraîcheur printanière entra dans le local. Pour se dissoudre aussitôt dans la fumée des cigarettes et la poussière qui montait du plancher. Alma éternua.

— Il faudrait passer l'aspirateur, dit-elle à la cantonade.

— Les femmes de ménage sont venues avant-hier, répondit Jo.

— Eh bien, qu'elles reviennent ! Cette poussière nous prend à la gorge. C'est mauvais pour la voix !

Marie-Lou Pinheiro avait entre quarante et cinquante ans et devait interpréter la Grande

Prêtresse des Amazones. C'était de loin la plus âgée du groupe. C'était aussi la seule qui avait déjà travaillé avec Lucerne.

— Tu entends ce que je te dis, Jo ?

Elle agitait son épaisse crinière blonde et frisée en signe de protestation, désignait du pied les rainures du plancher. Une quinte de toux la secoua.

— Si tu fumais moins... risqua Jo.

Marie-Lou venait justement d'allumer une nouvelle cigarette. Une deuxième quinte de toux l'empêcha provisoirement de répondre. « Alma... » commença-t-elle.

Mais Alma était devenue sourde à tout ce qui l'entourait. Les poings serrés, la tête penchée en avant, les épaules tendues, elle arpentait le plateau, cherchant la juste place, marmonnant des bribes de texte. Une démarche rapide, musclée, qui l'entraînait dans des cercles de plus en plus larges. Elle avait l'air d'un grand félin, ou d'un boxeur avant le match, Alexandra la suivait des yeux, fascinée.

Derrière, Lucerne et Didier Lalouette poursuivaient leurs conciliabules. « Ça ne va pas. Ça ne va pas du tout ! » scandait Lucerne à voix basse. « Ils me trouvent mauvaise, ils réalisent que je ne pourrai jamais jouer Prothoé », pensa Alexandra. Une boule d'angoisse lui serra la gorge.

— Je vais prendre un café, je reviens, dit-elle à l'intention de Jo.

— Ah, toi aussi tu ne supportes plus cette

poussière ! triomphait Marie-Lou Pinheiro. Peux-tu à ton tour exiger qu'on passe l'aspirateur ? Puisqu'il semble que le moindre de tes désirs...

Mais Alexandra était déjà dehors.

Une rumeur de grande ville arrivait jusqu'à la paisible impasse où se trouvait situé le local. Des merles couraient sur les pavés de la cour, sur les trottoirs, et s'envolaient en direction des marronniers du square voisin. On les entendait chanter dans les arbres. Dans les rues adjacentes, des promeneurs déambulaient, insouciants, comme en vacances. Des touristes pour la plupart. Le quartier du Marais, en cette chaude journée de mai, bruissait comme une ruche. Une joie de vivre diffuse et pourtant vigoureuse qui choqua douloureusement Alexandra. « À quoi bon ? » pensa-t-elle.

De l'autre côté de la rue, dans le bar-tabac, quelqu'un lui faisait signe : Jérémy. Alexandra le rejoignit et s'accouda près de lui au comptoir.

Ils s'étaient à peine parlé depuis leur rencontre d'avril. Jérémy avait l'art de se faire oublier. Il assistait à presque toutes les répétitions, toujours en retrait, si bien qu'on ne savait plus s'il était présent ou pas. Sauf Alexandra. Il avait à ses yeux le charme de ceux qui savent se taire. Elle écoutait ses rares paroles audibles avec le sentiment confus qu'un jour peut-être ils se connaîtraient mieux et qu'ils pourraient même devenir amis.

Il faisait délicieusement frais dans le bar-tabac grâce à un astucieux système de courants d'air. Un serveur passait un tissu-éponge sur les tables en sifflotant une chanson de Francis Cabrel. Une étudiante révisait. Dans une cage, un canari frottait son bec contre son perchoir avec une énergie et une gaieté telles qu'on avait envie de rire rien qu'à le regarder. Jérémy inclina la tête et murmura quelque chose qu'Alexandra ne comprit pas. Il murmura autre chose.

— Tu sais, je ne t'entends pas, dit-elle. Parle plus fort.

— Tu bois quoi ?

— Un café.

Elle lui sourit, retrouvant ce qui lui avait plu chez lui, un mois auparavant, cette douceur obstinée dans la voix, dans sa façon de l'épier à l'abri des longs cils noirs, dans la mollesse du maintien. Il avait à peu près sa taille et semblait très jeune. Si jeune qu'elle eut envie de le bousculer, de le traiter comme un petit frère. Une sorte d'Olivier bis avec qui il convenait de ne pas faire de manières.

— La répétition reprend dans dix minutes. Ça t'intéresse, ce travail ? Surtout ne te presse pas de répondre !

Mais cette feinte autorité retomba aussitôt. Jérémy d'ailleurs n'y croyait pas. Il cherchait de la monnaie dans la poche de son pantalon pour payer leurs deux cafés. Alexandra surprit son propre visage reflété dans le miroir, terne, creusé. Son air de victime battue d'avance.

— Je n'y arriverai pas, dit-elle dans un souffle.

Je n'ai jamais eu un rôle aussi important. Ils doivent déjà s'en rendre compte.

— Mais si, tu vas y arriver !

L'aplomb de Jérémy avait de quoi surprendre. « Qu'est-ce qui te fait croire ça ? » voulut demander Alexandra. Mais l'arrivée de Marie-Lou Pinheiro l'en empêcha.

— On fait bande à part ?

Il y avait beaucoup de place le long du comptoir, pourtant ce fut entre eux que Marie-Lou se glissa.

— Je vous dérange ? Vous buvez autre chose ? Pour moi, ce sera un ballon de rosé !

Elle usait du ton agressif et bourru qui lui était habituel. Certains avaient du mal à s'y faire, d'autres, à l'inverse, appréciaient ce qu'ils considéraient comme un franc-parler. On disait de Marie-Lou Pinheiro qu'elle était une nature, ce qui voulait tout dire et rien du tout.

On déposa un ballon de rosé.

— Vraiment, vous ne buvez rien ? insistait Marie-Lou.

— La répétition va reprendre... commença Alexandra.

Marie-Lou, très évidemment, ne s'intéressait pas à elle mais à Jérémy qu'elle détaillait des pieds à la tête. Longuement, crûment, avec insistance. Jérémy la laissait faire comme habitué depuis toujours à ce genre de curiosité.

— D'où tu sors, toi ? demanda enfin Marie-Lou. Il paraît que tu fais de la critique ?

Et comme Jérémy approuvait d'une gracieuse inclination de la tête :

— Ils les prennent au berceau dans ton journal ! C'est quoi, ton journal ?

— C'est l'heure, dit Alexandra.

Elle amorça un mouvement, tout à coup pressée de sortir, de retrouver la lumière artificielle et la poussière du local ; le travail sur le plateau.

— Quelle bonne petite actrice consciencieuse ! dit Marie-Lou d'une voix suave. C'est qu'on en a des choses à se faire pardonner !

Alexandra s'arrêta net. Sa respiration s'accéléra, ses mains devinrent moites. Dans son dos, Marie-Lou eut un grand rire. L'étudiante releva la tête de ses dossiers et le canari cessa une seconde de frotter son bec contre les barreaux de la cage.

— On raconte que tu lui en as fait baver, à ce pauvre Lucerne. Mais c'est payant, puisqu'il t'engage pour un rôle que beaucoup t'envient... Alors que personne ne te connaît, que tu es une presque débutante ! Le masochisme des hommes !

Le rire reprit. Un rire moins sonore, qui se voulait complice, amical, mais qui ne trompait pas. « Elle me déteste », pensa Alexandra. Et de découvrir cette haine absurde, que rien n'expliquait, que rien ne justifiait, lui donna envie de s'enfuir au bout du monde.

— Ce qu'il faut que tu comprennes, insistait
Lucerne, c'est la cyclothymie de Penthésilée. Elle
passe constamment d'un état d'excitation intense,
d'euphorie, à la dépression la plus absolue. Elle
ne connaît pas d'états intermédiaires. Tu dois
trouver en toi comment interpréter ce continuel
va-et-vient.

Alma écoutait, tendue, concentrée, étrangère
aux autres comédiens qui achevaient leur cigarette en silence.

Il y avait Marie-France et Christine qui
devaient incarner les princesses amazones Astérie
et Méroé; Sylvain, Gérard et Michel, les rois
grecs Ulysse, Diomède et Antiloque. Dans une
séparation spontanée et naturelle, les garçons
s'étaient regroupés d'un côté du plateau et les
filles de l'autre.

— Tu as compris ce que j'attends de toi?
demandait Lucerne.

Alma acquiesça.

— Tu te sens prête à attaquer la première scène, ou tu préfères rentrer chez toi pour y réfléchir ? Auquel cas je ferai travailler les garçons qui pataugent complètement.

Les garçons frémirent. Sylvain, le plus âgé — il avait vingt-sept ans et deux rôles importants derrière lui — s'apprêtait à protester. Lucerne se retourna d'un bloc.

— Vous avez tous du talent puisque je vous ai choisis, dit-il durement. Mais il faudrait me le prouver. Ça ne m'intéresse pas, les prix que vous avez glanés ici et là. Ça ne m'intéresse pas, Sylvain, que tu aies joué Perdican avec machin. Ce qui m'intéresse c'est que tu me fasses croire que tu es un roi grec ! Pour l'instant, vous trois, c'est les Pieds Nickelés, et ce n'est pas les Pieds Nickelés que je veux mettre en scène !

Chacun se taisait, saisi, presque honteux. Didier Lalouette, un peu en retrait, roulait avec soin une cigarette sans que l'on sache s'il approuvait cet éclat.

— Je préfère attaquer tout de suite la première scène des Amazones, dit Alma avec calme.

— Eh bien allons-y, répondit sèchement Lucerne. Scène V. Les garçons, Marie-Lou et Linou peuvent s'en aller. Je n'ai besoin que d'Alma, de Christine, de Marie-France et...

Sa voix s'adoucissait.

— ... et d'Alexandra.

Ceux que le travail ne concernait plus rassemblèrent à la hâte leurs objets personnels, soucieux d'obéir, pressés de quitter l'atmosphère tout à coup électrique de la salle de répétition. Une bousculade de quelques minutes durant lesquelles Lucerne, planté au milieu du plateau, la brochure coincée sous le coude, attendait. D'impatience, il s'arrachait la peau autour du pouce par petits coups de dents tranchants. Alexandra, derrière lui, l'entendait marmonner des : « Ça traîne ! Ça traîne ! » Il sentit sa présence et se retourna.

— Cette première scène entre les Amazones est capitale, dit-il. Tu dois vraiment contrer la mauvaise foi de Penthésilée. Tu as la certitude de ceux qui ont la Loi pour eux. Aucune sentimentalité, aucune psychologie. Tu comprends ?

Et sans lui laisser le temps de répondre :

— Je suis sûr que tu comprends.

Il lui souriait.

— Il faut que tu te fasses davantage confiance, Sandra. Que tu me fasses davantage confiance à moi...

— Je te fais confiance...

Elle murmurait, intimidée par le ton affectueux et intime qu'avait maintenant Lucerne et qu'il semblait n'utiliser qu'avec elle. Elle croyait sentir posés sur elle les regards curieux des autres. De peur de croiser celui de Marie-Lou, elle fixait obstinément le plancher.

Alma avait repris ses cercles autour du plateau. Pour elle seule, elle scandait le début de son texte : *Dix mille soleils fondus en un globe de feu ne brilleraient pas pour moi autant qu'une victoire, une seule. Une victoire de moi sur Achille.*

La porte d'entrée une dernière fois se referma.

— Allons-y! dit Lucerne. Alma, tu rentres à gauche, côté jardin. Marie-France et Christine, vous l'accueillez : *Salut à toi, Victorieuse! Salut, Triomphante! Reine de la Fête des Roses!* Alma, tu es blessée mais ton énergie est décuplée. Tu leur coupes immédiatement la parole : *Non, pas de triomphe pour moi! Non, pas de Fête des Roses! Le combat à nouveau m'appelle sur le terrain. Le jeune dieu de la guerre, je le dompterai de ma main...,* etc. Alexandra, tu te reposes près de ce qui sera un feu de camp. La gravité de la situation, tu ne la saisis pas d'emblée. Mais quand tu la saisis, c'est avec la rapidité d'une flèche. On y va!

Une certaine maladresse freinait et alourdissait les mouvements de Marie-France, Christine et Alexandra. Une raideur normale au début des répétitions et qui n'inquiétait pas encore Lucerne. Son regard attentif enregistrait les rapides et réguliers progrès d'Alma. Quelque chose chez elle se précisait : une façon de lancer ses épaules en avant, d'avancer par à-coups. Une façon primitive de se mouvoir, à la fois juste et belle, qui rendait dérisoires les tâtonnements des trois autres.

Des rires et des éclats de voix parvenaient de la cour. « Qu'est-ce qu'ils ont à s'attarder? » maugréa Lucerne. Et comme le bruit continuait : « Silence! » hurla-t-il. Le silence se fit.

— *Salut à toi, Victorieuse! Salut, Triomphante!
Reine de la Fête des Roses!* dirent en même temps
Christine et Marie-France.

— *Non, pas de triomphe pour moi! Non pas de Fête
des Roses! Le combat...* enchaîna Alma.

— Arrêtez!

Lucerne avait bondi sur le plateau.

— Les filles, vous ne pouvez pas accueillir
Penthésilée aussi mollement! Comment voulez-
vous qu'Alma puisse attaquer sa scène après ça?
Trouvez un peu plus de conviction! Qu'est-ce
qu'il y a encore?

La porte d'entrée s'ouvrit sous l'impulsion d'un
groupe que l'obscurité relative du fond de la salle
empêchait de distinguer. Mais Didier s'était levé
et marchait à leur rencontre.

— David Mathews! annonça-t-il gaiement.

Tous, maintenant, entouraient le jeune homme. Non seulement Lucerne, Didier et les Amazones, mais Jo, Linou, Jérémy, Marie-Lou et les garçons.

— On l'a trouvé qui hésitait dans l'impasse! dit Sylvain.

— On l'a tout de suite reconnu! ajouta Michel.

— Je n'étais pas certain de l'adresse, dit David. Et puis, on hésite toujours à déranger une répétition, n'est-ce pas?

Il rit et l'équipe entière rit avec lui. Un rayonnement immédiat et irrésistible émanait de lui, comme s'il absorbait et reflétait toute la lumière. Cela ne tenait ni à la beauté classique de son visage ni à la perfection de son corps. Cela avait peut-être à voir avec l'éclat extraordinaire de ses cheveux blonds, la fraîcheur de sa peau, la blancheur des dents. Cela se confirmait avec sa façon de bouger à la fois humaine et animale, d'une sensualité d'autant plus troublante qu'elle semblait innocente. On ne se lassait pas de le regarder, on avait envie de s'approcher, de le toucher.

— On m'a donné quarante-huit heures de congé. J'en ai profité pour venir à Paris.

Son français était parfait, avec à peine une pointe d'accent britannique.

— J'avais envie de faire votre connaissance. De vous rencontrer, tous...

Son regard se posait équitablement sur chacun, amical, ingénu, comme inconscient de l'émoi amoureux que sa présence éveillait chez les uns et les autres, garçons et filles confondus. Même Lucerne était séduit. Une expression d'enfantine satisfaction illuminait son visage. « C'est moi qui l'ai trouvé, c'est mon choix », avait-il l'air de dire. Et de fait :

— N'est-ce pas que c'est Achille ?

— C'est Achille, affirma Alma avec enthousiasme.

Les autres approuvèrent. Une excitation joyeuse les poussait à parler tous en même temps, à poser n'importe quelle question : quel temps faisait-il à Londres ? Où David dansait-il ? Quand viendrait-il répéter *Penthésilée* ? Et David s'efforçait de répondre. Il faisait moins beau à Londres qu'à Paris, il dansait au Royal Ballet, il ne répéterait pas avant Avignon. Et devant l'air déçu de certains :

— Lucerne est d'accord. Hein, Lucerne ?

Il prononçait « Loucerne », ce qui donnait à sa question un charme de plus, comique et tendre, qui les fit de nouveau tous rire. Lucerne encore plus que les autres. Alexandra réalisa alors qu'elle ne l'avait pas vu rire depuis des semaines. Un sentiment de culpabilité l'envahit qui se rajouta à la détresse qu'elle éprouvait quotidiennement, qui la réveillait dès l'aube et parfois même avant.

— Beau gosse, chuchota Marie-Lou. On se le ferait bien. Malheureusement...

Elle s'était approchée d'Alexandra sans que celle-ci s'en rende compte. Elle dit encore des mots qu'Alexandra n'entendit pas, puis ajouta :

— Comment tu le trouves ?

— Qui ?

Alexandra avait sincèrement du mal à comprendre ce qu'on lui voulait. Son air ahuri exaspéra Marie-Lou qui lui souffla un nuage de fumée dans la figure. Ses yeux s'emplirent de larmes. À cause aussi de l'absence d'Adrien, du manque de sommeil et du comportement de Marie-Lou Pinheiro qui lui rappelait le temps des premières cours de récréation où les grandes maltraitaient les petites sans que l'on sache jamais pourquoi, ce qu'on avait fait, si on était coupable d'une faute ou non.

Lucerne avait pris David et Alma par la main et les conduisait au centre du plateau. De part et d'autre on se reculait. Jo coupa l'électricité et ouvrit le volet de l'unique lucarne. Un faisceau de lumière dorée, imprégné de fines particules de poussière, entra dans la pièce, capturant les deux silhouettes. David et Alma ne faisaient rien, ne disaient rien. Ils regardaient droit devant eux, en direction de l'équipe rassemblée maintenant autour de Lucerne et qui se taisait.

Alma portait un vieux survêtement d'un rose agressif. David était en jean. À leurs pieds, les mêmes baskets. Rien ne les différenciait de centaines d'autres acteurs en train de répéter de par le monde et pourtant quelque chose d'extrêmement singulier et puissant se dégageait d'eux.

— Avancez vers nous, murmura Lucerne.

Le couple, lentement, sortit du rectangle lumineux. Une sorte de pas de deux, qui n'avait rien à voir avec de la danse, mais qui déjà n'appartenait qu'à David et Alma. Ils avaient la même taille et une façon presque jumelle de bouger.

— Merci, murmura encore Lucerne.

On ralluma la lumière électrique. Lucerne exultait. « Formidable, hein ? » dit-il à la cantonade. Tous approuvèrent. Didier, souvent réservé et prudent, en riait de bonheur. Penché vers Alexandra, il lui chuchota :

— Notre Lucerne a bien des défauts, mais il a aussi de ces intuitions !

Et comme elle tardait à réagir :

— Réveille-toi, Sandra, réveille-toi !

Mais Alexandra avait juste envie de se laisser aller contre quelqu'un, Didier, par exemple, qui lui inspirait une relative confiance, et d'oser des phrases bêtes et plaintives du genre : « Si tu savais comme je vais mal ! » Malheureusement pour elle, Didier s'entretenait maintenant avec Marie-France et Christine. Elle contempla alors David et Alma : un couple de théâtre, inventé par Lucerne et destiné à ne durer que le temps des représentations. « Là est la vérité », pensa-t-elle soudain.

Lucerne quêtait son approbation. Elle fit un effort :

— Ils vont très bien ensemble. On comprend leur coup de foudre.

Une expression d'intense ferveur éclaira le visage de Lucerne.

— Il y a des moments où je crois que nous tenons en puissance un extraordinaire spectacle. J'attends beaucoup de vous tous. De toi...

Il lui souriait. Un curieux sourire à la fois tendre et rusé. Sa main s'éleva et resta un instant suspendue au-dessus de la nuque d'Alexandra. Ses doigts effleurèrent les cheveux, ramassés en queue de cheval. Une amorce de caresse qui hésitait encore.

— Et pour la couleur de mes cheveux ? Qu'est-ce que je fais ? dit Alma.

Elle les avait rejoints et les fixait de son brûlant regard bleu. Alexandra réalisa alors qu'un mouvement discret du reste de l'équipe les avait isolés, Lucerne et elle.

Alma répéta sa question, posément, patiemment.

— Je les fonce ? Je n'y touche pas ? On en parle un autre jour ?

— Tu les fonces.

Le ton de Lucerne était on ne peut plus affirmatif. Son regard se promena un instant sur les uns et les autres dispersés dans la pièce, bavards, agités. Le local prenait peu à peu des allures de cour de récréation.

— Jérémy ! appela Lucerne.

Jérémy sortit de la zone d'ombre où il s'était tenu jusque-là. Il avait l'air surpris de quelqu'un convoqué par erreur. Lucerne le tira par le bras.

— Je voudrais, Alma, que tes cheveux soient aussi foncés que ceux de Jérémy, dit Lucerne.

— Ils ne sont pas « foncés », les cheveux de Jérémy, remarqua Alma. Ils sont tout ce qu'il y a de plus noir, aile de corbeau !

— Appelle ça comme tu veux, je m'en fiche et ce n'est pas mon problème ! Mais c'est cette couleur que je veux !

Lucerne avait lâché le bras de Jérémy et fixait son équipe qu'il jugeait maintenant excessivement dissipée.

— On reprend la répétition, dit-il d'un ton rogue. Que tous ceux qui ne font pas partie de cette scène disparaissent. David, je te verrai plus tard dans la soirée... Les autres, pensez à vos rôles, apprenez vos textes et motivez-vous ! À demain.

— Attendez !

Alma venait d'élever la voix, cette voix capable

70

d'atteindre la dernière rangée du plus grand des théâtres.

— Demain, j'ai trente ans et c'est un samedi. Je vous invite tous à fêter mon anniversaire chez moi, rue du Mont-Cenis. Jo va vous donner l'adresse et le code. Nous fêterons aussi la présence de David parmi nous. À demain !

Elle n'écouta pas ses camarades, leurs remerciements. D'un bond elle avait rejoint le plateau et pour elle seule mâchait les mots de Penthésilée : *Dix mille soleils fondus en un globe de feu ne brilleraient pas pour moi autant qu'une victoire, une seule...*

Les rumeurs de Montmartre s'engouffraient par des portes-fenêtres ouvertes et se mélangeaient au brouhaha des conversations. Si bien qu'on ne savait pas toujours si ce rire, ce fragment de phrase saisi au vol et que l'on comprenait mal, provenait de la rue, d'un balcon, ou d'une des nombreuses pièces de l'appartement. Il faisait particulièrement chaud, ce soir-là, à Paris. Un orage rôdait du côté du mont Valérien.

Quelqu'un arrêta le compact et appela à plus d'attention les invités dispersés dans l'appartement. Beaucoup se connaissaient déjà. C'étaient des amis d'Alma. Amis du Conservatoire d'art dramatique, amis d'enfance, camarades de travail. Des acteurs pour la plus grande part, mais aussi des musiciens, des peintres, des metteurs en scène ou des jeunes gens qui aspiraient à le devenir. Une faune joyeuse, hétéroclite et pourtant cohérente, où les rêves allaient souvent dans le même sens et où, pour beaucoup, le théâtre était à lui seul une raison de vivre.

L'équipe de *Penthésilée* s'était spontanément regroupée autour de Lucerne et David. Le premier expliquait au second comment il imaginait les apparitions d'Achille. Il décrivait le vélum tendu en arc de cercle au fond du plateau, le sable sur le sol, la lumière du soleil et celle de la lune. Il buvait du whisky et se moquait de David qui ne buvait que de l'eau. Mais toujours il revenait à l'amour tragique d'Achille et de Penthésilée. D'autres acteurs s'étaient joints au groupe, attirés autant par Lucerne que par la célébrité de David Mathews. Ceux qui l'avaient vu danser le considéraient avec envie : pour eux, c'était une star.

Soudain on éteignit les lumières. Il y eut des rires de femme, dans la cuisine, dans le couloir. Un énorme gâteau surmonté de trente bougies et porté à bout de bras apparut dans l'embrasure de la porte. Des applaudissements fusèrent. On réclamait Alma, on scandait son prénom. Mais Alma, tout à coup intimidée, hésitait à se montrer, à rejoindre le gâteau que trois jeunes femmes, qui avaient en commun un indéfinissable air de famille, lui tendaient.

Elle se tenait en retrait derrière un assemblage de plantes vertes. Elle avait coupé et teint en noir ses cheveux quelques heures auparavant et son regard clair gagnait encore en intensité. Malgré sa longue robe rouge en soie, ses bracelets, ses bagues et une fine chaîne d'esclave enroulée autour de sa cheville droite, quelque chose de garçonnier émanait d'elle qui était un charme de plus.

Enfin elle se décida et souffla en une seule fois les trente bougies. Puis elle étreignit les jeunes femmes. Longuement, tendrement, fraternellement.

— Mes meilleures amies ! expliqua-t-elle d'une voix forte. Nous avons fait tout le Conservatoire ensemble ! Que la vie jamais ne nous sépare !

Des rires saluèrent cette entrée en matière sans qu'elle songeât à s'en formaliser. Ses joues avaient rosi sous l'effet conjugué de la chaleur, du champagne et de l'émotion. Un peu partout dans la pièce on s'était tu pour mieux l'entendre. Mais Alma pour l'instant ne disait rien. Ses yeux fouillaient le clair-obscur à la recherche de quelqu'un. Pas longtemps. Avec un sourire de conquérante, elle quitta ses amies et marcha droit vers le coin du salon où se tenaient Lucerne, David et quelques membres de l'équipe. Elle leva très haut sa coupe de champagne.

— Je bois à Jean Lucerne qui m'offre le plus beau rôle du répertoire ! Au succès de notre spectacle ! À Penthésilée ! À Kleist ! À Gracq !

Elle attendait, impatiente, que Lucerne se lève et porte avec elle un nouveau toast. Mais Lucerne ne bougea pas du divan et se contenta de faire tinter les glaçons de son verre de whisky.

— À ta santé, Alma, dit-il platement.

Il y eut une sorte de flottement. Alma était toujours debout près du divan. Un courant d'air soulevait le bas de sa jupe. Sans un mot elle rejeta la tête en arrière et but d'un coup le contenu de sa coupe de champagne. Ses yeux ne cessaient de fixer Lucerne qui s'était resservi un whisky. Le silence se prolongeait. De la rue montaient des cris d'enfants. Sylvain, alors, s'avança vers Alma.

— Je bois à tes trente ans, chère, et pauvre, et vieille Alma !

Ses paroles suscitèrent des protestations et des rires. Alma feignit de lui donner des coups qu'il feignit de recevoir en mimant une affreuse douleur. On lui tendit un verre.

— Trente ans ! Pauvre Alma, c'est l'âge où tout bascule ! Finies les grandes victoires sportives ! C'est l'âge sinistre qu'avaient nos parents quand nous étions petits ! Finis aussi ces merveilleux rôles de notre beau répertoire : Agnès, Ondine, Camille...

Il avala le contenu de son verre.

— Idiot ! protesta Alma. Une bonne actrice peut tout jouer ! D'ailleurs, Penthésilée n'a pas vingt ans !

Un agacement d'aînée envers son cadet, une condescendance d'actrice reconnue envers un presque débutant commençaient à la gagner. « Je n'ai pas de temps à perdre dans ce genre de conversations stupides », disait son regard. Elle repoussa Sylvain comme on repousse un animal familier avec qui on a consenti à jouer quelques instants et enclencha un nouveau compact : du jazz des années trente, Armstrong.

Sylvain se retrouva seul, son verre à la main. Il esquissa un pas de danse. Personne ne s'occupait de lui, personne ne le regardait. Insupportable ! Il se laissa tomber sur l'accoudoir d'un vieux fauteuil en cuir où Alexandra s'était réfugiée dès son arrivée. Le fauteuil recula sous le choc et Alexandra disparut un peu plus dans les coussins.

— Je bois aux deux ans qui me restent encore à vivre avant de basculer à mon tour de l'autre côté ! dit-il avec emphase.

Il tendit son verre à Alexandra. Elle but à son tour et fit une horrible grimace.

— Qu'est-ce que c'est ?

— Je ne sais plus. Du champagne sur un reste de punch, je suppose.

— C'est dégoûtant !

Elle lui rendit son verre et contempla avec un intérêt soudain ce camarade qu'elle côtoyait depuis bientôt trois semaines et qu'elle n'avait jamais vraiment regardé. Il avait les épaules larges et le corps musclé d'un habitué des gymnases-clubs, un visage aux traits irréguliers. Une cicatrice de plusieurs centimètres traversait son arcade sourcilière gauche. « Tu fais de la boxe ? » demanda-t-elle. « Ouais. » Sylvain transpirait. Elle voyait la chemisette collée, la sueur qui perlait sur le front et les ailes du nez et qu'il essuyait d'un coup d'épaule. Elle croyait sentir son odeur, un peu forte, boisée, et qui la troubla.

— J'ai trente et un ans, dit-elle.

Il examinait crûment son visage, son cou, son

buste nu sous le tee-shirt très échancré. Elle demanda :

— C'est si grave que ça ?

Par jeu, parce qu'il percevait son effroi et qu'effrayer Alexandra le vengeait d'Alma, il continuait de se taire. Mais sa nature joyeuse et bon enfant l'emporta très vite.

— Tu as l'air d'avoir mon âge, dit-il avec sincérité. Alma, par contre, je lui donnais trente-cinq ans. Elle ne m'attire pas du tout.

Sa main effleura celle d'Alexandra, puis remonta le long du bras pour se glisser sous la manche du tee-shirt. « Tu ne portes pas de soutien-gorge », murmura-t-il d'un ton rêveur. La main redescendit, lentement, en prenant son temps, comme étonnée de ne rencontrer aucune résistance.

Alexandra souriait, sensible à cette vague caresse et au plaisir plus vague encore qu'elle éprouvait. Elle appréciait la présence de Sylvain, la chaleur de son corps, son odeur de garçon.

On avait ouvert en grand les portes vitrées entre les deux salons. Des couples s'étaient formés et dansaient. La musique, poussée au maximum, rendait impossibles la plupart des conversations. Sylvain dut coller son visage contre celui d'Alexandra.

— Vise-moi le petit chat...

Linou dansait avec Jérémy un rock qui les projetait dans tous les sens, dont ils inventaient les figures et qui faisait d'eux les meilleurs danseurs de la soirée. Elle sautait, tournait, tombait comme évanouie dans les bras de Jérémy. Lui la rattrapait, la relançait, donnant à chaque fois l'impression qu'il l'envoyait plus haut, plus loin. Et Linou riait aux éclats, indifférente à son chemisier déboutonné, à sa jupe plissée qui ne cachait plus rien de ses cuisses.

— Maintenant, vise Jo, dit Sylvain.

Debout près du buffet, Jo crispait les mains sur un verre vide, rigide et pâle, hostile, fermé à tout ce qui n'était pas Linou et Jérémy, sourd à ce que ne cessait de lui dire Lucerne, présent à ses côtés.

— Il souffre. Bien fait, dit Sylvain.

— Tu n'aimes pas Jo? s'étonna Alexandra.

— Je me fiche de Jo. Mais je n'aime pas ses airs de propriétaire, cette façon d'afficher : « Linou égale chasse gardée. »

— C'est quand même son mari.

— Et alors ?

Le rock s'achevait, Sylvain baissa la voix. Pendant quelques secondes on n'entendit plus que le brouhaha des conversations. Quelque part dans la pièce, quelqu'un cassa un verre.

Une musique plus douce s'éleva. Linou, les bras autour du cou de Jérémy, s'apprêtait à l'entraîner de nouveau. Sa voix claire surmonta tous les bruits de la fête. « C'est mon air préféré ! Viens ! » Mais une brève bousculade les sépara et Jérémy fut happé par Marie-Lou Pinheiro. Linou se retrouva seule. Ses yeux fébriles suppliaient qu'on s'occupe d'elle, cherchaient parmi les garçons qui la ferait encore danser. Pas une seule fois, elle ne se tourna vers Jo.

— Excuse-moi, mais avec un peu de chance j'arriverai avant son ballot de mari, dit Sylvain. Et moi, cette petite, je me la...

La fin de sa phrase se perdit dans un solo de trompette. Alexandra le vit s'élancer vers Linou, la prendre par la taille et la tirer vers le deuxième salon. Loin de Jo, de ses regards malheureux et peut-être aussi d'elle-même. Alexandra sentait son passager bien-être se dissoudre dans une sorte de découragement général.

Un garçon inconnu l'invita à danser; elle refusa. Une jeune femme rousse qui faisait des éclairages, qu'Alexandra admirait et dont on commençait à retenir le nom, vint un moment se poser sur le bras du fauteuil. Elle raconta ses projets, le superbe contrat qu'elle signerait bientôt.

— Tu as de la chance, dit Alexandra.

Elle s'efforçait de s'intéresser aux propos de la jeune femme, sensible à son bonheur, à sa gentillesse, à la passion avec laquelle elle envisageait l'avenir. «Je n'ai pas d'avenir», pensa Alexandra.

— Toi aussi, tu as de la chance. Je rêve de travailler avec Lucerne.

— Tu lui as dit?

— Non.

— Tu devrais. Il est de bonne humeur.

79

La jeune femme eut pour Alexandra un sourire radieux.

— Aujourd'hui, j'ai l'impression que le monde m'appartient. Tu as raison, je vais en profiter. Je me connais : demain, je douterai une fois de plus de tout et de moi en particulier.

Elle embrassa Alexandra sur la joue.

— Ne reste pas comme ça dans ton coin. Va au moins sur le balcon, la nuit est si belle...

C'était une nuit d'été comme elle en connaîtrait bientôt en Avignon : chaude, bruyante, avec on ne savait quoi d'électrique dans l'air. Il y avait des gens partout : dans la rue, aux fenêtres, le long des trottoirs. Des gens que la chaleur empêchait d'aller se coucher et qui en repoussaient le moment. D'autres étaient restés devant leur poste de télévision. On les distinguait, de dos, qui se dessinaient dans la lumière bleutée d'un salon, d'une salle à manger. On voyait très nettement ce qu'ils regardaient. Un film en noir et blanc sous-titré. Un reportage en couleurs sur le Brésil. Des variétés. Parfois surgissaient des ruelles avoisinantes des grappes entières de promeneurs qui cherchaient la place du Tertre ou en venaient. Ceux-là choisissaient de descendre vers Paris en empruntant les escaliers de la rue du Mont-Cenis.

Une grande et lourde silhouette se détacha de l'ombre et gagna la partie éloignée du balcon où

Alexandra s'était réfugiée. Elle n'eut pas à se retourner. Elle avait entr'aperçu la main aux ongles rongés et aux veines saillantes qui tenait un verre.

— Une belle éclairagiste te cherche, dit-elle pour dire quelque chose.

Lucerne grommela une phrase irritée d'où il ressortait que cette jeune femme ne l'intéressait en rien.

Il s'était accoudé à la rambarde, à quelques centimètres seulement d'Alexandra. Il regardait son visage éclairé par les lampadaires de la rue, quatre étages plus bas. Rien ne lui échappait : ni cette façon absente, comme sans vie, de fixer l'immeuble en face, ni le pli triste de la bouche. La jeune femme au jean trop large, au tee-shirt trop grand qui glissait et lui dénudait une épaule et qu'elle ne cessait de remonter dans un geste morne et machinal, cette jeune femme-là n'avait rien d'une amoureuse comblée. « Il l'a quittée. Ou elle. Ils se sont séparés, pensa-t-il soudain. Elle est seule, sans... » Même en pensée, Lucerne butait sur le prénom d'Adrien. Une paix délicieuse, comme il ne se souvenait pas d'en avoir ressenti depuis longtemps, descendait en lui. À son tour elle souffrait.

— Si tu voulais, murmura-t-il au bout de plusieurs longues minutes de silence.

Il s'était rapproché de manière que son épaule droite frôle l'épaule gauche d'Alexandra, celle qui était dénudée. Il avait envie d'embrasser cette

81

peau nue, si pâle, presque verte à cause des néons de la rue ; le long cou de cygne. Il avait envie aussi de la saisir par la queue de cheval et de l'obliger à le regarder. Mais il se contenta de remonter la manche du tee-shirt.

Alexandra tressaillit au contact des doigts de Lucerne. Un bref petit mouvement qui ne signifiait rien mais que Lucerne interpréta comme un signe de dégoût. Et il la détesta. Violemment, de tout son être. Mais elle tournait enfin son visage vers lui avec un demi-sourire qui demandait qu'on lui pardonne. Pour toutes les fautes passées, présentes et à venir. Les siennes et celles du monde entier. Elle lui prit le verre des mains et avala ce qui restait du whisky.

— Ça va mieux, dit-elle.

Il eut un grognement agacé.

— Toujours cette manie de finir le verre des autres. Tu veux que j'aille te chercher à boire ?

— Je suis déjà un peu ivre.

C'était faux. Elle avait dit ça comme elle aurait dit autre chose, parce qu'il fallait bien parler, répondre à des mots par d'autres mots. La présence de Lucerne à ses côtés commençait à l'oppresser. Elle l'entendait respirer avec difficulté : il avait déjà trop bu et trop fumé.

Il s'était débarrassé du verre vide et tentait d'allumer une cigarette. En s'y prenant à plusieurs reprises parce que son briquet marchait mal et qu'un semblant de brise couchait la petite flamme. Elle lui tendit une pochette d'allumettes qu'elle se souvenait avoir glissée dans la poche arrière de son jean. Il la prit et lut le nom inscrit au recto : celui d'un hôtel près de Dijon où ils avaient passé une nuit ensemble. En fait, la dernière. Mais ça, à l'époque, il l'ignorait. Et elle ?

— Si tu voulais... répéta-t-il pour la deuxième fois.

— Si je voulais quoi ?

Il vit les yeux innocents, le sourire incertain et le petit nez retroussé qui lui donna sur-le-champ l'impression qu'elle se fichait de lui, qu'elle comprenait très bien ce qu'il éprouvait et qu'elle s'en amusait. Mais devait-il le croire, ce petit nez ? Il le pinça comme il aimait à le faire avant, quand l'insolence de ce nez le déroutait trop. « Museau », murmura-t-il. Et pour résister à l'attendrissement qui le gagnait :

— Je me demande ce que je lui trouve à ce museau...

— Moi aussi. Un museau si quelconque...

Le sérieux de sa réponse le fit rire. Une détente s'ensuivit qu'ils savourèrent en silence, tournant le dos à la rue, contemplant ce qui se passait dans l'appartement.

Minuit approchait. Une nouvelle vague d'invités venait d'arriver. Des acteurs et des actrices juste sortis du théâtre et qui accouraient, tout nimbés de leur personnage, encore maquillés. Les bouchons de champagne sautaient ici et là.

Des groupes très distincts se constituaient. Il y avait ceux qui bavardaient et ceux qui dansaient, plus nombreux, en couple ou seuls, changeant de rythme au gré des disques que Sylvain s'amusait à mélanger. Un choix éclectique, délibérément déroutant, et qui soulevait autant d'enthousiasme que de protestations. Mais il n'en avait cure, tout à son rôle de disc-jockey. Les lumières de l'appartement s'éteignaient et se rallumaient suivant son inspiration. On riait beaucoup, on buvait. Une cigarette, parfois, passait de main en main et l'odeur douceâtre de l'herbe un bref instant flottait dans l'air.

Jérémy dansait avec Marie-Lou. Ils étaient si étroitement enlacés qu'on ne savait plus lequel des deux guidait l'autre. Linou changeait constamment de partenaire. De temps en temps, elle adressait à Jo un vague petit geste de la main. Lui n'avait pas quitté son poste d'observation près du buffet.

— Il ne faudrait pas qu'elle exagère, cette petite garce, dit brutalement Lucerne.

— Pardon ?

Il perçut la surprise d'Alexandra et immédiatement changea de ton et de propos.

— Danse avec moi, dit-il. C'est un slow des années soixante...

Et comme il la sentait qui se contractait :

— Rappelle-toi, tu m'as raconté... Ton frère et toi qui dansiez sur les disques de vos parents... Paul Anka... Les Platters... ta maison au bord du lac Léman...

« Olivier et moi, on dit le lac de Genève », faillit rectifier Alexandra. Et elle eut cette pensée amère, injuste, insultante pour l'homme qui se tenait à ses côtés et qui avait été brièvement son amant : « Comment est-ce que j'ai pu te raconter mon enfance ! Mon frère Olivier ! » Elle regrettait maintenant ce besoin qu'elle avait eu de parler d'elle, de son passé en Suisse, de son frère. Elle détestait cet abandon d'après l'amour.

— Tu aimes tellement danser ! Viens... insistait Lucerne.

C'était vrai. Mais Alexandra se rappelait aussi sa jalousie, son incompréhension, son puritanisme teinté de mauvaise foi. N'était-ce pas lui qui lui reprochait de danser, justement ? qui tenait sur ce sujet des discours à la fois méprisants et moralisateurs ? L'image d'Adrien la traversa. Son plaisir lorsqu'il la regardait danser. Adrien, tellement proche d'elle, toujours, en toute circonstance. Ils se retrouveraient. Peu importe, au fond, quand et où. De soulagement, elle eut pour Lucerne un demi-sourire affectueux.

— D'accord, dit-elle enfin.

Ils gagnèrent le salon où Sylvain s'acharnait dans un choix très années soixante. De langoureuses et sentimentales chansons que beaucoup connaissaient et fredonnaient. On avait éteint presque toutes les lumières. Des couples dansaient de plus en plus serrés. Des bouches se cherchaient, des mains s'étreignaient. Seuls Alma et David, installés sur l'un des divans, poursuivaient une vraie discussion, sérieuse et passionnée. Alexandra les désigna à Lucerne.

— On dirait qu'elle lui parle de *Penthésilée*.

— Elle lui parle sûrement de *Penthésilée*. Je pensais que personne n'était aussi obsédé que moi par le travail. C'était avant de la connaître. Il n'y a que ça qui compte pour elle.

Alexandra, qui se reprochait quelques minutes auparavant ses propres confidences, ne pouvait s'empêcher de désirer, maintenant, celles de Lucerne. Une curiosité trouble et incontrôlable : savoir ce qu'il y avait vraiment entre Alma et lui, l'importance de ce qui les liait.

— Et toi ? demanda-t-elle.

Lucerne eut un soupir de lassitude dont on ne savait pas s'il était feint ou sincère.

— Oh, moi !

Il ne semblait pas disposé à en dire davantage. Mais la curiosité d'Alexandra augmentait, réclamait des précisions, une suite. Elle ne réalisait pas que Lucerne la serrait de plus en plus, qu'une de ses mains, doucement, lui caressait la taille, le haut des hanches.

— Et toi ? répéta-t-elle.

— Moi, je suis le metteur en scène qui va lui permettre d'incarner Penthésilée. Je ne me fais aucune illusion. Si j'étais un des jeunes acteurs de la distribution, elle ne m'aurait jamais remarqué.

— Mais elle est amoureuse de toi! protesta Alexandra.

— Sans doute. Alma est un être entier qui ne fait rien à moitié. Conséquence obligée, elle est amoureuse de moi.

Lucerne s'exprimait calmement, avec une sorte d'ennui. Mais il guidait Alexandra vers la partie la plus sombre du salon. Sa bouche effleura son front, ses cheveux.

— Mais je me fiche d'Alma. Si tu voulais, Sandra... J'admire Alma. Énormément. Mais elle ne m'émeut pas, elle ne me trouble pas. Alors que toi...

Cet aveu ne choquait pas Alexandra, bien au contraire. Il ranimait un amour-propre qu'elle croyait éteint, dont elle avait un peu honte. Depuis quelques secondes elle se sentait mieux. Plus réelle, de nouveau désirable.

Lucerne attirait le corps d'Alexandra contre le sien.

— Reviens avec moi, Sandra. Adrien et toi, c'est fini. Je t'aime. Si fort que tu seras obligée de m'aimer...

Alexandra ne voulait pas qu'on les voie, qu'on les entende. Elle craignait un esclandre, une bagarre, un scandale. Elle connaissait la violence de Lucerne, son goût pour le drame. Elle se débattait en silence, repoussait cette bouche qui cherchait la sienne, ce corps qui se frottait au sien. Mais personne ne faisait attention à eux. Près de la fenêtre, dissimulée dans les plis du rideau, elle crut reconnaître Linou qu'embrassait goulûment un inconnu. Un peu plus loin, étroitement enlacés, Christine et Didier Lalouette. Il lui semblait vivre un mauvais rêve. Un grotesque mauvais rêve. « Je t'en prie », dit-elle. Et comme Lucerne commençait à lui faire mal en lui tordant les poignets, un peu comme un talisman que l'on brandirait face au danger, ce cri : « J'aime Adrien ! » Le corps collé contre le sien s'immobilisa.

— J'aime Adrien ! répéta Alexandra.

— Non. Tu ne l'aimes plus. Tu ne le sais pas encore, mais tu ne l'aimes plus !

Les yeux de Lucerne avaient un éclat fixe et inquiétant. Des yeux de visionnaire. Et c'est cela, surtout, qui l'effrayait. « C'est faux », eut-elle envie de hurler. Elle ne sentait plus ses poignets. Elle avait cessé de se débattre. Elle fuyait juste le terrible regard.

Quelqu'un arrêta la musique, on ralluma des lampes. Alma, une guitare à la main, traversait le salon.

— Venez tous, appelait-elle. David va nous chanter une ballade ! Une ballade de chez lui !

Lucerne repoussa Alexandra et, le premier, suivit Alma.

David se contentait encore de plaquer quelques accords, toujours les mêmes. Il fredonnait en sourdine, l'air à la fois présent et absent, avec un curieux sourire qui ne s'adressait à personne et qui était comme la promesse d'autre chose. Il semblait indifférent aux rires, aux chuchotis des conversations, aux raclements des chaises sur le parquet. Mais quand soudain il commença à chanter, tout s'arrêta. Une émotion immédiate s'empara de la trentaine de personnes rassemblées autour de lui. On l'écoutait stupéfait, sans comprendre d'où venait cette voix claire, pure et qui montait très haut. Il chantait une ballade anonyme du XVIe siècle, *Greensleeves.*

> *Alas my love! you do me wrong*
> *To cast me off discourteously;*
> *And I have loved you so long,*
> *Delighting in your company.*

Alma accroupie sur le sol, la tête appuyée contre les genoux de Lucerne, traduisait, à voix basse et pour lui seul, les paroles de la chanson.

Mais David ne chantait pas plus pour eux que pour les autres. C'était plus intime, plus secret. Comme dédié à quelqu'un d'absent. Et quelque chose de lui, d'une tristesse qui lui était propre, se mêlait à la tristesse du chant, le fragilisait, l'enrichissait. Aucun bruit ne montait de la rue. À croire que toute la butte Montmartre se taisait pour mieux l'écouter.

Alexandra s'était blottie dans un fauteuil. Les paroles de la chanson l'atteignaient en plein cœur. Et si Adrien l'avait quittée pour toujours? Elle faisait sienne la chanson de David et retenait ses larmes. *Hélas mon amour, tu agis mal de me rejeter sans égard, car je t'ai aimée bien longtemps, et joui de ta compagnie...*

Le dernier couplet s'achevait. David avait baissé la voix comme pour suggérer que toute cette tristesse s'éloignait, s'en allait ailleurs, personne n'aurait su dire où. Lui-même semblait revenir d'un pays fait de brumes et de marécages. Ses yeux bruns pailletés de jaune conservèrent quelques secondes encore le souvenir d'autre chose, puis il posa la guitare et ce fut fini.

— Did you enjoy it ? demanda-t-il. Mon père et ma mère nous ont élevés dans le chant. Ils ont beaucoup regretté quand je me suis tourné vers la danse. J'ai quatre sœurs. Vous devriez nous entendre, elles et moi !

Il se levait, cherchait ses cigarettes, son blouson, son sac de voyage. Autour, l'enchantement peu à peu se dissipait. On le félicitait, on le suppliait de chanter de nouveau. Mais David demeura inébranlable : il était plus de deux heures du matin, il devait prendre le premier vol pour Londres. Il serrait des mains, embrassait des joues. Avec une délicieuse et égale gentillesse et tout en même temps une sorte de distance. « C'est une vraie star, votre David, commenta pour Alexandra la belle éclairagiste. Il est très tard, je vais profiter de son départ pour m'éclipser. »

Une dizaine d'invités stationnaient déjà dans l'entrée, embrassaient Alma, lui souhaitaient une dernière fois un bon anniversaire. Qui allait raccompagner qui ? Alma indiquait la station de taxis de la place du Tertre et celle, plus bas, du métro Lamarck-Caulaincourt. Quelqu'un remit la musique au maximum. « Je m'en vais aussi », décida Alexandra.

Elle se faufilait vers l'entrée quand une main énergique lui fit faire volte-face. C'était Jérémy, le cheveu noir en bataille, l'air excédé, qui l'entraîna dans une danse folle qui ressemblait plus à une course qu'à une rumba. Ils traversèrent en ligne droite le premier salon, bousculant des couples de danseurs, manquant de renverser une plante verte et un plateau de boissons. Dans le deuxième salon, l'allure de Jérémy ralentit.

— Toi seule peux me sauver, dit-il.

Et comme les sourcils d'Alexandra se soulevaient en signe d'incompréhension :

— C'est Marie-Lou ! Elle me colle depuis le début de la soirée ! C'est insupportable ! Si je danse avec toi, elle me fichera peut-être la paix !

Il jugeait qu'Alexandra tardait à le plaindre, ou à l'approuver, ou les deux. Il s'énervait.

— Elle drague comme un piranha ! Et en plus, c'est moi qu'elle drague ! Un comble !

— Pauvre Jérémy, dit Alexandra pour lui faire plaisir.

Lui n'attendait que ça.

— Il faut être complètement tarée pour s'acharner comme ça avec moi ! Pour ne rien comprendre ! Ou alors elle est soûle ! Elle carbure au rosé !

Jérémy dansait bien, c'était un plaisir de le suivre. Alexandra, malgré elle, presque à contre-cœur, commençait à s'amuser.

Quelqu'un enclencha un compact de Françoise Hardy.

— *J' suis d'accord,* pouffa Jérémy. Ma mère était folle de Françoise Hardy. J'ai grandi en écoutant ses chansons !

Il l'entraînait dans des figures compliquées. Alexandra maintenant riait. De plus en plus fort. Gaiement, sans arrière-pensée. Jérémy fredonnait les paroles de la chanson.

J' suis d'accord
Ensemble on est heureux
J' suis d'accord
On fait de notre mieux
Ça peut durer un mois ou deux
Si tu ne me demandes pas
D'aller chez toi

Par instants, Alexandra entrevoyait les silhouettes de Lucerne et Marie-Lou accoudés au balcon et qui les épiaient, soudés dans une même hostilité. Mais Alexandra se dépêchait de les oublier. Qu'ils disent du mal d'elle, à cette heure de la nuit, ne comptait plus. Ce qui comptait, c'était le plaisir de danser avec Jérémy, cette sensation d'euphorie, si fragile, si inattendue.

Une nouvelle chanson commençait. Toujours Françoise Hardy.

— *Ma jeunesse fout le camp*, annonça Jérémy. Voilà un choix de circonstance ! Je reconnais bien le tact de ce cher Sylvain ! Alma va être ravie !

Il guidait maintenant Alexandra dans un ralenti où seules leurs jambes bougeaient, se frôlant sans jamais se heurter. Il avait attiré sa tête contre son épaule et elle se laissait faire. C'était bon de s'abandonner ainsi, en toute confiance, en toute amitié. Elle ferma les yeux. Des images de prairies au bord de l'eau, de saules pleureurs, affluaient vers elle. Il lui semblait entendre le clapotis des rames sur le lac, des cris d'enfants. Si elle se concentrait suffisamment, elle discernerait peut-être la voix aiguë de son frère Olivier. C'était comme ces parfums de rose, cette odeur de chèvrefeuille...

— Tu t'endors ? demanda Jérémy.

— Presque.

Bientôt la chanson cesserait et elle s'en irait. Si lasse qu'elle était sûre de dormir plusieurs heures de suite. Et tant pis pour son chagrin qui la réveillait tous les jours à l'aube. Cette nuit-là, elle dormirait.

Le choc fut violent.

Deux mains furieuses l'arrachèrent à Jérémy et la projetèrent en avant, contre une table qui s'écroula. Alexandra se retrouva à terre, entre des tessons de bouteille et des débris d'assiette. Le fracas du verre brisé résonnait encore à ses oreilles. Lucerne avait empoigné Jérémy par le col de sa chemise.

— Petite ordure! hurlait-il. Je t'interdis de toucher à Alexandra! Je t'interdis de flirter avec elle!

Il dominait Jérémy de toute sa grande taille. On aurait dit qu'il voulait l'envoyer s'écraser contre un mur.

— Je vais te balancer par la fenêtre!

— Tu te trompes, je t'assure que tu te trompes! essayait de dire Jérémy.

Il criait pour se faire entendre mais sa voix devenait un inaudible couinement.

Didier Lalouette et Alma tentaient de s'interposer.

— Lâche-le! hurlait Alma.

Elle s'accrochait aux épaules de Lucerne. Mais lui tenait toujours Jérémy, le secouait, l'insultait. Il injuriait aussi les autres, ceux qui étaient accourus et qui regardaient, pétrifiés, sans oser intervenir.

— Je ne veux pas qu'on touche à Alexandra! Le premier qui la touche, je lui casse la gueule!

Alexandra se relevait péniblement d'entre les débris de verre et les détritus. La paume de sa main gauche saignait mais elle le sentait à peine. Personne ne lui venait en aide. Elle se dirigea en titubant vers le groupe de plus en plus confus qui se formait autour des combattants.

— Lucerne! supplia-t-elle. Lâche-le!

Sa voix, comme celle de Jérémy, n'était plus une voix d'adulte mais une voix d'enfant terrifiée qui implorait. Toutefois elle parvint jusqu'à

Lucerne dont les poings soulevèrent une dernière fois Jérémy pour l'envoyer loin devant lui. Jérémy rata de peu le balcon et atterrit contre le dossier rembourré d'un fauteuil. Il demeura là quelques secondes, hébété, tentant sans y parvenir de retrouver son souffle.

Marie-Lou mêlait maintenant ses invectives à celles de Lucerne et de son verre dégoulinant de rosé désignait Alexandra, debout au centre du salon, victime offerte et résignée.

— C'est cette petite garce ! Cette petite allumeuse ! Débarrasse-toi d'elle, Lucerne ! Vire-la ! Qu'on ne la voie plus ! C'est même pas une professionnelle !

— Tais-toi ! aboya Lucerne.

D'un coup d'épaules, il s'était dégagé de l'étreinte d'Alma et marchait sur Alexandra. Celle-ci avait une éraflure à la joue droite. Une éraflure bénigne, toute en surface, mais qui saignait abondamment. La vue du sang désarma Lucerne.

— Que je ne te reprenne jamais à flirter avec quelqu'un d'autre...

Il tanguait. « Il est ivre mort... Il va tomber... Aidez-le ! » suppliait Alma. Déjà elle était près de lui, les bras tendus. Mais Lucerne, avec la ténacité des ivrognes, la repoussait, s'obstinait.

— On ne doit pas toucher à Alexandra ! Le premier qui essaye, je lui casse la gueule !

Jérémy s'était relevé. Il avait mis de l'ordre dans ses vêtements, trouvé et enfilé son blouson de cuir. Il se dirigeait vers la sortie. Personne n'aurait pu l'accuser de fuir ou même d'être effrayé, car s'il l'avait été, visiblement, il ne l'était plus. En passant à proximité d'Alexandra, il lui tendit une serviette en papier.

— Essuie-toi, dit-il d'une voix égale. Il y a sûrement une armoire à pharmacie et de l'alcool à 90, dans cet appartement. Mieux vaut désinfecter.

Son flegme réveilla la colère maintenant chancelante de Lucerne.

— Ne touche jamais plus à Alexandra ! Je vais te...

Mais Alma, Didier et Sylvain le maintenaient solidement. L'excès de whisky, d'ailleurs, faisait son effet et Lucerne semblait sur le point de s'écrouler. Il avait les yeux injectés de sang et la pâleur cadavérique de ceux qui vont se trouver mal.

Jérémy le contempla quelques secondes. Son regard sombre se posa ensuite sur Marie-Lou et il eut un sourire narquois de collégien facétieux.

— Vous devez être les seuls à ne pas vous en être aperçus, dit-il avec calme, mais moi, c'est les garçons que j'aime. Les filles ne m'intéressent absolument pas. Bonsoir.

Et il tourna les talons.

Mais quand peu après, Alexandra déboucha dans la rue, elle le trouva embusqué dans l'ombre d'un porche. Il lui emboîta le pas.

— Ne traînons pas, dit-il.

Il eut un coup d'œil rapide pour la main bandée.

— Ils t'ont soignée, parfait. Filons !

Ils descendirent en courant les escaliers de la rue du Mont-Cenis. Alexandra était si épuisée qu'elle se laissait conduire, indifférente à la fraîcheur de la nuit, au bruissement odorant des arbres. Leurs pieds chaussés de tennis ne faisaient aucun bruit sur l'asphalte des trottoirs. En passant à proximité des lampadaires, leurs ombres s'allongeaient et Alexandra pensa à Peter Pan. « Peter Pan... » commença-t-elle. Mais c'était trop fatigant de parler et Jérémy courait loin devant elle. Il était vêtu de noir, parfois elle le perdait de vue. Alors, elle l'appelait et il ralentissait. Et c'était étrange, ce prénom crié dans la nuit. Enfin ils débouchèrent rue Caulaincourt. Un taxi passait que Jérémy héla. Il poussa Alexandra à l'intérieur et referma sur elle la portière.

— Je continue à pied, dit-il. Pour moi la soirée ne fait que commencer.

Il eut pour elle un dernier regard.

— Ne te laisse pas faire. Ne joue pas la victime...

Alexandra le vit s'enfoncer dans la profondeur de la nuit. Sa silhouette sombre se détacha un court instant sur le mur blanc du cimetière Montmartre, puis s'effaça.

— Rue Servandoni, près de la place Saint-Sulpice, murmura Alexandra.

Le taxi fila vers la rive gauche. Des parfums d'été entraient par les vitres ouvertes.

Le lundi suivant les répétitions reprirent dans le local du Marais. Alexandra s'y rendit en proie à mille appréhensions.

Elle avait passé un dimanche solitaire à se demander s'il ne valait pas mieux renoncer à *Penthésilée*. Pour elle, mais aussi pour la cohésion de l'équipe. Elle avait cherché à joindre au téléphone Didier Lalouette. Enfin il avait répondu, tard dans la soirée. Sa voix fut aussi neutre que ses propos. À la question : « Qu'est-ce que je fais ? Je m'en vais ? », il répondit : « Bien sûr que non, pourquoi ? » Et comme Alexandra se taisait, déconcertée : « Tu connais Lucerne... Lundi, il aura tout oublié. Pourquoi ne pas faire comme lui ? » Alexandra, à ce moment, avait cru entendre une voix féminine. « Pardon de t'avoir dérangé », murmura-t-elle. Et Didier, laconique : « Tu ne me déranges jamais. Bonne nuit, Sandra. À demain et surtout ne te fais pas de souci. »

De fait, Lucerne avait accueilli Alexandra

comme si de rien n'était, sans faire la moindre allusion à ce qui avait eu lieu l'avant-veille. Jérémy se trouvait à sa place habituelle, un peu en retrait des autres. Contrairement aux jours précédents, Lucerne s'adressait plus volontiers à lui. Il lui demandait des précisions sur le sens en allemand de telle phrase et ne s'impatientait pas si les réponses tardaient à venir. Plus tard, quand Didier dut s'absenter, il le convoqua à ses côtés. Jérémy obéit avec l'aisance de quelqu'un que rien ne pouvait plus surprendre. Mais quelque chose chez lui demeurait réticent. Lucerne le percevait-il ? Il redoublait alors de sollicitude. On aurait dit qu'il cherchait à l'entraîner dans une complicité du type de celle qu'il avait déjà avec Didier et Jo. Et c'était curieux, voire comique, de surprendre le bras de Lucerne s'abattre lourdement sur les épaules de Jérémy dans une bourrade virile du genre : « Nous les hommes... » Pour l'instant, il s'emportait.

— Mais qu'est-ce qu'elles ont, aujourd'hui ?

Elles, c'étaient ses actrices qui répétaient de nouveau la première scène des Amazones. Il les rejoignit sur le plateau. En s'efforçant au calme. Dans le ton de sa voix, le choix de ses mots. Mais sa main qui tenait la brochure battait nerveusement contre sa cuisse. Un geste involontaire, qu'il ne maîtrisait pas et dont il ne se rendait même pas compte.

— Je vais une fois de plus vous expliquer le mouvement de cette scène puisqu'il apparaît que vous ne l'avez pas encore compris. Penthésilée n'a qu'une hâte : reprendre le combat contre Achille. *Oh ! la bataille ! pour m'y plonger, pour l'y retrouver — la bataille où il m'attend avec son sourire... Son sourire de mépris. Il faut que je sache le vaincre, si je veux vivre*, etc. C'est pourtant simple ! Mais cette bataille est absurde, suicidaire et Prothoé s'y oppose. Fureur et haine de Penthésilée.

Il s'était approché d'Alma et d'Alexandra.

— Penthésilée ne supporte pas qu'on la contrarie. Elle est prête à tuer celle qu'elle considère comme sa plus fidèle amie, comme *la sœur de son cœur*. Il y a une haine immense en elle. Laquelle haine se transforme en amour en une seconde, à la fin de la scène, quand Prothoé refuse de l'abandonner. Si vous voulez, toutes les deux, nous faire croire à la force de votre amitié, il faut d'abord nous faire croire à cette haine. Ce que vous faites manque de violence.

Alma opinait de la tête, approuvant sans réserve les indications comme les critiques. Seuls les derniers mots parurent la froisser.

— Il me semble que j'apporte la passion que tu réclames, dit-elle.

— La passion oui, la violence, non.

Lucerne s'emballait.

— Je veux voir chez toi le goût du meurtre. Quand tu attrapes Alexandra, on doit, dans la salle, penser : « Elle va la tuer ! »

Joignant le geste à la parole, Lucerne tendit les mains en direction d'Alexandra. Celle-ci, malgré elle, recula. Un réflexe effrayé que chacun comprit, et qui fit que pendant quelques secondes tout s'immobilisa.

— N'aie pas peur, dit enfin Lucerne. Je ne te toucherai pas.

— Je n'ai pas peur !

Alexandra venait de protester comme une enfant. Par bravade, comme avec son frère Olivier quand il s'agissait de sauter un mur, de s'introduire dans une maison inconnue ou de se suspendre à une gouttière.

— Pas peur ? Pas peur du tout ?

Brusquement Lucerne s'amusait. Alexandra voyait ses yeux brillants de malice qui défiaient les siens. Une malice où tout ce qui s'apparentait à de l'agressivité ou à de la provocation avait disparu. Il évoquait à Alexandra ces petits garçons côtoyés en Suisse lors de ses premières années d'école, qui avaient toujours l'air en quête d'une partenaire pour jouer et qui, parce qu'elle était douce et timide, s'adressaient à elle en priorité.

— Montre-moi comment je dois faire avec Alexandra, réclamait Alma.

Lucerne cessa de s'amuser. Ses poings agrippèrent Alma par le haut de son pull-over comme pour l'envoyer à l'autre bout du local. Alexandra regarda Jérémy. Que pensait-il de la répétition d'une scène dont il avait été, vingt-quatre heures auparavant, le protagoniste et la victime ? Apparemment rien. Il suivait avec intérêt la lutte sauvage et silencieuse que menaient maintenant Lucerne et Alma. Cette dernière ne cédait pas d'un centimètre. À la force masculine de Lucerne, elle opposait une autre force, contre laquelle il ne pouvait rien. C'est tout juste si son buste vacilla un bref instant. Ses jambes, droites et musclées, étaient soudées au sol. Son ventre se creusait. Aux yeux de tous, elle semblait invincible.

Le premier, Lucerne se découragea.

— Quelle puissance ! dit-il d'un ton rêveur.

Il se retourna vers Alexandra.

— L'affrontement entre Penthésilée et Prothoé est de cet ordre. On doit croire que Penthésilée va te tuer. Mais toi, tu lui résistes comme Alma vient de me résister. Vu ?

Il rejoignit son fauteuil.

— Allons-y ! dit-il en frappant dans ses mains. Essayons !

« Aïe ! » pensa Alexandra. Elle reprit néanmoins la place qu'elle occupait au début, debout de profil face à Alma. Celle-ci tendait les mains, cherchait la bonne prise.

— Si je t'attrape sous les épaules ? demanda-t-elle.

Dans la salle, Lucerne s'impatientait.

— Répétons ce fichu mouvement. Alma, tu dis... Qu'est-ce que tu dis, déjà ?

Il consulta sa brochure.

— Ah oui ! Tu dis : *Vipère ! mords ta langue ! Si tu sais ce que c'est que ma colère, hors d'ici !* Sandra, tu réponds : *J'aime mieux ne jamais revoir ton visage qu'être devant toi en cette minute, et te perdre en te flattant lâchement. Dans la folie qui brûle ton sang, tu n'es plus capable de conduire la guerre des Amazones — pas plus que le lion d'affronter l'épieu quand il a mordu à l'appât empoisonné du chasseur.* Là, brève pause. Alma, tu lâches Alexandra. Mais toi, Sandra, tu redémarres aussi sec. Le pire, tu vas le dire : *Et je vais te faire une autre prédiction : avant que le soleil se couche,* etc. Allons-y !

Alma, pour elle-même, marmonnait les répliques précédentes, tête baissée, yeux fermés. Les trois autres actrices attendaient qu'elle veuille bien commencer, tendues, prêtes au conflit comme la situation l'exigeait. « OK ? » demanda Alma. Ses mains saisirent Alexandra par les épaules.

— *Vipère ! mords ta langue ! Si...* commença-t-elle.

Elle ne put achever sa phrase. La force de ses bras venait d'expédier Alexandra trois mètres plus loin.

— Mais... reprit Alma.

Elle regardait sans comprendre Alexandra par terre, les jambes largement ouvertes, et dont le visage exprimait une totale surprise. « Qu'est-ce que je fais là ? » semblait-il dire.

Dans la salle, Lucerne se taisait et toutes les personnes présentes firent de même. Alexandra se relevait, frottant l'une contre l'autre ses mains poussiéreuses.

— Peut-être si tu y allais moins fort... risqua-t-elle.

— Je n'y suis pas allée en force ! protesta Alma.

— Sans doute que si, cria Lucerne en se renfonçant rageusement dans le fauteuil qui craqua sous son poids. Adapte ta force naturelle aux possibilités de ta partenaire, Alma ! Dose ! Triche ! Compose ! Fais ce que tu veux, mais moi, je ne veux plus voir Sandra valdinguer comme ça à l'autre bout du plateau ! Allons-y !

Alma se rua sur Alexandra. Ses yeux bleu clair de chien husky reflétaient une détermination absolue.

— *Vipère ! mords ta langue ! Si tu sais ce que c'est que ma colère...* reprit-elle de sa voix de tragédienne.

— *... hors d'ici !* acheva-t-elle dans un souffle.

Comme lors de leur précédente tentative, Alexandra gisait sur le sol. Seule la position avait varié. D'assise sur les fesses, les jambes écartées, elle était passée à quatre pattes. Le trajet de son corps sur la poussière du plancher avait laissé une longue trace circulaire que contemplaient, ahuries, Christine, Marie-France et Alma.

Lucerne s'était levé. Malgré une barbe de trois jours qui lui mangeait les joues et le menton, on le devinait blanc de rage. Autour de lui, chacun prudemment s'écartait. À l'exception de Jérémy dont le buste incliné et la bouche légèrement entrouverte exprimaient une intense curiosité. Un silence inquiétant pesait sur le local.

105

— De qui se moque-t-on, ici ? demanda enfin Lucerne.

Il avait parlé si brutalement, avec une telle absence d'humour, que personne n'osa lui répondre. Même Alma ne semblait pas disposée à l'affronter. Son regard bleu et froid allait de Lucerne à Alexandra, maintenant accroupie sur le sol et qui tendait vers ses camarades de travail un visage obstinément interrogatif. Comme souvent, son impertinent petit nez trompa Lucerne.

— J'ai demandé de qui on se moque... Sandra !

Mais un rire aigu, qu'on cherchait à étouffer, fusa tout d'un coup des profondeurs du local. Tous se retournèrent. Le rire, loin de se calmer, redoubla, sauvage, convulsif. Jo était accouru et suppliait :

— Linou... Je t'en prie... Calme-toi...

Linou ne semblait même pas l'entendre. Assise à même le sol, le visage enfoui dans les avant-bras, elle continuait de rire. Son mince petit corps vêtu de clair était secoué de spasmes. Debout devant elle, comme pour la protéger des regards, Jo continuait de murmurer son prénom. Et plus ce prénom s'égrenait dans le silence du local, plus le rire s'étirait, reprenait des forces. Un rire solitaire, étrangement fermé sur lui-même et qui ne provoquait que le malaise.

Lucerne avança vers elle.

— C'est bientôt fini, ce cirque ?

Mais sa fureur ne fit qu'augmenter l'hilarité de Linou qui tentait de se redresser, fuyant les mains secourables de Jo, le visage toujours dissimulé par les avant-bras.

— Laissez-moi passer, dit une voix exaspérée.

Alma marchait vers Linou. Lucerne et Jo, dans un même mouvement, s'écartèrent. Il y eut une sorte de confusion durant laquelle Alma tenta de prendre dans ses bras une Linou bien décidée à ne pas se laisser faire. Une brève lutte les opposa. Linou ne riait plus. « Fiche-moi la paix ! » crut entendre Alexandra. Mais elle ne l'aurait pas juré et c'était sans importance. Ce qui, peut-être, l'était plus, c'était l'attitude d'Alma : maternelle, affectueuse et tout en même temps forte et virile.

C'était elle qui riait maintenant. Un rire de théâtre, destiné aux autres et qui signifiait quelque chose du genre : « Vous ne voyez pas qu'on s'amuse ? Qu'est-ce que vous attendez pour vous amuser avec nous ? » Un rire un peu agaçant par ce qu'il avait d'artificiel et de démonstratif. De sa voix profonde et caressante, elle répétait :

— Petit chat... Petit chat... C'est toi qui as raison de rire ! Nous étions ridicules !

Linou avait cessé de se débattre. Son visage apparut, rouge et boursouflé. Il y avait du défi dans ses yeux, dans sa façon de soutenir sans faiblir les regards de Jo, de Lucerne et des autres personnes présentes autour d'elle.

— J'emmène le petit chat au bar-tabac, dit Alma. Je serai de retour dans un quart d'heure.

Et à Lucerne, que ce comportement autoritaire laissait sans voix :

— Faisons une pause. Nous en avons tous besoin...

— Linou... commença Jo.

Mais Linou quittait le local au bras d'Alma. Parce qu'elles étaient côte à côte, elle parut encore plus menue.

Lucerne regagna son fauteuil — un fauteuil pliant comme en ont les pique-niqueurs du dimanche, que Jo avait acheté dès le début des répétitions et qui avait du mal à contenir le mètre quatre-vingt-cinq et les quatre-vingt-quinze kilos de Lucerne. Le fauteuil grinça.

— Je sors aussi prendre un café, annonça Jérémy.

Les épaules de Lucerne se soulevèrent en signe d'indifférence. Il achevait d'allumer une cigarette, l'air bourru et contrarié. Sa jambe droite tressaillait continuellement.

Devant lui, sur le plateau, les trois actrices hésitaient. Devaient-elles rester à la disposition de leur metteur en scène ? Ou bien pouvaient-elles sortir ? Marie-France, la première, se décida. Alma avait avancé la pause, Lucerne ne s'y était pas opposé, rien ne les retenait dans le local. Elle désigna du menton la porte restée entrouverte et se dirigea vers la sortie.

La voix de Lucerne résonna, claire, coupante.

— Ne partez pas. J'ai deux mots à vous dire.

Il attendit qu'elles se rapprochent du fauteuil. Lui, ne les regardait même pas, occupé à consulter ses notes de travail.

— Vous êtes pour l'instant toutes les trois très à la traîne d'Alma. Nous sommes au début des répétitions, c'est vrai. Je privilégie Alma, c'est toujours vrai. Son rôle est écrasant et réclame toute mon attention. J'essayerai de vous faire répéter séparément de manière que vos tâtonnements n'empiètent pas sur son travail à elle. Il nous reste tout le mois de juin. C'est à la fois beaucoup et peu car en Avignon je m'occuperai presque exclusivement de David et d'Alma. Je ne veux plus vous voir avec vos brochures à la main. À la fin de la semaine, vous devez avoir appris votre texte. Je veux du par cœur. Maintenant, allez au café si vous le désirez. Il vous reste huit minutes, pas une de plus.

Il avait relevé la tête et contemplait avec une joie mauvaise l'effroi que ses paroles provoquaient. À n'en pas douter, il les avait bel et bien privées toutes les trois de la pause, ce moment de la journée qu'il détestait entre tous parce qu'il les soustrayait momentanément à son pouvoir.

— Alexandra ! appela-t-il.

Il la vit qui quittait comme à regret ce coin du plateau où elle venait de s'installer, son texte à la main, qu'elle traînait les pieds, la méfiance dans ses yeux. Une méfiance qui le désarçonna. Au point qu'il ne pouvait tout à coup plus rien faire d'autre que de la contempler qui se dandinait devant lui, mal à l'aise, muette, gauchement sur la défensive.

— Assieds-toi près de moi, dit-il enfin.

Il avait parlé doucement. Mais ce changement de ton fut sans effet. Alexandra s'assit au bord de la chaise, sur la pointe des fesses, comme prête à s'enfuir. Son regard, obstinément, évitait celui de Lucerne. Et Lucerne, peu à peu, sentait son autorité l'abandonner en même temps qu'une nouvelle détresse le gagnait. Quel était ce pouvoir qu'Alexandra détenait encore ? De quoi était faite cette émotion que sa seule présence contre lui réveillait ? À quoi tout cela tenait-il ? Sans s'en rendre compte, il s'était mis à la détailler. Maniaquement. Passionnément. Son regard partait des cheveux châtains, descendait le long du cou, s'arrêtait sur la nuque délicate et courbée, sur les épaules droites, le bras un peu trop mince. « Tu as maigri ? » avait-il envie de lui demander. Mais elle se refuserait d'emblée à cette sorte d'intimité. Le seul rapport qu'elle lui autorisait était un rapport de metteur en scène à actrice. « Je ferai ce que tu veux. Je serai celui que tu veux », pensait-il. Pendant un court instant il se plut à s'imaginer dans le rôle de l'esclave amoureux, à se griser d'humilité face à l'objet de son inatteignable amour, cette Alexandra butée, imperméable aux sentiments sublimes qui l'agitaient. Cela ne dura pas. « Pimbêche ! » dit-il entre ses dents. Puis, sur un ton redevenu normal :

— Je ne voudrais pas que tu te méprennes, dit-il. Je pense sincèrement que tu pourrais travailler davantage. Tu ne plonges pas assez dedans. J'ai tort ?

Il prit son silence pour un acquiescement.

— Tout ce que tu fais est timide. Tu te tiens en retrait du personnage. Tu manques d'audace.

La nuque se ployait davantage tandis que les épaules restaient droites et serrées. Il s'adressait à elle presque tendrement. Avec des mots raisonnables qui n'avaient trait qu'au travail théâtral. Il était un metteur en scène qui parlait à son actrice. Parce que la mise en scène l'exigeait et parce que c'était le seul moyen pour arriver jusqu'à elle. Il insistait. À voix basse maintenant, pour que Marie-France et Christine ne l'entendent pas.

— Je t'ai engagée pour que notre histoire d'amour ratée...

Il crut la sentir tressaillir et rectifia :

— ... pour que notre relation débouche sur autre chose, sur un spectacle que nous ferions toi et moi. Mais je ne t'aurais jamais engagée si j'avais un seul instant douté de toi en tant qu'actrice. C'est parce que tu conviens parfaitement à Prothoé que tu es là. Comme Alma correspond à Penthésilée et David à Achille.

Enfin elle réagissait. Pas encore beaucoup, il est vrai : une simple inclination de la tête.

— Mais tu dois y mettre du tien, y aller plus carrément, c'est une question d'engagement personnel, de décision intérieure. Ne cherche ni à embellir ton personnage ni à l'enlaidir. Contente-toi, pour l'instant, de ne pas le dénaturer. Compris ?

— Je te remercie de me dire tout ça, murmura Alexandra.

Elle tournait vers Lucerne un visage un peu détendu que l'ombre d'un sourire éclaira brièvement. Un brouhaha suivi de quelques claquements de porte annonçait qu'Alma, Linou, Jérémy et les autres étaient de retour. Lucerne d'un geste vif s'empara des poignets d'Alexandra.

— Pour revenir à ce qui s'est passé tout à l'heure, chuchota-t-il, je suis persuadé que tu peux résister plus à Alma dans la scène de l'affrontement.

— Comment ça ?

Sans s'en rendre compte, elle s'était mise, elle aussi, à chuchoter. Il approcha son visage du sien, souriant, complice.

— Je t'ai bien observée. Tu te laissais faire comme un paquet. À croire que ça t'arrangeait qu'elle t'envoie valdinguer trois mètres plus loin !

Alexandra, maintenant, avait envie de rire. La perspicacité de Lucerne la séduisait et lui rendait une sorte de confiance. Puisqu'il l'avait si bien démasquée, elle décida de lui parler sincèrement. Comme une actrice à son metteur en scène.

— Je n'aime pas ce mouvement, dit-elle. Je le trouve...

Elle hésitait, cherchait le mot juste.

— Convenu. Nous pouvons nous affronter sans nous toucher. Pourquoi en venir aux mains ? N'est-ce pas un cliché ?

Lucerne avait lâché ses poignets et la regardait

d'une curieuse façon. Alma avançait avec une tasse de café qu'elle lui destinait. Il refusa d'un mouvement agacé.

— Il est comme tu l'aimes, Jean, insistait Alma. *Macciato*.

Mais lui, déjà, était debout.

— La pause est finie. On reprend à l'affrontement entre Penthésilée et Prothoé. Alma, tu n'attrapes plus Sandra. C'était une mauvaise indication de ma part... Trop convenu... Trop cliché. Mais je veux de la violence, de la hargne ! Une louve contre une autre louve ! Et si vous ne savez pas comment se comportent les louves, allez au zoo ! Débrouillez-vous ! On reprend !

Les répétitions s'arrêtaient encore à dix-neuf heures. Bientôt on passerait à des horaires autrement plus astreignants. Ce serait du quatorze-vingt-quatre heures. Une étape décisive dans le travail qu'Alexandra appréhendait et désirait tout à la fois.

S'immerger complètement dans *Penthésilée*, ne penser qu'à ça, du lever au coucher, tous les jours de la semaine, la nuit, jusqu'à l'obsession, la nausée, l'aiderait à devenir ce que Lucerne attendait d'elle. Elle n'oublierait pas Adrien, bien sûr, mais son souvenir, ces images de lui qui la traversaient sans cesse, se tiendraient comme à l'écart. Elle savait le pouvoir du travail théâtral sur le chagrin, elle connaissait cette panique de monter sur scène, qui vous tord le ventre, vous empêche de manger, de dormir, mais qui aussi chasse toutes les autres peurs. De façon plus prosaïque, elle imaginait quel soulagement ce serait de ne plus se demander comment et avec qui passer ses soirées.

Elle avait bien des amis qui l'accueillaient avec affection, qui l'encourageaient à les appeler, à utiliser leur temps libre, leur appartement, voire leur vie de famille. Mais Alexandra craignait de les ennuyer comme de susciter leur pitié. Elle craignait aussi leur équilibre, l'harmonie de leur vie. Et que dire encore du fantôme d'Adrien qui la pourchassait jusqu'au plus profond des appartements de ses amis ? Des amis qu'Adrien avait tenu à rencontrer.

L'acharnement avec lequel il avait entrepris de tout connaître la laissait songeuse. Ses amants. Son rapide mariage. Son frère Olivier. Ses rêves et ses échecs.

Elle se rappelait ce matin d'hiver où Adrien avait fièrement sorti de sa poche deux aller-retour Paris-Genève. Il avait sans la consulter décidé de rencontrer Olivier. Mais Alexandra avait eu peur. Ils iraient plus tard, au printemps. Le printemps était là, Adrien au Japon et Olivier en Suisse. Olivier se doutait-il qu'il avait failli recevoir sa visite ? Qu'aurait-il pensé d'Adrien, lui qui jugeait toujours si sévèrement les amants de sa sœur ?

Ainsi rêvait Alexandra en remontant la rue Vieille-du-Temple en direction de l'Hôtel de Ville. Parfois des bribes de son texte se substituaient aux fantômes d'Adrien et d'Olivier : *Je vois dans tes yeux, Maîtresse, une lueur qui m'effraie, et il me semble que mon âme est pleine de toutes les pensées qui remontent de la nuit.* Mais le reste lui échappait. Il fallait qu'elle s'y attelle sérieusement, qu'elle apprenne par cœur les premières scènes. Ce serait un apaisement de remplacer ses mots et ses tourments par ceux de Prothoé.

Sur le trottoir d'en face, marchaient Christine et Marie-France.

Au sortir du local, Alexandra s'était jointe à elles. Mais à l'occasion d'un feu rouge et d'un passage clouté, elles avaient brusquement traversé, prétextant une course à faire, un arrêt d'autobus, Alexandra ne savait plus. C'était sans importance.

Elle portait son habituel sac à dos en cuir, trop lourd, et dont les lanières sciaient ses épaules. Elle avait hâte de traverser la rue de Rivoli et la place de l'Hôtel-de-Ville. Passé le pont d'Arcole, elle se sentirait mieux. Une simple question d'arbres, d'oxygène. Jamais l'idée ne lui serait venue de prendre le métro ou l'autobus. Elle aimait marcher. Elle regrettait que la distance ne fût pas plus grande entre le Marais et la place Saint-Sulpice.

Malgré le sac à dos, elle avançait d'un pas ferme et régulier qui la rendait difficile à suivre. À deux reprises des hommes s'y risquèrent qui abandonnèrent aussitôt : l'ambiance était à la drague, pas à la traque. De toutes les façons, Alexandra ne faisait attention à rien. Seuls comptaient sa rêverie et ce ciel sans nuages que le crépuscule n'obscurcissait pas encore et qu'elle contemplait avec affection, comme si, en quelque sorte, elle le découvrait. « Quand je marchais avec Adrien, je ne voyais que lui », pensait-elle. Et une rapide douleur la saisit à la hauteur de la taille, là où son bras se posait quand il l'attirait contre lui. Elle pensa encore qu'il y avait de cela un an, elle allait et venait dans Paris, de ce même pas rapide, ignorant qu'ailleurs, dans un autre arrondissement, il y avait cet homme de trente ans, cet inconnu, ce martien, qui s'apprêtait à bouleverser sa vie. Ils s'étaient rencontrés un 1er juin. Cela ferait bientôt un an.

On se pressait aux terrasses des cafés du boulevard Saint-Germain. Des hommes en bras de chemise et des femmes en robe d'été. Des gens de tous les âges, de tous les milieux, de toutes les nationalités. De longues queues se formaient devant les cinémas pour la séance de vingt heures ; ceux-là iraient dîner après.

Alexandra atteignit la place Saint-Sulpice. Elle aimait par-dessus tout la fontaine, son bruit d'eau si faible d'abord, qui augmentait au fur et à mesure que l'on approchait et qui lui évoquait presque à chaque fois les petites cascades des montagnes de son enfance.

Mais rue Palatine puis rue Servandoni, une sorte d'effroi qu'elle reconnut pour l'éprouver quotidiennement la saisit à l'idée de se retrouver seule dans son appartement, avec une longue soirée devant elle et le souvenir d'Adrien, tellement plus insidieux la nuit. Comme elle l'avait déjà fait, elle choisit de traîner encore un peu, au hasard, droit devant elle.

Droit devant, il y avait le jardin du Luxembourg.

C'était l'heure délicieuse où les derniers promeneurs s'en vont, l'heure réservée aux seuls initiés, ceux qui connaissent, d'une saison à l'autre, les horaires d'ouverture et de fermeture des grilles.

Alexandra, tout d'abord, avait refusé le jardin qui lui rappelait Adrien aussi crûment que sa chambre à coucher. Deux bonnes semaines de bouderie. Mais avec le retour des martinets et les marronniers en fleur, l'attrait avait été plus fort que ses souvenirs. Et c'était redevenu une joie que de s'y promener tôt le matin ou le soir, en fin de journée. Pourquoi ne pas tenter d'y travailler ?

Des pelouses bien arrosées s'élevait une senteur fraîche et vivante, un parfum d'herbe tenace qui évoquait l'été et l'enfance.

Alexandra s'assit sur un banc, tournant le dos aux tennis. Elle déposa le sac et en sortit la brochure de *Penthésilée*.

Les paulownias avaient perdu leurs dernières fleurs qui jonchaient le sol, à ses pieds, et encerclaient le court de tennis en un rectangle parfait. Son regard se perdit un instant dans l'étendue mauve, puis remonta le long des marronniers jusqu'à la trouée de lumière, tout au bout. Dessinée sur le ciel, isolée dans l'écrin des arbres, se dressait la statue d'une reine de France. Si légère, si intemporelle dans son grand manteau qu'on l'aurait crue échappée d'entre les pages d'un conte de fées. Marguerite de Provence ? Sainte Clotilde ? Alexandra ne se souvenait plus.

Mais voilà que résonnaient les premiers appels et les premiers coups de sifflet. Des gardiens en uniforme couraient dans les allées : l'heure était venue de quitter le jardin. Alexandra rangea la brochure dans le sac à dos et se dirigea vers une sortie.

Le flux régulier des passants la conduisit presque malgré elle jusqu'au carrefour Vavin, là où le boulevard du Montparnasse croise le boulevard Raspail et où scintillaient déjà les enseignes des cafés et des restaurants. Les gens s'entassaient aux terrasses, devant les cinémas. Une foule dense et joyeuse qui provoqua chez Alexandra un violent et immédiat réflexe de fuite. Cette fièvre printanière la choquait, soulignait son impuissance à s'y mêler. À n'en pas douter, elle ne faisait pas partie de cette fête.

Soudain Alexandra aperçut Jérémy qui sortait du *Sélect*, accompagné d'un homme grand et mince, aux cheveux frisés et grisonnants, qui tenait des enveloppes de papier kraft coincées sous le coude. Elle s'empressa de rebrousser chemin. Une peur irraisonnée d'être repérée et vue telle qu'elle s'imaginait : terne, triste, juste bonne à éveiller, peut-être, un sentiment de pitié.

Rue Guynemer, le long des grilles du Luxembourg, ses craintes diminuèrent. Il y avait peu de gens sur les trottoirs : des habitants du quartier qui s'en retournaient chez eux sans hâte et qui profitaient de la fraîcheur que leur apportait la proximité du jardin. Certains promenaient leur chien. Une sorte de mélancolie flottait dans l'air. Bientôt il ferait nuit.

— *Rêveuse — dans quelles lointaines campagnes de lumière ton âme vole-t-elle de ses ailes inquiètes ?* récita une voix dans son dos.

Alexandra n'eut pas à se retourner, la voix déjà précisait :

— *Penthésilée,* scène XIV.

— Tu me suis ?

— Peut-être vais-je dans ta direction, répondit paisiblement Jérémy.

Ils firent quelques pas en silence. Alexandra marchait comme elle le faisait toujours, rapidement, en frôlant les grilles du jardin du Luxembourg.

— On dirait que tu cherches à semer une armée d'ennemis, remarqua Jérémy.

— Mais non.

Sans même s'en rendre compte, Alexandra ralentissait, calquant sa démarche sur celle de son compagnon. Elle s'habituait à cette présence. Mieux, elle s'en réjouissait. Une envie soudaine de poser des questions, de bavarder.

— Comment fais-tu pour être toujours si silencieux ? Pas une fois je n'ai soupçonné ta présence derrière moi ! Tu pourrais me suivre toute une journée sans que je te repère ! Et si je le faisais, je te prendrais pour mon ombre ! Il n'y a que les chats pour se comporter comme ça !

Jérémy lui sourit.

— C'est ce que me disait un ami. Mes comportements de chat l'horripilaient. Il m'avait surnommé Furtif. Et ce n'était pas un compliment ! Lui si bienveillant d'ordinaire à mon égard — et quand je dis bienveillant, je devrais dire complaisant — se mettait tout à coup à me traiter de fourbe, d'hypocrite et de sournois !

Ils étaient arrivés rue de Vaugirard. Alexandra traversa, Jérémy toujours sur ses talons. Il lui semblait que jamais encore le jeune homme n'avait autant parlé. Elle désira en savoir plus.

— Qui c'est, cet ami si perspicace ?

— Un ami.

— C'est le type avec qui tu étais au *Sélect ?*

— Non.

Alexandra refusait d'entendre ce que ce soudain laconisme pouvait signifier ; cette réserve chez Jérémy qui se manifestait aussi dans le son de sa voix délibérément atone. Elle insista.

— Qui c'est alors ? Qu'est-ce qu'il fait ?

— Il ne fait plus rien. Il est mort.

Alexandra s'apprêtait à tourner dans la rue Servandoni. De saisissement elle s'arrêta et Jérémy la heurta. « Pardon », balbutia-t-elle. Et comme il haussait les épaules avec un sourire un peu forcé, elle répéta : « Pardon. » En se jugeant d'une confondante bêtise et en secouant sa queue de cheval comme pour protester : « Ce n'est pas ce que je voulais dire. »

— Le type avec qui je sortais du *Sélect*, c'est mon rédac chef, dit enfin Jérémy. J'avais un article à lui rendre. Peut-être tu le connais, c'est...

Il dit un nom qu'Alexandra se souvenait vaguement d'avoir entendu mais à propos duquel elle n'osa plus poser de questions. Jérémy et elle se trouvaient maintenant au bas de son immeuble. La cloche de la mairie de Saint-Sulpice sonna la demie de neuf heures. Dans le silence qui s'ensuivit, Jérémy, tout à coup, se décida.

— Et si tu m'invitais à boire ce verre ?

— Ne fais pas attention au désordre.

Alexandra refermait derrière Jérémy la porte de son appartement et se débarrassa d'un coup d'épaule de l'encombrant sac à dos. Puis elle ramassa à la hâte un pull-over et un jean qui traînaient sur le sol. Ils avaient monté trop rapidement les cinq étages et étaient l'un et l'autre un peu essoufflés.

— Assieds-toi, dit-elle en lui désignant un fauteuil.

Jérémy obéit. Malgré son air indifférent, il enregistrait tous les détails de la pièce : la moquette bleue, les murs blancs, les poutres au plafond, la cheminée qui contenait non pas des bûches mais un fatras de vieux journaux ; les meubles anciens et les livres sur les rayonnages. La pièce, très encombrée, ne devait pas faire plus de quinze mètres carrés.

Alexandra crut bon de préciser.

— Quand mon père est mort et avant que maman ne s'en aille refaire sa vie aux USA, les meubles de notre maison ont été dispersés. J'ai pris ceux qui pouvaient entrer dans mon petit appartement.

Elle eut l'air de s'excuser.

— Ils ne sont ni spécialement beaux ni spécialement commodes. Je n'aime pas non plus collectionner les souvenirs. Je ne sais pas pourquoi j'ai voulu les garder... Un jour, je bazarderai tout...

Jérémy s'était relevé pour examiner de près un meuble, une gravure, un bibelot avec le sérieux d'un enquêteur.

— Ça ne te plaît pas ? s'inquiéta Alexandra.

— Mais si.

Il tenait entre ses doigts une photographie en noir et blanc qui représentait deux enfants enlacés dans une prairie. Le petit garçon regardait l'objectif bien en face, avec une farouche assurance. Dans ses bras, une petite fille aux yeux clos souriait, confiante, heureuse. Il se dégageait du cliché une sensation de bonheur partagé, d'équilibre, de vie préservée. Jérémy reposa la photo là où il l'avait prise et sourit à Alexandra.

— C'est la première fois que je vois un appartement d'actrice sans aucune photo de l'actrice !

— J'en ai sûrement quelque part...

— Il y a d'autres pièces ?

— Ma chambre. Une minuscule salle de bains et une microscopique cuisine.

Elle poussa une porte. Jérémy entr'aperçut une petite pièce sombre dont le lit occupait à peu près tout l'espace. Alexandra vit alors sa chambre telle que devait la découvrir Jérémy : les rideaux à demi tirés, les draps en désordre, l'oreiller sur la moquette à côté du téléphone et du répondeur. Et sur la chaise basse qui tenait lieu de table de nuit, les flacons de comprimés pour dormir. Elle referma précipitamment la porte : cette chambre racontait trop précisément sa solitude, ses nuits sans sommeil.

— Tu n'aurais pas une bière ?

Ils burent chacun une bière, puis, sans raison précise, peut-être parce que l'étiquette de la bouteille plaisait à Jérémy, du porto. Dans de délicats petits verres vénitiens qui faisaient la fierté d'Alexandra et qui l'aidaient à oublier la tristesse de sa chambre. Elle racontait comment elle les avait achetés douze ans auparavant, lors de son voyage de noces, à Venise, justement. Jérémy l'écoutait, bien installé dans un fauteuil. Parfois il la relançait par une question ou un clignement de paupières approbateur. La nuit envahissait l'appartement.

— Ne me demande pas pourquoi je me suis mariée, je ne suis pas sûre de le savoir moi-même, racontait Alexandra. Beaucoup pour faire plaisir à mon frère Olivier. Quand papa est mort, quand maman s'est tirée à Boston avec son nouveau mari, j'avais dix-huit ans et mon frère Olivier dix-neuf. J'avais plein d'amoureux, ce que ne supportait pas mon frère.

— Il était jaloux ?

— C'est plus compliqué que ça. Il s'inquiétait pour moi... Je ne savais pas ce que je voulais faire. Des études ? Bon. Mais lesquelles ? Du théâtre ? Quelle horreur ! Il a voulu me caser pour me protéger de moi-même.

Elle rit et leva son verre, un peu grisée par la présence de Jérémy. C'était la première fois que quelqu'un pénétrait dans son appartement depuis le départ d'Adrien.

— Je suis assez satisfaite de cette formule « me protéger de moi-même » ! Olivier mon mari s'est investi dans cette tâche, mais ça ne pouvait pas durer longtemps. Nous étions encore des enfants et pas assez amoureux. Je ne sais pas pourquoi je te raconte tout ça...

Mais c'était comme si elle ne pouvait plus s'arrêter de parler. Tout d'ailleurs l'y poussait : l'écoute de Jérémy, attentive et amicale, faite de silences et de demi-sourires ; une curiosité qu'elle pressentait chez lui et qui l'intriguait. Qu'y avait-il donc, chez elle, de digne d'intéresser un jeune homme comme Jérémy ? Alexandra réalisait à

quel point elle avait été privée de paroles et
d'écoute toutes ces dernières semaines. Elle
aurait aimé questionner à son tour Jérémy, elle
le fit même. Mais toujours il se débrouillait pour
ne pas répondre, pour la ramener à ses propres
histoires. Ainsi :

— Le divorce n'a pas été trop douloureux ?

L'aspect à la fois prudent et convenu de la
question amusa un moment Alexandra.

— Tu n'as pas répondu, protestait Jérémy.

Il s'était laissé glisser du fauteuil à la
moquette. Ses jambes s'étirèrent tandis que ses
bras se refermaient mollement sur un coussin. Il
fixait toujours Alexandra, abandonné, alangui,
comme quelqu'un sur le point de s'endormir.
Alexandra eut un geste vers le commutateur
d'une lampe.

— Laisse, chuchota-t-il. On est bien dans le
noir.

Sa main avait intercepté celle d'Alexandra. Il
la garda quelques instants dans la sienne et elle
le laissa faire comme si c'était la chose la plus
naturelle du monde. Un sentiment de gratitude
la gagnait. Elle avait envie de le remercier d'être
là, près d'elle, dans l'obscurité apaisante de
l'appartement qu'elle cessait tout à coup de
détester et qui redevenait ce qu'il avait été avant
le départ d'Adrien : un abri, une cachette.

La main qui tenait la sienne la lâcha pour
ramper jusqu'à un paquet de cigarettes. Jérémy
en alluma une. À la lueur de la flamme, elle vit

l'ombre des longs cils noirs s'étirer sur la blancheur des joues.

— Alors, ce divorce ?

— Un divorce épatant ! Sans drames, sans larmes. Nous nous sommes quittés bons amis, comme on dit.

Sans savoir pourquoi, elle ajouta tout à trac :

— Ce n'est pas le cas avec Lucerne.

Jérémy se redressa sur un coude et rejeta la fumée de la cigarette par les narines.

— Je ne voudrais pas te faire peur, dit-il sérieusement, mais avec Lucerne, je crois que c'est plus grave. Il n'a pas l'air de supporter que tu l'aies quitté. Tu n'as pas l'intention de revenir avec lui ?

— Ah, non !

Il la contempla un long moment en silence. Pour brusquement lui demander :

— Tu l'as aimé ?

Alexandra se rembrunit.

— Non... Oui... Je ne sais plus. De toutes les façons, c'est fini et bien fini. Et puis, il est avec Alma !

Elle crut le voir sourire dans l'obscurité.

— Sandra, dit-il gentiment.

C'était la première fois qu'il utilisait ce diminutif. Elle en fut émue. Mais revint à ce qui la tourmentait le plus, à cette minute-là.

— Et les autres ? Qu'est-ce qu'ils disent ?

Tant d'ingénuité amusait Jérémy. Il roula sur la moquette pour se rapprocher d'elle, de la chaise où elle était assise. Il la contemplait par en dessous, la tête bien calée sur ses mains jointes. La cigarette oubliée grésillait dans le cendrier.

— Après ce qui s'est passé chez Alma, samedi soir, tout le monde est en mesure de comprendre qu'il y a eu, qu'il y a peut-être encore, quelque chose entre toi et Lucerne... À mon avis, aucun garçon de la troupe ne se risquera à te draguer. Ils ont compris l'avertissement : Alexandra Balsan, c'est chasse gardée !

— Mais c'est affreux !

— Pourquoi ? Tu as quelque chose contre la chasteté imposée ?

Il riait maintenant, se moquait d'elle.

— *Homo homini lupus*, dit-il gaiement.

La citation en latin éveilla brusquement la méfiance d'Alexandra. Elle eut un regard mauvais pour le garçon couché à ses pieds. Ne prenait-il pas un certain plaisir à l'égarer ? À lui faire peur ? À la tourmenter ?

— L'homme est un loup pour la femme, conclut-elle sombrement.

Elle se releva et gagna la fenêtre. Accoudée à la balustrade, elle contempla un instant la rue Servandoni, si paisible maintenant. Elle s'appliquait à respirer lentement, à oublier Lucerne et ses camarades de travail. La tranquillité de la rue et la fraîcheur de l'air lui firent du bien. Elle croyait sentir une faible odeur de chèvrefeuille. « Adrien seul est réel », pensa-t-elle soudain. Et cette pensée la bouleversa. Des larmes mouillèrent ses yeux. Des larmes qui n'avaient rien à voir avec le chagrin. « Adrien seul est réel. »

— Et bien entendu, dans ton frigidaire, il n'y a rien à manger ? demanda Jérémy sur un ton boudeur.

— Rien.

— Alors sortons. Je t'invite à dîner.

Ils dînèrent non loin de la place Saint-Sulpice, dans une pizzeria. Plutôt gaiement, en tentant sans trop y parvenir d'échanger quelques confidences. Le brouhaha du restaurant, les conversations bruyantes de leurs voisins de table, s'immisçaient régulièrement dans leurs propos. Ils avaient commandé une bouteille d'orvieto frais qu'ils achevaient de vider. Malgré les protestations de Jérémy à chaque fois qu'on remplissait son verre : « Arrête, je n'ai pas l'habitude de boire autant de vin. » « Moi itou », pensait Alexandra. Mais elle se serait bien gardée de l'avouer. Face à Jérémy, elle s'amusait à jouer à la femme libérée, à l'affranchie, introduisant dans la conversation des opinions qu'elle croyait follement contradictoires pour l'intéresser, le surprendre, le choquer. Avec une gaieté fébrile qu'aiguisaient le vin blanc et cette impression merveilleuse de vivre là sa première récréation. Elle était un peu ivre, le savait, s'en vantait. Son autorité lui paraissait superbe.

— Arrête de faire le petit mec, dit-il tout à coup.

Les yeux noirs pour une fois grands ouverts

cherchaient les siens. Déconcertée, Alexandra remontait machinalement la manche du tee-shirt sur son épaule nue. Elle sentait confusément qu'il y avait du vrai dans l'avertissement de Jérémy.

Un groupe piétinait à l'entrée du restaurant attendant que des tables se libèrent. Derrière, alternativement nimbés de rose et vert par l'enseigne du restaurant, surgirent Lucerne, Alma, Marie-Lou, Jo et Linou.

« Attention », chuchota Alexandra. Jérémy se retourna. « Je ne pense pas qu'ils puissent nous voir », dit-il.

Seule Alma était entrée. Elle avait happé un serveur et déployait pour lui tous les charmes de son regard bleu et de ses dents blanches. De par sa grande taille, Lucerne dépassait le groupe des candidats dîneurs. Alexandra ne perdait rien de l'expression hostile de son visage. « Il est d'une humeur de chien », jugea-t-elle. D'ailleurs, sa voix soudain se fit entendre, couvrant le brouhaha du restaurant.

— Laisse tomber, Alma, on s'en va.

Et sans plus se soucier d'elle, il disparut sur le trottoir, rapidement avalé par les grappes de promeneurs. « Jean ! » appela Alma avant de se lancer à sa poursuite, bousculant le serveur, les dîneurs, Marie-Lou et Jo. Elle avait l'air résolu d'une amoureuse de tragédie.

— Sainte Alma ! persifla Jérémy.

Et à Alexandra :

— Cesse d'avoir peur de lui, d'eux...

— Pourquoi vient-il ici ? Dans mon quartier ?

— Saint-Germain-des-Prés est on ne peut plus fréquenté.

— Il va dans les restaurants où il sait que je vais. À deux pas de chez moi...

Elle se tut. Il lui répugnait de poursuivre cette pénible hypothèse : Lucerne rôdant autour de la place Saint-Sulpice dans l'espoir de l'apercevoir. Malgré les présences d'Alma et de ses amis. Alexandra était de plus en plus persuadée qu'il n'était pas là par hasard mais bien à cause d'elle. Encore et toujours à cause d'elle. Persuadé, Jérémy l'était aussi. Mais à l'inverse d'Alexandra, la situation l'amusait.

— Je me demande combien de temps sainte Alma va supporter les humeurs de ton ex. Mais peut-être que ce qui se passe dans l'intimité de leur chambre à coucher est si intense...

Il vit qu'Alexandra rougissait.

— Excuse-moi.

— De quoi ? Je me fiche bien de ce qui se passe dans l'intimité de leur chambre !

Et avec humeur, comme pour se venger :

— Et dans l'intimité de ta chambre à toi, qu'est-ce qui s'y passe ? On peut savoir ?

— Tu deviens indiscrète.

Jérémy paya l'addition et se leva. Sans hâte, en prenant soin de tirer la table pour qu'Alexandra puisse passer.

Dehors, ils marchèrent un moment sans plus se parler. Alexandra, malgré elle, cherchait à repérer la grande et lourde silhouette de Lucerne dans la foule des promeneurs.

— T'inquiète, dit Jérémy. À l'heure qu'il est ils ont trouvé un restaurant.

Et comme elle conservait cet air soucieux qui l'agaçait et le touchait tout en même temps :

— J'ai un rendez-vous vers minuit. Avant je peux rester avec toi. Tu veux ?

Alexandra retint de justesse un : « Et après minuit, qu'est-ce que tu fais ? » qu'elle remplaça par un plus neutre : « Très bien. » Toutefois, elle ne put s'empêcher de biaiser.

— Je peux t'accompagner à pied à ton rendez-vous. Ça nous ferait une promenade.

— Tu ne sais pas où je vais.

— Qu'est-ce que ça fait ? Si c'est loin, je prendrai un taxi pour rentrer.

Ils étaient arrivés place Saint-Sulpice. Des skaters s'entraînaient devant la fontaine. Leurs évolutions gracieuses et compliquées parurent passionner Jérémy.

— Alors ? insistait Alexandra.

— Alors, non. Là où je vais, les filles ne vont pas. Cherchons plutôt un bar. Si je bois rarement du vin, j'aime bien les alcools raides, genre tequila.

Le bar choisi par Jérémy se trouvait à quelques rues de là. Il en poussa la porte fermement, en habitué. Le serveur, d'ailleurs, le salua aussitôt et lui désigna deux tabourets vides, à l'extrémité du comptoir derrière lequel il officiait.

— Ta place préférée, Jérémy.

Jérémy s'y glissa, suivi d'Alexandra. Il fit les présentations.

— Jean-Pierre. Alexandra, une amie.

Le barman eut pour Alexandra un regard vide de toute expression et entama avec Jérémy une conversation d'où la jeune femme était exclue. Des noms furent prononcés, ainsi que des prénoms — tous masculins. Parfois, il se penchait vers Jérémy et lui disait à l'oreille quelque chose qu'Alexandra ne pouvait comprendre. Tout en bavardant, le barman avait préparé deux cocktails à base de tequila.

Alexandra, d'abord peinée d'être ainsi tenue à l'écart, sentait un début d'indifférence la gagner. Elle regardait les deux hommes sans réelle curiosité, presque distraitement.

Ils ne se ressemblaient en rien. Le premier était sans âge, avec quelque chose de fantomatique qui tenait à son excessive maigreur, à son teint bronzé artificiellement et pourtant pâle, aux plis fatigués de sa bouche. Mais elle pensait avec certitude qu'il avait dû être beau dans sa jeunesse et de l'évoquer au passé, tout à coup, l'attrista, sans qu'elle sache pourquoi. Jérémy, par contraste, semblait à peine sorti de l'adolescence. « Qu'est-ce que je fais à la remorque de ce gamin ? » se dit-elle. Heureusement il y avait le cocktail, délicieux, et les chansons de Billie Holiday que diffusait en sourdine un haut-parleur.

De temps en temps, la porte du bar s'ouvrait sur de nouveaux arrivants. Certains ne faisaient qu'entrer et sortir, s'informant auprès de Jean-Pierre si X ou Y était déjà là. Devant une réponse négative, ils repartaient. « Je repasserai plus tard. Dis-lui que tu m'as vu. » La porte se refermait silencieusement sur eux. Parmi ceux-là, s'en trouva un qui apostropha Jérémy. « Tu es revenu ? » demanda-t-il avec agressivité. « Comme tu vois », répondit placidement Jérémy.

La tequila, l'obscurité et la musique commençaient à assoupir Alexandra. Les échanges entre Jérémy, le garçon inconnu et le barman lui arrivaient comme au travers d'épaisses couches de brume. Mais quand une femme à la crinière blonde et en pantalon de cuir apparut à son tour, elle identifia aussitôt Marie-Lou Pinheiro. Jérémy lui aussi l'avait vue.

— Voilà notre copine préférée, chuchota-t-il.

Un sourire à la fois méchant et joyeux éclaira son visage. D'un coup de reins, il se déplaça de façon à coller son tabouret à celui d'Alexandra. Son bras gauche s'enroula autour de la taille de la jeune femme, sa main se fixa sur sa hanche. La droite qui tenait le verre se posa nonchalamment sur les genoux serrés et haut perchés. « Ne bouge pas », ordonna-t-il. Et à l'intention de son ami Jean-Pierre : « C'est pour la pouffiasse qui vient d'entrer. » Sa tête s'inclina, câline, sur la poitrine d'Alexandra. Celle-ci sentait l'odeur de ses cheveux noirs.

Marie-Lou était sur le point de s'asseoir seule à une table quand elle les vit. Elle fit un pas dans leur direction. Une expression de triomphe l'illuminait. Mais bizarrement tout se défit en une seconde. À quoi cela tenait-il? Alexandra n'aurait pas su le dire. Jérémy, contre elle, se faisait de plus en plus tendre et caressant. Il embrassait doucement son cou, son épaule nue. Enfin, Marie-Lou se détourna. La porte en se refermant ne fit aucun bruit.

Jérémy avait lâché Alexandra et riait. Un long rire muet qu'elle ne comprenait pas et qui la choqua.

— Je ne saisis pas, dit-elle.

Mais Jérémy riait toujours et négligeait de répondre.

— Mets ça sur ma note, dit-il à Jean-Pierre. Je repasserai un de ces jours.

Alexandra avait déjà sauté au bas de son tabouret. La tête haute, les épaules droites, elle traversait les quelques mètres qui la séparaient de la porte. Mais Jérémy la rattrapa, bondissant autour d'elle comme un troll de contes et légendes. Dans la rue, il la suivit.

— Pourquoi tu es fâchée? C'était drôle, plaidait-il.

Et comme elle ne répondait pas, les mains dans les poches de son pantalon, farouche et butée.

— J'ai fait ça pour toi! Pour t'amuser et pour

la décourager de t'embêter. Tu as vu sa tête ? Un vieux tournesol fané !

Du coin de l'œil, tout en feignant de l'ignorer, Alexandra l'observait qui avançait à ses côtés, l'air désolé. Par une sorte de bizarre mimétisme, il avait les mains enfoncées dans ses poches, comme elle, et calquait sa démarche sur la sienne. À moins que ce ne fût elle qui se soit mise à l'imiter.

— Tu cherches les ennuis, Jérémy, dit-elle enfin. C'est moi qui ferai les frais de ta plaisante-rie. Marie-Lou va tout raconter à Lucerne...

— Lucerne ne la croira pas. Il n'y a entre eux qu'une complicité d'ivrognes. Il pensera qu'elle invente et la sommera de se mêler de ses affaires. C'est comme ça que je vois les choses. Et puis, on a bien rigolé, non ?

Ils étaient arrivés à l'angle de la rue Palatine et de la rue Servandoni. Jérémy esquissa un pas de danse, les poings toujours enfoncés dans les poches de son pantalon.

— Te voilà chez toi. Moi, je continue. Ciao !

Et il lui tourna le dos pour repartir en sens inverse, frôlant les murs de l'église jusqu'à dispa-raître dans son ombre. « C'était quoi son sur-nom ? pensa Alexandra. Furtif ? »

Alexandra se coucha très vite. En éteignant sa lampe de chevet, elle vit le voyant du répondeur qui clignotait dans le noir. Pas plusieurs fois, une. Il y avait donc eu un appel. Elle imagina avec ennui que Lucerne avait peut-être téléphoné sous le prétexte justifié ou pas de lui parler de *Penthési-lée*. Puis elle se souvint l'avoir vu avec Alma.

Elle appuya sur le bouton. La bande en se déroulant fit son bruit habituel. Mais il n'y eut rien. Rien qu'un long silence entrecoupé de grésillements qu'elle écouta jusqu'au bout avec la conviction qu'il s'agissait là d'un appel d'Adrien. Elle n'aurait pas su expliquer cette certitude Mais c'était comme si elle l'écoutait respirer Longtemps elle resta éveillée dans l'obscurité de la chambre, la fenêtre grande ouverte sur la nuit

Là-bas, au Japon, une nouvelle journée commençait. « Adrien seul est réel. » Ces quatre mots avaient la force d'une promesse, d'un talisman.

— Oh !, Prothoé ! M'avoir brisé la poitrine ! Comme si je brisais à coups de pied, sauvagement, la harpe qui murmurait mon nom dans le vent de la nuit. Mais, moi, l'ours, je lui ferais fête, la panthère, je la caresserais, s'ils venaient à moi avec cette tendresse que j'avais dans le cœur !

La voix cassée d'Alma s'élevait, plainte mélodieuse, déchirante, que chacun écoutait en frissonnant. On en oubliait la plate lumière électrique du local, l'absence de décor et de costumes. On écoutait et regardait Penthésilée, la reine blessée, amoureuse et folle.

Agenouillée sur le plancher, Alma imposait à son corps un lent balancement, les bras collés au ventre comme pour en retenir la vie qui s'échappait. Parfois elle s'interrompait pour consulter la brochure, posée près de ses genoux. Pour reprendre aussitôt sa plainte. Avec la même intensité, la même douleur. Alexandra, Marie-France, Christine et Marie-Lou l'entouraient, Amazones horrifiées par le délire de leur reine.

Cela faisait une semaine que les actrices répétaient cette scène et, pour la première fois, Lucerne était satisfait. Son immobilité, son silence, la bouteille de whisky qu'il ne touchait pas l'attestaient au même titre que l'expression recueillie de son visage. Contre lui, comme un frère siamois, Didier Lalouette, un bloc de papier calé sur ses genoux. Souvent il prenait des notes de sa petite écriture penchée que lui seul pouvait déchiffrer.

— Ça commence à prendre forme, lui murmura Lucerne.

— C'est aussi mon sentiment

— Alexandra ?

— Alexandra fait beaucoup de progrès.

Sur le plateau, la scène se poursuivait malgré les fautes de texte et les défaillances de mémoire.

Alexandra suppliait Alma de se relever et de fuir. Sa voix, maintenant posée, conservait encore quelque chose d'un peu appliqué. Son corps parfois hésitait. Mais l'ensemble gagnait en assurance et en simplicité.

— Agenouille-toi près de Penthésilée, lui souffla Lucerne.

Elle obéit. Derrière elles deux, Marie-Lou en Grande Prêtresse de Diane imposait un jeu violent et brutal. Marie-France et Christine l'encadraient. Parce que leur rôle était court, qu'elles avaient peu de temps et peu de répliques pour l'imposer, elles mettaient dans le moindre de leurs gestes et de leurs paroles une énergie excessive.

— Tout ça s'équilibrera bientôt, commentait Didier à voix basse. Laissons-les aller jusqu'au bout de la scène.

— *Qu'il me traîne jusque dans son pays — qu'il m'attache par les cheveux à la queue de son cheval ! Ce corps tout plein de vie fraîche, ah ! qu'il le jette dans le fossé ! — que le reniflent les chiens et qu'y fouissent les becs ignobles ! Poussière — oui — que je sois poussière ! — plutôt qu'une femme qui n'a pas séduit !*

— *Ma Reine !*

Une émotion qu'elle contrôlait mal commençait à gagner Alexandra. Des larmes qu'il lui fallait refouler, parce qu'elles ne correspondaient pas à son personnage et que Lucerne les lui avait interdites. « C'est Penthésilée qui souffre, ce n'est pas toi », avait-il expliqué.

— *J'ai mal — j'ai mal,* poursuivait Alma.

— *Où ?* répondait Alexandra.

— *Là.*

— *Que faire pour toi ?*

— *Rien — rien — rien !*

La scène se poursuivit jusqu'à la fin, jusqu'à la sortie de la Grande Prêtresse et des Amazones. Comme elles hésitaient sur la direction, Lucerne de nouveau leur souffla : « À droite... côté jardin. » Elles obéirent et vinrent s'asseoir derrière lui. Sans un bruit, sur la pointe des pieds, pour ne pas troubler cette chose mystérieuse qui se prolongeait entre Alma et Alexandra alors que la scène était terminée, le texte épuisé. Prostrées sur

le plancher, immobiles, les deux actrices semblaient extrêmement lasses et misérables. Si
proches de leur personnage, si seules, qu'on se
prenait à croire au désert, à la nuit, à la mort qui
rôdait.

— Ah, comme ce *que je sois poussière plutôt qu'une
femme qui n'a pas séduit* me perce le cœur! dit
Lucerne sans que l'on comprenne au juste à qui il
s'adressait.

— Oui, approuva Didier. Dans son regard se
reflétait un peu du trouble de Lucerne.

Sur le plateau, Alma et Alexandra se relevaient, frottant machinalement leurs membres
endoloris.

— C'est bien! C'est très bien! dit Lucerne.

— C'est presque très bien! rectifia Didier
Lalouette.

Mais Lucerne, pour une fois, n'était pas d'humeur à supporter la moindre réserve. Il avait
rejoint ses actrices. Il serra d'abord Alma contre
lui, puis Alexandra. Deux étreintes qu'il éprouva
le besoin de commenter.

— Voilà que je deviens sentimental...

Il sourit à Alexandra qui le regardait de biais,
l'air incrédule.

— Pas de sentiment dans cette scène-là, Sandra... Réserve-toi pour les scènes suivantes. Mais
je comprends qu'Alma te touche... Moi, elle
m'arrache des larmes!

Les trois autres actrices s'étaient rapprochées,
attendant qu'il veuille bien rendre compte de leur

travail. « Plus tard... quand j'aurai terminé avec elles deux... » se contenta-t-il de leur dire. Lucerne, maintenant, reprenait par le menu les interprétations d'Alma et d'Alexandra. « Alma, n'aie pas peur d'être simple. Jamais. » « Sandra, c'est en résistant à l'émotion que tu produiras de l'émotion. N'essaye pas de te sentir dramatique. » Pour conclure : « Vous êtes vraiment dans la bonne direction. »

Il se retourna enfin vers Marie-Lou, Christine et Marie-France.

— Vous avez tendance à courir après la poésie de Kleist. C'est faux et inutile. Sinon, même chose que pour Alexandra, en encore plus marqué. La folie de Penthésilée ne vous émeut pas. À aucun moment. Jamais. Vous n'y entendez rien. Surtout toi, Marie-Lou. D'ailleurs...

— Je comprends, dit précipitamment Marie-Lou sans se rendre compte qu'elle venait de lui couper la parole.

— On ne dirait pas. Tes sentiments personnels ne doivent pas intervenir sur scène. Sauf...

Lucerne n'élevait pas la voix mais déjà son attitude se modifiait. C'était une légère crispation de la bouche, une fixité dans le regard. Ses mains fouillaient les poches de sa veste à la recherche d'une cigarette. Marie-Lou lui offrit la sienne.

— Sauf... répéta-t-elle.

— Sauf s'ils te servent pour ton personnage. C'est l'ABC du théâtre et cet ABC, tu ne le respectes pas ! C'est pourtant simple. Tu dois *sur scène* regarder Penthésilée comme tu regardes Alexandra dans la vie. Tu vois ce que je veux dire... Et puisque nous en sommes là, l'agressivité que tu manifestes *sur scène* à Alexandra est en trop. Je me fiche de tes sentiments personnels pour tes camarades de travail. Hors plateau, tu fais ce que tu veux. Sur le plateau, je ne veux pas les voir. J'espère ne plus avoir à revenir là-dessus.

Alma s'était détournée du groupe. Allongée sur le sol, les yeux clos, les deux mains posées à plat sur le ventre, elle s'exerçait à de longues respirations abdominales. Son souffle étiré résonnait curieusement dans les silences, accentuant l'espèce de tension qui se dégageait de Lucerne. Alexandra, Christine et Marie-France s'étaient regroupées et suivaient avec un certain plaisir les remontrances que Lucerne adressait à Marie-Lou Pinheiro. Cette dernière, depuis le début des répétitions, les ignorait. Une indifférence teintée de mépris. Un regard condescendant d'actrice avertie sur des débutantes. Toute son attention s'était passionnément fixée sur Alma et Lucerne qu'elle continuait d'écouter avec humilité.

— Je crois vous avoir tout dit sur le travail d'aujourd'hui.

Lucerne apostropha Didier, toujours dans son fauteuil et qui roulait soigneusement une cigarette.

— Tu as quelque chose à ajouter?

Didier rangea le tabac et le papier dans une

144

petite boîte en argent qu'il glissa dans son cartable.

— Ce ne sont pas les filles qui m'inquiètent, mais les garçons. Leur travail n'avance pas. Il faut qu'ils répètent plus. Pendant quelques jours, du moins.

— Pas question.

La réponse de Lucerne avait claqué. Didier leva vers lui un visage étonné.

— Alma et Alexandra doivent répéter tous les jours, dit Lucerne.

— Je n'ai pas dit le contraire. J'ai juste...

— Non.

Lucerne arpentait le plateau. Une démarche à la fois lourde et nerveuse. À deux reprises, il faillit piétiner Alma qui poursuivait ses respirations abdominales, couchée sur le dos, indifférente à tout ce qui s'échangeait autour. Pourtant ce fut elle qui relança la discussion. Sans bouger, d'une voix très calme.

— Nous pouvons tout à fait nous passer de répéter pendant deux ou trois jours. Didier a raison. Je t'en ai fait la réflexion, hier, Jean : tu ne fais pas assez répéter les garçons ! Occupe-toi d'eux. Nous mettrons ce temps à profit pour apprendre notre texte. N'est-ce pas, Alexandra ?

Alexandra ne trouvait pas de réponse. Elle balbutia un vague « Je ne sais pas » qu'elle crut bon de renforcer par : « C'est comme vous voulez. »

— Tu vois, dit Alma à l'intention de Lucerne.

Elle se redressa sur un coude. « Jean ? » Ses yeux clairs et froids se fixèrent successivement sur toutes les personnes présentes dans la salle et qui se taisaient. À l'exception d'Alexandra à qui on ne demandait pourtant plus rien et qui prit ce silence contre elle.

— C'est comme vous voulez ! répéta-t-elle avec force.

— Eh bien, ce que je veux, c'est que vous soyez présentes toutes les deux, tous les jours, martela Lucerne.

Il venait de s'emparer de la bouteille de whisky. Il but une longue rasade à même le goulot, reprit haleine et but de nouveau.

— Quel jour sommes-nous ? demanda-t-il.

— Mardi, répondirent en même temps plusieurs voix.

— Les garçons répéteront tous les soirs et les filles tous les après-midi. Surtout Alma et Alexandra. Je veux que cette semaine nous ayons parcouru toute la pièce jusqu'au retour d'Achille. Nous ferons notre premier filage samedi soir.

Le mot filage retentit comme un coup de tonnerre. Les actrices, électrisées, se tournaient vers Lucerne. Marie-Lou émit un bruyant sifflement.

— Tu as quelque chose contre ? aboya Lucerne.

— Non, non, répondit-elle précipitamment.

Déjà Alma était debout, prête à toutes les éventualités, les bonnes comme les mauvaises. Ses

146

joues se gonflaient comme si elle allait parler. Mais elle ne dit rien.

— Un filage samedi soir... commença prudemment Didier. N'est-ce pas un peu...

— Non.

— Pourtant...

— Non.

Didier Lalouette eut un long soupir excédé. Lucerne se dressait devant lui, massif, hargneux, la bouteille à la main. On le sentait proche d'un éclat, n'importe lequel. Parce qu'il le devinait, Didier choisit d'en sourire.

— C'est toi le metteur en scène. Mais n'oublie pas que tu me payes aussi pour te contredire. Je n'ai rien contre ce filage même si je le trouve un peu prématuré.

Dès le début de leur discussion, Jo était accouru, prêt à noter les changements de programme. Tellement acquis à tout ce que pourrait réclamer Lucerne que Didier ne put s'empêcher de le taquiner.

— En tous les cas, Jo t'approuve à cent pour cent.

— Affirmatif, répondit Jo.

Lucerne but encore une longue rasade. Comme elle était venue, sa colère s'en allait. Il se laissa lourdement tomber dans le fauteuil en toile. Sur un signe de lui, Didier et Jo s'approchèrent. Une conversation à voix basse commença entre eux.

Linou quitta la zone d'ombre où elle s'était

tenue jusque-là, au fond du local, et rejoignit les actrices sur le plateau. Alma lui fit fête.

— Petit chat! Et moi qui ne savais pas que tu étais là!

Comme l'aurait fait une enfant, Linou tendit ses joues. Alma l'attirait contre elle, l'embrassait, la cajolait. Elles s'assirent par terre, le dos au mur. Linou portait une mini-jupe plissée et un pull-over étroit qui firent la joie d'Alma.

— Comme tu t'habilles bien! De quoi j'ai l'air, moi, dans mon survêt rose!

— De quelqu'un qui répète, dit froidement Marie-Lou.

Mais Alma ignora l'interruption. Elle tenait dans ses mains les mains de Linou et s'amusait à lui poser n'importe quelle question. Linou ne répondait même pas, se contentant de la regarder de ses grands yeux un peu fixes. Elle semblait la première surprise par ce débordement d'affection. Les autres, autour, l'étaient aussi. Mais Alma, maintenant, les appelait. Discrètement, de manière à ne pas déranger la conversation qui se poursuivait toujours entre les trois hommes. Les actrices firent cercle autour d'elle.

— Je crois que ce filage est une bonne chose, dit-elle.

— Moi aussi, l'approuva aussitôt Marie-Lou.

Mais Alma semblait décidée à l'ignorer.

— Et toi, petit chat, qu'en penses-tu?

— Un filage? C'est un enchaînement? Ça

148

veut dire qu'on va jouer tout ce qu'on a répété en continuité? Sans s'arrêter quand ça ne va pas?

— Tu ne vas pas nous faire croire que tu ne sais pas ce que c'est qu'un filage? Tu es mariée à un régisseur, oui ou non?

Marie-Lou avait beau feindre la bonhomie, une agressivité bien réelle perçait dans ses paroles. Alexandra ne s'y trompait pas. Et s'en réjouit : pour une fois, Marie-Lou s'en prenait à une autre. Au sourire amusé de Christine, elle comprit que celle-ci pensait la même chose. Quant à Marie-France, on l'entendit distinctement ironiser : « Le vent tourne. »

— Je suis mariée depuis peu de temps, répondit Linou. C'est la première mise en scène à laquelle j'assiste.

Elle avait noué ses bras autour de ses genoux et posait sur Marie-Lou un regard innocent.

— Je n'ai pas quarante ans de métier derrière moi!

Alma applaudit.

— Bien riposté, Linou! Attention, les filles! Le petit chat sort ses griffes!

Son rire éclata dans le local, franc, haut, d'une gaieté inattendue, si loin d'elle en vérité qu'on hésitait tout d'abord à y faire écho. Linou fixait toujours Marie-Lou de son air innocent. Mais au fond de ses pupilles brillait une étincelle de plaisir. Alexandra, Christine et Marie-France, maintenant, riaient aussi, sans savoir pourquoi, par contentement, pour expulser une nervosité trop longtemps retenue.

Lucerne écoutait Didier faire le point sur l'état du travail. Auparavant, il avait entendu Jo évoquer des problèmes d'horaires, de costumes et de chambres d'hôtel. « Plus tard », grognait Lucerne. Et Jo, obligeamment : « Bien sûr, plus tard... Rien ne presse. » Mais Didier n'avait pas la même souplesse et Lucerne devait redoubler d'attention pour suivre la rigoureuse pensée de son dramaturge.

Devant lui, sur le plateau, ses actrices, assises en demi-cercle autour d'Alma, riaient maintenant très bruyamment. Mais seul le rire de l'une d'entre elles arrivait jusqu'à lui, le détournant de Jo et de Didier.

Il ne comprenait pas la gaieté d'Alexandra. Il s'en fichait, c'était sans importance. Plus tard, peut-être, il y reviendrait, méticuleusement, douloureusement. Savoir qui avait eu, à quelques mètres de lui, le pouvoir, ou le talent, ou la grâce de lui arracher ce rire. Mais pour l'instant, seul le rire comptait. Un rire à mi-voix, étouffé, très jeune et qui semblait s'excuser. Un rire qu'il avait cherché à provoquer dès leur premier rendez-vous et dont il avait tiré fierté, ensuite, à chaque fois qu'il le suscitait.

Tout à coup le rire cessa. Mais quelque chose de joyeux subsistait chez Alexandra, dans sa façon de se tenir allongée à plat ventre dans la poussière, le buste en appui sur les coudes ; une détente de tout le corps qu'il ne lui avait pas vue depuis des semaines. Elle portait ce jour-là une courte robe d'été, boutonnée sur le devant, serrée à la taille et qui mettait en valeur ses longues jambes. Une robe en coton bleu, criblée de petites fleurs blanches, à propos de laquelle il se souvenait d'avoir demandé : « C'est un tablier ? » Son rire, alors... Près de lui, Didier évoquait une autre pièce de Kleist : *Le prince de Hombourg*.

— Le somnambulisme du prince... commença-t-il.

— ...se rapproche de celui de Penthésilée, enchaîna mécaniquement Lucerne.

Il laissa Didier développer cette idée et revint à ses actrices, à Alexandra. C'était plus fort que lui. La peau de ses bras et de ses jambes était légèrement hâlée. Où avait-elle pris le temps de s'exposer au soleil ? Elle répétait tous les jours de la semaine, comme il l'avait exigé. Restaient les dimanches, bien sûr. Et de penser qu'il ne contrôlait ni ses nuits, ni ses jours de congé, lui arracha un grognement de dépit. Il la voulait solitaire, sans hommes auprès d'elle, sans personne, à vrai dire. Même cette petite et fugitive complicité qui la reliait maintenant à Christine et Marie-France le blessait. Depuis quelques jours les trois jeunes femmes repartaient ensemble. Il les voyait entrer dans le bar-tabac, boire un verre debout au comptoir. Mais que faisaient-elles ensuite ?

À bien la regarder, elle lui semblait changée,

son Alexandra. Elle avait un peu perdu son air chagrin. Elle devenait belle sur le plateau. D'une beauté singulière et fragile qui attirait l'attention et donnait envie de l'aimer. « Qui risquait de donner à certains envie de l'aimer », rectifia-t-il sagement. Mais cela ne l'apaisa pas. Son tourment reprenait, âpre, exigeant, réclamant de lui de nouvelles nourritures. Il passa mentalement en revue les acteurs de la troupe pour très vite les éliminer. Alexandra, de par une habile organisation du plan de travail, ne rencontrait pas ses partenaires masculins. Ou rarement. Restaient Didier, Jo et Jérémy. Il exclut les deux premiers, ses amis, ses frères. Ses pensées s'égarèrent un instant autour de Jérémy. Le jeune homme n'était pas venu depuis trois jours. Alexandra et lui se voyaient-ils en dehors des répétitions ? Des rendez-vous qu'il lui donnerait en secret et auxquels elle se rendrait dès la journée de travail achevée. Alexandra dans les bras de Jérémy. Leurs bouches. Leurs corps nus dans la pénombre d'une chambre d'hôtel. Comme on bâtit des châteaux avec des cartes à jouer, Lucerne s'efforçait d'organiser les images. Mais celles-ci ne tenaient pas longtemps debout et, comme les cartes, s'effondraient. « Un pédé ne peut pas plaire à Alexandra », conclut Lucerne avec une sorte de mépris amusé. « Ce Jérémy... Ce pauvre Jérémy... » Son regard sur Alexandra, sur ses jambes nues croisées en hélice, devint alors presque indifférent.

Didier Lalouette avait fini de parler et rangeait ses feuilles de papier dans son cartable.

— Pour le reste, tu t'adresseras à Jérémy, dit-il. Moi, je me sauve.

— Ah, oui, Jérémy, répéta Lucerne avec une molle bienveillance.

— Tu sais où le trouver ?

— Non.

Les actrices quittaient l'une après l'autre le plateau. Seules Alexandra, Christine et Marie France s'y trouvaient encore, poursuivant à voix basse une paresseuse conversation.

Il faisait très chaud dans le local. Jo avait ouvert la porte d'entrée et soulevé la lucarne dans l'espoir d'un courant d'air. Du dehors parvenaient les rumeurs de la ville.

— Quelqu'un sait-il où est Jérémy ?

— Demande à Alexandra.

Ce n'était rien d'autre qu'un banal échange de paroles entre Didier et Marie-Lou. Une question et une réponse. Mais Lucerne s'y agrippa aussitôt.

— Répète, exigea-t-il.

Son ami haussa les épaules, puis les sourcils. « Ne recommence pas, dit-il à voix basse. Tout ça est stupide. »

— Ce n'est pas à toi que je m'adresse.

Lucerne s'était tourné vers Marie-Lou. « Répète », demanda-t-il pour la deuxième fois et en élevant le ton. « Tu parlais d'Alexandra. »

Marie-Lou ne se donna même pas la peine de feindre une quelconque forme d'embarras.

— Alexandra sait sûrement où trouver Jérémy. Peut-être le retrouve-t-elle tout à l'heure... Si tu as un message à lui faire passer...

— Je ne retrouve pas Jérémy tout à l'heure.

La voix claire d'Alexandra venait de s'élever. Elle était debout, tendue par l'effort de se faire bien entendre. Un effroi intérieur qu'elle essayait de réprimer faisait imperceptiblement trembler ses jambes. Elle vit l'hésitation de Lucerne, pressentit ses questions. Vite, il fallait faire vite.

— Je n'ai à me justifier de rien du tout. Mais ce que dit Marie-Lou est faux. Je ne vois pas Jérémy en dehors des répétitions. Je ne sais même pas où il habite. Je n'ai pas son numéro de téléphone.

Elle s'était exprimée d'une traite, sans ses habituelles hésitations, en terminant ses phrases. Avec ce qui pouvait passer pour de l'assurance mais qui n'était rien d'autre que la connaissance désespérée de l'insatiable jalousie de Lucerne. Elle en oubliait même de s'indigner contre Marie-Lou comme commençaient à le faire Christine et Marie-France. Le tremblement de ses genoux s'amenuisait.

— Au diable Jérémy! s'exclama enfin Lucerne.

Il venait de boire coup sur coup trois gorgées de whisky. Du plat de la main il essuyait l'alcool qui avait coulé sur son menton. Il tentait de se faire une opinion. Alexandra mentait-elle? Elle semblait sincère. Qu'elle puisse mentir pour éviter des scènes, ou par peur de sa violence, l'irritait et l'attendrissait tout en même temps. « Je ne te ferai pas de mal, pensait-il, pauvre petite Sandra. Si seulement... »

Alma, soudain, s'interposa.

— Peut-on considérer que la journée de travail est terminée ?

Lucerne eut un geste maussade en direction de Jo tandis que sa main replongeait vers sa bouteille.

— Demande-lui... C'est lui qui fait le plan de travail.

Jo n'eut pas besoin de consulter ses papiers.

— Normalement, pour les Amazones, la journée est finie. C'est la pause-dîner. Les garçons seront là pour répéter à vingt heures, récita-t-il.

— Veux-tu que je reste avec toi, Jean ? demanda Alma.

Elle se penchait sur lui. Il ne regarda pas le beau visage qui lui souriait. Il cherchait Alexandra. Celle-ci ramassait ses affaires. Il croyait deviner sa hâte. Il ne voulait pas qu'elle s'en aille. Pas tout de suite. Pas encore. Mais entre lui et elle, il y avait Alma dans son survêtement rose.

— Rentre à la maison, lui dit-il, nous nous retrouverons plus tard.

— Chez toi ou chez moi ?

Alexandra venait de trouver son sac à dos. Elle le portait à demi passé sur l'épaule gauche. Ses jambes gardaient par endroits la poussière du sol.

Des jambes nerveuses, prêtes à s'enfuir. Déjà Christine et Marie-France prenaient congé, saluaient Jo et Didier. Des « Au revoir », des « Salut, à demain » résonnaient dans le local. La répétition s'achevait.

— Chez toi ou chez moi ? répéta Alma.

— Comme tu veux.

— Chez toi.

Enfin elle s'écartait et il put voir Alexandra. Elle ne tremblait plus, ses gestes étaient calmes et mesurés.

— Je vais dîner avec Linou, poursuivait Alma d'une voix enjouée.

Jo accueillit la nouvelle sans plaisir.

— Linou est fatiguée. Linou rentre à la maison, dit-il froidement.

— Petit chat fatigué ?

Alma enlevait son sweat-shirt. Parce qu'elle ne portait rien en dessous, elle s'était détournée. Lucerne eut un bref regard pour le dos nu et musclé qui lui évoquait toujours celui d'un garçon. « Qu'est-ce qu'elle a à se déshabiller devant tout le monde ? » pensa-t-il avec mauvaise humeur. Pendant quelques secondes il en oublia Alexandra.

Alma avait retiré son pantalon rose et était maintenant complètement nue, à l'exception d'un petit slip noir en dentelles. Marie-Lou lui tendit sa jupe et son chemisier. Mais Linou se glissa entre elles et d'un agile coup d'épaule repoussa Marie-Lou. Ses petites mains s'appliquèrent à

156

faire blouser le chemisier autour de la taille, s'attardant, revenant, rectifiant jusqu'aux plis de la jupe sur les hanches. Alma la laissait faire, étrangement passive, avec dans le regard quelque chose de timide et de gauche.

— Tu es fatiguée, Linou? demanda-t-elle.

— Non. Je reste dîner avec toi.

Linou avait haussé le ton de manière que tous l'entendent.

— Mais avec toi seule. Je voudrais te parler de mon rôle.

Elle sourit à Jo.

— Il est tôt... Je serai de retour à la maison bien avant toi...

Linou se faisait câline. Suppliante en apparence mais en fait si déterminée que Jo ne put que s'incliner.

— Où irez-vous? demanda-t-il.

— C'est vrai, où irez-vous? demanda Lucerne en écho.

Mais déjà Linou avait gagné la porte du local, un doigt sur la bouche. Alma la suivait, les yeux brillants et les joues enflammées.

— Et moi? protesta Marie-Lou.

— Demain... Une autre fois, répondit Alma avec négligence.

Derrière elle se pressaient Alexandra, Marie-France et Christine dont les « Ciao! » bouleversèrent soudain Lucerne.

— Sandra!

Le prénom de la jeune femme venait de lui

échapper. Il avait fait ce qu'il avait pu pour se désintéresser d'elle, pour l'oublier, pour se taire. Mais il ne supportait pas de la voir disparaître ainsi au milieu de ses camarades. Toute une soirée. Toute une nuit. Il tenait toujours la bouteille de whisky qu'il porta à ses lèvres. Le temps d'en avaler une bonne rasade. Le temps qu'Alexandra, surprise par cet appel, se retourne. Il discernait mal son visage mais il le devinait hostile, maussade. C'était comme s'il lisait en elle, tout à coup. Rien ne lui échappait : ni son refus, ni son indifférence, ni cette absence totale et définitive d'amour à son égard. Plus d'amitié, plus de tendresse, plus rien que ce refus borné et muet.

— Sandra... Reste avec moi... Le temps de la pause... Pour dîner...

— Non.

Tant de fermeté soudain chez quelqu'un d'aussi fragile... Chez quelqu'un d'aussi facile à effrayer... Il en conçut un brusque vertige.

— S'il te plaît...

— Non. À demain, Lucerne.

Elle n'avait pas cédé. La porte du local, pourtant refermée doucement, le fit sursauter. Une main alors serra son bras, ferme, rassurante. Une pression qu'il reconnaîtrait entre toutes et qui lui donna envie de pleurer.

— Oublie-la... Elle n'est plus rien... Seul compte ton spectacle, dit Didier Lalouette.

— *Penthésilée...*

158

— Oui, *Penthésilée*. Rien d'autre.

— ... *que je sois poussière plutôt qu'une femme qui n'a pas séduit*... murmura Lucerne.

— Non. Rien d'autre que ton spectacle. Le reste, ton pseudo-amour pour Alexandra... Alma... Pfft !

Didier fit mine de souffler le long de ses doigts.

— J'avais un rendez-vous mais je vais l'annuler pour dîner avec toi, dit-il encore.

Il eut pour l'épaule de Lucerne une tape amicale.

— Mais qu'est-ce que vous avez, tous, à vous croire toujours amoureux ? On vit tellement mieux sans ça !

Jo avait annoncé une demi-heure de pause avant le début du filage fixé à vingt heures trente. Chacun pouvait occuper son temps comme il le souhaitait. Les garçons, qui avaient répété toute la journée, furent les premiers à quitter le local pour le bar-tabac où ils avaient maintenant leurs habitudes. Les filles hésitaient à les suivre.

Alma, d'emblée, avait décrété qu'elle ne sortirait pas. Allongée sur le sol, elle récitait à voix basse son texte. À Marie-Lou qui lui demandait si elle avait besoin de quelque chose, elle avait sèchement répondu : « Laisse-moi tranquille. » Pour aussitôt après s'excuser : « J'ai besoin de me concentrer. » Ce fut le seul moment où elle fit preuve d'un peu de nervosité. Sinon, habile à contrôler ses humeurs comme à les dissimuler, elle opposait à l'agitation de ses camarades une inébranlable sérénité.

Il n'en était pas de même pour Alexandra dont l'inquiétude allait croissant au fil des heures.

Tous les symptômes de la peur étaient au rendez-vous : estomac noué, mains moites et trem-blantes, gorge sèche, absence de salive.

— Pourquoi se rendre malade ? protestait Christine. Ce n'est qu'un filage...

Mais à sa façon soudain artificielle d'articuler, on comprenait qu'elle avait peur, elle aussi. Une peur qu'elle finit par admettre et qu'elle tenta de justifier :

— Le trac est une bonne chose.

Mais un long frisson secoua tour à tour ses jambes et ses épaules.

— Bah, ça ira mieux après, admit Alexandra. Et sa main se tendit à la recherche d'un meuble en bois qu'elle ne trouva pas. « Enfin... espé-rons », ajouta-t-elle dans un murmure.

Un peu plus loin, dans l'ombre, Linou dormait, recroquevillée sur une chaise. Elle avait dans le repos une grâce infinie et touchante. À quoi cela tenait-il ? À une jambe qui pendait en équilibre au-dessus de l'autre repliée à la manière des enfants ; au poli des genoux ; à des socquettes blanches ; à sa joue écrasée contre le dossier de la chaise. Sa respiration régulière apportait au lieu une sorte d'apaisement.

La porte du local claqua sur Marie-Lou et Marie-France.

— On sort ? proposa Christine.

Alexandra ne parvenait pas à se décider. Elle avait eu la journée pour revoir son texte et pourtant il lui semblait qu'elle ne se souvenait plus de rien. Une amnésie brutale, qu'elle savait momentanée, mais qui la frappait d'effroi.

— J'aime mieux pas, dit-elle.

— Comme tu veux. Moi, j'ai besoin de prendre l'air.

Christine sortit. Il ne restait dans le local qu'Alexandra, Alma et Linou. Lucerne, Jo et Didier dînaient à côté comme ils le faisaient tous les soirs depuis deux semaines.

On avait éteint l'électricité. La lumière de fin d'après-midi pénétrait à travers la lucarne et dessinait sur le sol un rectangle blanchâtre. Il faisait particulièrement lourd, ce jour-là. Une chaleur d'orage, oppressante, dont on espérait qu'elle diminuerait au cours de la nuit.

Alma, couchée sur le plancher, égrenait toujours son texte. Un murmure ininterrompu et morne pareil à une prière. Alexandra pensa que le local, à cette minute, ressemblait à une chapelle et qu'il s'en dégageait une paix dont il lui fallait profiter. Il restait un quart d'heure avant le début du filage. Elle s'installa dans le fauteuil en toile de Lucerne. La voix calme et froide d'Alma s'éleva. Comme si derrière ses paupières obstinément closes, elle n'avait rien perdu de ses faits et gestes.

— Ne te formalise pas si je ne te regarde pas pendant nos scènes, dit-elle.

— Comment ça ?

— Quand je suis de dos au public, j'en profite pour détendre mon visage, décrisper ma bouche et me refaire de la salive. Bref, je grimace et me racle la gorge. Mes partenaires, en général, détestent ça. Il faudra t'y faire.

« C'est gai ! » faillit s'exclamer Alexandra. Elle s'imaginait au plus fort de l'émotion prononçant de tendres *ma sœur chérie, ma Reine très aimée* à une Alma grimaçante et bavante.

— Moi, je ne peux pas jouer si je ne regarde pas à qui je m'adresse, dit-elle un peu sèchement.

— Chacun sa méthode, répliqua Alma sur le même ton.

Sa voix de nouveau monotone et enfantine s'éleva, récitant à toute vitesse les paroles de Penthésilée : *Est-ce ma faute, si j'ai à gagner son amour si durement — ô Dieux, si durement... à coups de lance ! Sur le champ de bataille ? Quand je tire l'épée contre lui, que croyez-vous que je veux ? L'abattre dans la poussière ? Dieux éternels, je n'ai qu'un désir, vous le savez bien, c'est l'attirer sur mon cœur.*

On poussait la porte du local. « Les voilà déjà », pensa Alexandra en quittant précipitamment le fauteuil de Lucerne. Il fallait commencer. Malgré son estomac qui se révulsait et sa bouche si sèche tout à coup.

— Il paraît que vous faites votre premier filage ce soir ? demanda Jérémy.

Ce n'était donc que lui ! De soulagement Alexandra en oublia sur-le-champ ses malaises et se précipita à sa rencontre. Elle heurta un objet en verre qui roula sur le plancher : une bouteille de whisky aux deux tiers vide qui se trouvait

163

auparavant collée au fauteuil de Lucerne. Elle remit la bouteille à sa place.

— Tu bois avant le filage? demanda Jérémy. Le trac?

— Ne dis pas de bêtises. C'est à Lucerne.

Jérémy eut un sifflement admiratif.

— Je comprends pourquoi je viens de le trouver si allumé!

— Allumé? Il a...

— ... bu? compléta Jérémy. Je crois bien.

« Ça ne me regarde pas, ça ne me regarde pas, ça ne me regarde pas », pensa très vite Alexandra. Et pour s'efforcer d'oublier quelques minutes encore le filage, Lucerne et la bouteille de whisky :

— Où étais-tu passé? On ne t'a pas vu depuis une semaine.

Elle avait failli dire : « *Je* ne t'ai pas vu depuis une semaine », mais s'était reprise à temps. Elle l'examinait de biais, détaillait la tête inclinée, la peau du visage très blanche, presque verte dans la pénombre; les cils noirs abaissés qui dissimulaient le regard, les lèvres qui esquissaient une moue réprobatrice comme si cette question comportait quelque chose d'inconvenant et qu'il était, de ce fait, dispensé d'y répondre.

Un peu plus loin, Linou venait de se réveiller.

— Salut, Jérémy, dit-elle avec indifférence.

— Tiens, oui. Salut, Jérémy, répéta Alma avec un convivial et mécanique sourire.

Elles n'écoutèrent pas la réponse du jeune

garçon et firent en commun quelques exercices de respiration.

— Tu me diras ce que tu penses de l'état du travail, demanda Alexandra. De mon travail...

— Bien sûr. Ne t'en fais pas.

La voix de Jérémy se faisait plus douce, plus chuchotante. Alexandra dut faire un effort pour le comprendre.

— Je n'ai pas pu venir plus tôt... Problèmes personnels... Comment ça se passe entre Lucerne et toi?

— Si je savais...

Un brouhaha, dans la cour, annonçait le retour des membres de l'équipe. Jo, le premier, entra dans le local avec un sandwich qu'il tendit à Linou.

— Je n'ai pas faim, dit-elle avec brusquerie.

Elle se détourna vers Alma qui lui enseignait comment relâcher les muscles du diaphragme. Jo n'insista pas et rangea le sandwich dans sa sacoche.

— Dépêchons, dit-il à l'intention des comédiens qui s'attardaient sur le seuil. On a fixé le filage à vingt heures trente, on commencera à vingt heures trente.

Tous obéirent. Regroupés au bord du plateau, ils attendaient silencieux et crispés que Lucerne arrive et leur donne le signal du départ. Certains fumaient à toute vitesse leur dernière cigarette. Au bout de quelques longues minutes, la fébrilité se transforma en inquiétude. « Où est Lucerne? »

commençait-on à murmurer. Et comme Jo refusait de répondre.

— Il doit être au restau avec Didier. Je peux aller les chercher, proposa Sylvain.

— Tu restes à ta place.

Malgré sa nervosité, une fermeté impressionnante se dégageait de Jo. Poings sur les hanches, il fixait Sylvain avec un mélange de colère et de défi comme prêt à se battre et même le souhaitant.

— Tu restes à ta place et tu attends, martela-t-il.

— Tu n'es pas obligé de me parler sur ce ton, protesta Sylvain. Où tu te crois ? À l'armée ?

Il fit un pas dans sa direction, roulant des épaules, menaçant, si enfantin dans son désir de l'impressionner, si comique que quelques rires fusèrent. Des rires que Sylvain ne perçut pas tant était grande sa fureur contre Jo. Depuis le début des répétitions une antipathie spontanée, irrationnelle et tenace opposait les deux hommes. Cela n'allait jamais au-delà de petites phrases désagréables car Jo, toujours, prenait sur lui. Mais on le sentait prêt à coincer Sylvain à la première petite faute professionnelle.

— Et si on envoyait le *petit* Jérémy ? proposa Marie-Lou. Le *petit* Jérémy qui disparaît sans prévenir et revient de même, on se demande pourquoi ?

Une quinte de toux la secoua. Du bout de sa cigarette, elle désignait Jérémy appuyé contre un pilier et que ces paroles volontairement agressives amusaient beaucoup.

— Je ferai ce que vous voulez, dit-il en esquissant un geste de la main pour saluer Christine, Marie-France et Gérard qui venaient seulement de le découvrir.

Le bruit d'une porte qui s'entrouvre et se referme, un bref courant d'air, leur apprirent que Lucerne et Didier étaient de retour dans le local.

Il y avait quelque chose d'étrange dans la façon qu'avait Lucerne de se déplacer, lourde, embarrassée ; dans son obstination à ne regarder personne, ni les acteurs, ni Jo, ni Didier. On aurait dit un homme égaré entré là par erreur et que seule une immense fatigue empêche de repartir. Ses cheveux trop longs, la barbe qu'il se laissait pousser et qui lui mangeait la moitié du visage, les vêtements noirs et chiffonnés, contribuaient à lui donner une espèce d'aura dramatique.

En tâtonnant, il parvint jusqu'à son fauteuil de toile où il se laissa tomber. Assis, il se prit la tête entre les mains comme pour fuir tous ces regards fixés sur lui et qui réclamaient une explication, un signal, n'importe quoi susceptible de briser cet angoissant silence.

Didier Lalouette s'installa à ses côtés et très posément décréta que le filage pouvait démarrer.

— Jo remplacera David Mathews, ajouta-t-il. Achille a beau être presque muet, c'est important pour les garçons de le situer physiquement dans l'espace.

Sans doute s'étaient-ils concertés auparavant car Jo rejoignit aussitôt les trois acteurs. Les actrices qui n'intervenaient que plus tard se groupèrent de côté, unies, tendues dans le désir de montrer de quoi elles étaient capables. On éteignit les lumières dans la salle. Lucerne, de plus en plus tassé dans le fauteuil, se cachait toujours derrière ses poings.

— On y va, lança Didier d'une voix ferme.

Et plus doucement :

— C'est l'aube dans le camp grec... Les armées se déchirent... Seuls sont en présence Antiloque, Ulysse et Diomède... À toi, Gérard.

— *Salut, ô Rois. Comment va notre guerre depuis que nous nous sommes quittés sous les murs d'Ilion ?*

— *Mal, Antiloque. Regarde cette plaine. L'armée des Amazones et celle des Grecs s'y saignent comme deux louves enragées...*

La première scène se déroula sans grands problèmes. Il y eut les inévitables accrochages de texte, des répliques oubliées et d'autres qui se chevauchaient. Les acteurs avaient souvent tendance à parler trop fort et trop vite, à confondre l'état d'urgence de leur personnage avec leur propre fébrilité. Didier, par instants, tentait de calmer le mouvement général en leur faisant discrètement signe de ralentir.

Lucerne gardait les yeux clos comme pour mieux écouter le texte. Il tenait la bouteille de whisky calée entre ses genoux. Régulièrement il la portait à sa bouche, régulièrement le goulot heurtait ses dents. Un bruit sec, désagréable, qu'amplifiait le silence de la salle.

Quand à leur tour les Amazones entrèrent en scène, il commença à s'agiter. L'armature métallique du fauteuil grinçait sous son poids. Mais la voix chaude d'Alma s'éleva, clamant sa rage d'avoir été vaincue, sa fureur contre Achille.

Les trois acteurs qui avaient quitté le plateau s'assirent encore tout frémissants derrière Didier. Tournés vers Lucerne, ils guettaient un encouragement, une critique, n'importe quoi. Mais Lucerne les ignorait, hypnotisé par la scène qui opposait maintenant Alma et Alexandra. Sa main droite agrippait toujours la bouteille de whisky mais il ne la portait plus à ses lèvres.

Les différentes scènes s'enchaînèrent dans une semi-pagaille. Les actrices entraient trop précipitamment, hésitaient sur leurs sorties. Certaines voix en couvraient d'autres. Ainsi celle de Marie-Lou, trop puissante, trop dramatique, contre laquelle ne pouvait lutter celle de Linou naturellement plus fragile et que la peur de mal faire rendait ce jour-là inexistante. D'impatience, Lucerne martelait alors le sol de coups de pied.

Mais brusquement tout chez lui se figea avec la nouvelle apparition d'Alma et d'Alexandra. Une raideur d'homme blessé. Sa main gauche se crispa sur sa chemise, à la hauteur du cœur. Il haletait. Aux yeux de tous, la scène le bouleversait. Il n'était d'ailleurs pas le seul. Une intense émotion se dégageait du jeu des deux actrices. Quelque chose qui s'était ébauché en répétition prenait place, pour la première fois. Tous en étaient conscients, Lucerne plus que les autres. Son visage reflétait très exactement la douleur de Penthésilée. Comme si cette douleur était devenue la sienne. Comme si c'était de lui qu'il était question. Parfois, on l'entendait répéter en écho certaines paroles de la reine des Amazones. Ainsi articula-t-il presque distinctement cette plainte : *Ah ! mon âme est lasse jusqu'à la mort.* Et quand résonna le déjà fameux *Poussière — oui — que je sois poussière ! — plutôt qu'une femme qui n'a pas séduit !,* il ne put retenir un cri. Sur le plateau, les actrices s'arrêtèrent net et tournèrent vers l'obscurité du local deux visages pareillement surpris.

— Continuez, les pria Didier.

— *Ma Reine !* reprit Alexandra.

Mais au fond de son fauteuil, Lucerne gémissait des mots sans suite, confus, que personne ne comprenait. Alma, pour la deuxième fois, dut s'interrompre.

— Mais qu'est-ce qui se passe, à la fin ?

— Continue, supplia Didier. Va jusqu'au bout !

Alma tourna brutalement le dos à la salle. On l'entendit répéter à toute vitesse les répliques qui avaient précédé le moment où Alexandra et elle s'étaient arrêtées. Une façon de se reconcentrer, de puiser en elle la force de poursuivre.

Alexandra avait hâte que s'achève le filage.

Hâte de savoir si son travail était à la mesure de ses espérances. Quelque chose, chez elle, s'était dénoué. Un mystérieux glissement vers son personnage — ou l'inverse — lui avait fait trouver le ton juste, ce que l'on appelle dans le jargon théâtral la « musique » et la « couleur » du personnage. Prothoé s'esquissait, prenait vie. Pour la première fois aussi, elle avait eu la sensation de ce que pouvait être vraiment le plaisir de jouer.

Enfin Alma se retourna, prête à reprendre leur scène.

— *Oh! Si j'avais des ailes — grandes ouvertes et bruissantes... Si je pouvais fendre les airs...* commença-t-elle.

Il y eut un fracas de verre brisé. Lucerne venait de se lever et oscillait de gauche à droite. Ses pieds écrasaient les débris de la bouteille. D'un geste du bras, il repoussa Didier, puis Jo qui accourait à sa rencontre.

— Ce n'est pas comme ça... articula-t-il d'une voix pâteuse. Pas comme ça...

— Pas comme ça, quoi ? demanda Alma.

Lucerne titubait en direction du plateau. « Pas comme ça... » répétait-il. Alma lui tendit une main, il s'y agrippa. Alexandra voyait la pâleur, les yeux injectés de sang. Des yeux qui fuyaient Alma et qui la cherchaient, elle.

— C'est pas ça que tu dois jouer, reprenait Lucerne en butant sur tous les mots.

— Qu'est-ce que je dois jouer, alors ?

Alma était désorientée par cette nouvelle interruption, par la présence de Lucerne sur le plateau. Il avait cessé de tanguer mais la fixait avec des yeux de fou. Dans la salle, personne ne disait rien. Un silence de seconde en seconde plus effrayant que la toux soudaine de Marie-Lou interrompit. Alma s'accrocha à cette toux. Sa myopie l'empêchait de distinguer ses camarades mais elle les percevait et cela lui redonna un peu de confiance. Solidaires, ils ne pouvaient qu'être solidaires avec elle.

— Dis-moi ce que je dois jouer, Jean! Qu'est-ce que c'est? Comment? demanda-t-elle pour la deuxième fois.

Lucerne tressaillit longuement, puis d'une voix à peine audible, récita :

— *Il y a tant de femmes pour se pendre au cou de leur ami et pour lui dire : je t'aime si fort — oh! si fort! que je te mangerais.*

Dans un même mouvement, Marie-Lou, Sylvain, Gérard et Jérémy s'avançaient vers le plateau, comme aimantés par la voix de Lucerne. Didier n'avait pas bougé de sa place. Jo se tenait à ses côtés prêt à intervenir.

En face d'eux, Lucerne retrouvait un semblant d'assurance. Sa voix demeurait à l'état de murmure mais il ne butait plus sur les mots.

— *Et à peine ont-elles dit le mot, les folles, qu'elles y songent, et se sentent déjà dégoûtées…*

— Qu'est-ce qu'il dit? demanda Sylvain.

— Scène XXIV, répondit Jérémy.

— Quoi?

— Lucerne ! protesta Alma.

— *Moi, je n'ai pas fait ainsi, bien-aimé ! Quand je me suis pendue à ton cou, c'était pour tenir ma promesse — oui — mot pour mot...*

Alma l'avait agrippé par les épaules et le secouait de toutes ses forces. Avec rage, avec indignation.

— *... ma promesse — oui — mot pour mot...* répétait Lucerne.

— Jean ! C'est la fin de la pièce !

— *... mot pour mot...*

Lucerne reculait de manière à échapper aux coups de poing furieux d'Alma. Il protégeait son visage comme il le pouvait, avec ses coudes. Il s'était remis à tanguer.

— Attention ! cria Didier en quittant précipitamment sa chaise.

Lucerne émit une sorte de grand râle et s'effondra tout d'une masse en arrière. Son corps en percutant le plancher produisit un bruit énorme et sourd. Didier le premier fut près de lui. Il souleva délicatement la tête de son ami pour la poser sur ses genoux. Le visage livide aux yeux révulsés le renseigna aussitôt.

— Appelez le SAMU. Vite.

L'évanouissement se prolongeait. Un jeune infirmier avait remplacé Didier et soutenait la tête de Lucerne. Un autre essayait de faire passer un peu de café chaud au travers des dents serrées. « Ce n'est rien », ne cessait-il de répéter. Et aux

173

membres de l'équipe qui faisaient cercle autour de lui : « Éloignez-vous... Qu'il ait plus d'air... Il risque de vomir. » Chacun obéit et recula d'un mètre. Seuls Alma, Didier et Jo demeuraient près du corps, unis dans une détresse commune.

— Il respire mal ! murmura Alma.

Elle serrait sans s'en rendre compte la main de Didier. Deux grosses larmes coulaient sur ses joues. Le jeune infirmier qui soutenait la tête de Lucerne ne la quittait pas des yeux, ému par sa beauté et son apparente vulnérabilité. C'était à elle qu'il s'adressait maintenant en répétant ses encourageants « Ne vous faites pas de bile », « Il va revenir à lui d'une seconde à l'autre », « Ce n'est rien. »

— Mais comment va-t-il ? s'impatientait Jo.

— Comme quelqu'un qui a ingurgité une bouteille entière de whisky, répondit sèchement le deuxième infirmier.

À l'inverse de son collègue, il considérait le groupe avec un mélange affiché de suspicion et d'ennui. À n'en pas douter il avait sur le théâtre et ceux qui en faisaient leur métier des idées très précises et peu flatteuses. « Si ce n'est pas malheureux, grommelait-il. Comme si on n'avait rien d'autre à faire que de secourir des ivrognes. »

— Dites donc, protestait Jo. Soyez poli. Si vous croyez...

Mais il reçut le coude de Didier dans les côtes et il se tut. D'ailleurs Lucerne venait pour la première fois de tressaillir. La tasse de café sauta des mains de l'infirmier et vola en éclats. Puis ce fut un brusque spasme suivi d'un long frisson. Lucerne revenait à lui, le corps tout entier secoué de soubresauts, en gémissant. Les comédiens avaient aussitôt reformé un cercle autour de lui.

— On dirait qu'il essaye de dire quelque chose, dit l'infirmier en penchant son visage au-dessus de celui du malade.

— Quoi ? demanda Didier.

L'infirmier rapprocha son oreille de la bouche de Lucerne.

— Je crois qu'il réclame quelqu'un. Il dit : « A... A... A... »

— Alma ?

La jeune femme se précipita à genoux. Ses mains se tendaient pour caresser le visage défait de Lucerne. Sa voix chuchotait de tendres « Jean, ô Jean ! » Mais Lucerne dans un surprenant retour d'énergie la repoussait des bras et des pieds.

— Je ne comprends pas, dit Alma avec irritation.

Les gémissements de Lucerne reprenaient, ces « A... A... A... » que tous entendaient et qui faisaient que l'infirmier continuait de répéter : « Je vous assure... Il appelle quelqu'un. » Enfin le nom entier sortit bien distinct des lèvres de Lucerne : « Alexandra ! »

Le visage d'Alma se durcit. Une immobilité de statue. Alexandra, elle, reculait. Mais Marie-Lou la poussa brutalement en avant.

— Vas-y, puisqu'il te réclame !

Alexandra, pétrifiée, contemplait Alma, les deux infirmiers, Lucerne qui avait ouvert les yeux et qui agitait dans sa direction deux bras tremblants. « Sandra... mon amour... » murmurait-il maintenant. Didier s'était détourné comme si ce qui se déroulait près de lui avait cessé de le concerner.

— Qu'est-ce que tu attends ? demanda Jo, glacial.

Alexandra ne se décidait pas à bouger. Elle croyait sentir l'hostilité grandissante de ses camarades qui attendaient d'elle un geste, une réponse, n'importe quoi d'un peu chaleureux à l'égard de Lucerne.

Alma paraissait frappée de surdité. Son regard bleu de chien husky passait au travers du groupe pour aller se perdre loin, au-delà des murs du local. Un regard terrifiant parce qu'il n'exprimait rien. L'infirmier s'impatientait.

— Qu'est-ce que vous avez à rester plantée comme ça ? Puisqu'il paraît que c'est vous qu'il réclame !

Il guidait Alexandra vers Lucerne, la forçait à se pencher. Alors, elle fit ce que tous attendaient : elle prit dans ses mains les mains moites et tremblantes de Lucerne. De la bave s'échappait d'entre ses lèvres tandis qu'il ne cessait d'articuler son nom.

Soudain, son corps tout entier se contracta. Il vomit. Longuement, abondamment. Et c'était incroyable, irréel, ce corps immense, affaibli, secoué de spasmes, et la force qu'il avait dans les mains pour mieux retenir celles d'Alexandra. Elle, avait fermé les yeux. Ne plus rien voir. Ne plus rien sentir. Faire la morte. Cela ne pouvait durer très longtemps. On allait les séparer, ramener Lucerne chez lui, ou à l'hôpital, peu importait. Un liquide chaud lui poissait les mains et les bras. Elle n'éprouvait aucune pitié, aucune compassion. Juste le désir de se sauver, de disparaître. Elle n'était pas loin de le haïr.

Lucerne ne vomissait plus. Il pleurait. Il suppliait :

— Mon amour... Je t'aime tant... Pourquoi tu ne m'aimes plus ? Pourquoi ? Sandra !

— Embarquons-le, décida l'infirmier. Il est trop agité pour qu'on vous le laisse. On vous le redonnera après vingt-quatre heures d'observation.

— Excellente idée, approuva Didier.

On tentait de glisser un brancard sous le corps de Lucerne qui s'y refusait, s'épuisant en coups de poing et en coups de pied. Une mêlée confuse qui permit à Alexandra de s'échapper vers la porte où il y avait un point d'eau. D'abord se laver. Et puis ne plus entendre cette voix détestable qui criait son prénom, qui suppliait :

— Sandra... Mon amour... Reste avec moi... Ne les laisse pas m'enfermer à l'hôpital... Je t'aime tant... Sandra !

Les infirmiers aidés de Jo et des trois acteurs

soulevaient le brancard. Les cris et les soubre-sauts de Lucerne allaient s'affaiblissant. Mais il pleurait et gémissait, appelant toujours Alexandra.

— Arrête ce cirque ! dit Didier durement.

Et à Alma qui avait trouvé un mouchoir et qui essuyait le visage sali de vomi de son amant :

— Ne compte pas sur moi pour l'accompagner à l'hôpital. Toute cette mise en scène m'écœure.

Alma lui opposa un visage douloureux et digne. Était-elle sincère ? Feignait-elle ? Lucerne ne se débattait plus et avait fermé les yeux, vaincu, soumis aux décisions qu'elle ne manquerait pas de prendre à sa place.

Jo souleva d'un coup de reins la partie arrière du brancard. En passant devant Alexandra réfu-giée près de la sortie, il décréta :

— Quant à toi, je te téléphonerai demain matin. Ne t'avise pas de bouger avant mon appel.

— Oui, murmura Alexandra.

Elle baissa la tête et son regard accrocha par mégarde le visage de Lucerne, sur le brancard. Il avait entrouvert les yeux et la fixait. Alexandra aurait pu le jurer : il n'y avait plus rien qui ressemblait à de l'amour dans ce regard. Plutôt un mélange insensé de haine, de défi et de jubilation. Comme s'il craignait d'en avoir trop dit, Lucerne referma aussitôt les yeux. Mais quelque chose dans ce visage blafard et défait commençait à se détendre et même à sourire.

La sirène de l'ambulance avait cessé de résonner depuis quelques secondes mais chacun dans le local demeurait silencieux, comme perdu dans ses pensées. Tous gardaient en mémoire les cris et les pleurs, le visage aux traits torturés, bouffi d'alcool et souillé de vomi. Personne ne songeait à commenter ce qui venait d'avoir eu lieu. Pas encore, du moins. Didier Lalouette fut le premier à réagir.

— Cela m'étonnerait qu'on puisse répéter demain. Toutefois ne quittez pas vos domiciles sans téléphoner à Jo : il se peut que nous organisions des italiennes. Il se peut aussi que Lucerne sorte de l'hôpital dans la nuit. Il a une formidable capacité de récupération.

— Il est au plus mal, objecta Marie-Lou.

Elle avait opté pour un ton dramatique en accord avec l'expression accablée de son visage. « Et je sais de quoi je parle ! » ajouta-t-elle en laissant planer on ne savait quelle menace.

— N'exagérons pas, reprit Didier. Il a pris une cuite monumentale, c'est tout.

Il crut surprendre chez les jeunes acteurs un sursaut de protestation. Sylvain entreprit même de le défendre : Lucerne ne s'était pas seulement soûlé. Ou s'il l'avait fait, c'était poussé par les circonstances. Par la passion. Par le désespoir. Il hésitait à prononcer le mot amour mais on le lui devinait au bout des lèvres. Une admiration sincère soutenait et nourrissait son discours par ailleurs un peu confus.

Alexandra écoutait, abasourdie. Elle se serait

attendue à tout sauf à cet hommage vibrant. Que Lucerne ait délibérément gâché leur premier filage ne comptait pas, n'existait pas. Sur les neuf personnes présentes dans le local, il ne s'en trouvait pas une pour le critiquer, pour formuler un reproche, ou un regret, même vague, même timide.

— C'est bouleversant de voir quelqu'un souffrir autant, disait Christine.

— Il ne souffre pas tant que ça !

Alexandra ne put poursuivre. Ses camarades, qui l'avaient jusque-là ignorée, maintenant se détournaient. Les filles comme les garçons. Comment aurait-elle pu leur raconter l'expression triomphante de Lucerne au moment où les infirmiers l'emportaient ? Une main se posa sur son épaule et un bref instant l'étreignit : celle de Didier.

— Laisse tomber, Sandra, dit-il. Rentre chez toi.

Sa voix s'éleva. Une voix sèche qui trahissait un agacement proche de l'agressivité.

— Nous n'avons plus rien à faire ici. Rentrez chez vous, allez dîner, faites ce que vous voulez. Je fermerai derrière vous.

Sur le trottoir, ce fut Linou qui bizarrement évoqua la première le filage qui avait eu lieu.

— Comment c'était ? demanda-t-elle.

— J'ai pris des notes. Je vous les lirai en séance de travail, demain ou après-demain, répondit Didier.

Mais les visages soudainement anxieux se tournaient vers lui et il eut pitié.

— Un premier filage est toujours complexe, touffu et terriblement contradictoire. On y voit le pire et l'amorce du meilleur : c'est fait pour ça ! Il y avait des choses abominables et des moments magnifiques. Beaucoup de problèmes purement techniques comme les entrées et les sorties se résoudront d'eux-mêmes. Des problèmes vocaux aussi...

Il sourit gentiment à Linou.

— Toi, par exemple, on ne t'entendait pas du tout...

— Évidemment ! répliqua aussitôt Marie-Lou. Si vous croyez que ça s'improvise, le théâtre !

Elle arracha des doigts de Linou la cigarette que celle-ci avait allumée et qu'elle essayait de fumer, maladroitement, sans savoir comment s'y prendre, pour se donner une contenance.

— C'est comme fumer une cigarette, ça ne s'improvise pas !

— À ta place, je ne la ramènerais pas autant, riposta Didier. J'aurais beaucoup à dire sur ton interprétation !

— Ah, oui ? Raconte, mon petit dramaturge chéri !

Tous deux se connaissaient depuis longtemps. Didier perçut l'agressivité de Marie-Lou, son désir d'affrontement. Ce n'était pas la première fois et il avait coutume de ne jamais y répondre. Il se sentait aussi très las. Une fatigue qui lui était

181

tombée dessus d'un coup et qui lui vidait la tête. Il songea à la femme qui l'attendait à l'autre bout de Paris, qui n'avait rien à voir avec le théâtre, et qui lui évoquerait d'autres êtres, d'autres pays ; l'enfant qu'elle souhaitait avoir avec lui.

— Alors ? insistait Marie-Lou. On se défile ?

— Non. *On* se tire. *On* en a assez pour ce soir. Rideau.

Pourtant, malgré lui, malgré son envie de fuir, il ne put s'empêcher de revenir une dernière fois au travail. Peut-être à cause du visage si chiffonné d'Alexandra. Cette manière qu'elle avait de s'appuyer au mur de l'immeuble comme si toutes ses forces s'en allaient. Cet air coupable et misérable.

— Ce qui était très réussi, ce soir, dans le filage, c'est la relation de Penthésilée et de Prothoé, commença-t-il.

Pour la deuxième fois sa main étreignit l'épaule d'Alexandra.

— Tu as fait un travail merveilleux, Sandra, dit-il en élevant la voix de manière que tous l'entendent. Tu peux être fière de toi. Tu dois être fière de toi. Continue comme ça et ce sera magnifique !

Et il s'éloigna sur ces mots, de cette drôle de démarche à la fois dansante et cahotique qui le faisait ressembler à un personnage de dessin animé.

— Nous quitter sur l'éloge d'Alexandra Balsan ! Il fait fort, notre dramaturge ! Après ce que vient de vivre devant nous ce pauvre Lucerne !

Marie-Lou en suffoquait — ou faisait semblant. Mais ses paroles ne reçurent aucun écho. Ses camarades de travail, toujours agglutinés devant la porte du local, méditaient maintenant sur ce qu'avait dit Didier. Une sorte de retour sur soi, en quelque sorte un examen de conscience.

— Vraiment ? On ne m'entendait pas ? demandait Linou à Jérémy.

— Euh, tu sais, moi je connais le texte par cœur.

— C'est vrai que tu étais au filage ! dit Sylvain. Alors ? Comment c'était ?

— Comment c'était ? reprirent en chœur Gérard, Marie-France et Christine.

Le groupe se reformait et encerclait Jérémy. Seule Alexandra demeurait à l'écart, appuyée au mur.

Il faisait nuit. Des rues avoisinantes parvenaient des rumeurs de fête. Un tumulte joyeux, fait de rires, de cris et de musiques. Alexandra respirait avidement l'air de la nuit, chaud, chargé d'odeurs de cannelle et de curry — il y avait un marchand d'épices, à côté. Les paroles de Didier Lalouette l'émerveillaient. Elle se les répétait, cherchant à se souvenir des intonations exactes de sa voix, de l'éclat de ses yeux. « Elle *pouvait* être fière ? Elle *devait* être fière ? » Sa joie était telle qu'elle en oubliait sa rancœur contre Lucerne. Elle tenta, sans y parvenir, de comprendre ce que racontait Jérémy. Il parlait toujours si doucement...

En fait, Jérémy ne disait pas grand-chose. Les questions des acteurs le gênaient. Il les sentait si affamés de critiques et de compliments; si prompts à s'emparer de la plus banale de ses remarques; si enfantins et vulnérables. Eux qui l'ignoraient la plupart du temps et qui ne se souciaient jamais de savoir ce qu'il faisait, qui il était. Une indifférence gentille, dépourvue d'agressivité et qui, d'ailleurs, lui convenait.

Sylvain, le premier, se déclara satisfait et Jérémy s'empressa de prendre congé.

— Jérémy! appela Alexandra.

C'était trop tard. Il venait de rejoindre la rue qui longeait l'impasse. Elle se dirigea alors vers le groupe que formaient toujours ses camarades. Linou, Marie-France et Christine tout d'abord se reculèrent. Pas de beaucoup, à peine quelques centimètres, si bien qu'elle ne le perçut pas immédiatement. Puis ce fut la conversation qui ralentit et Gérard qui se détourna quand elle frôla son épaule. Jusqu'à ce que la conversation cesse tout à fait.

Un des garçons annonça qu'il était tard et qu'il rentrait se coucher. Quelqu'un d'autre proposa de boire une bière à une terrasse du quartier Latin. Quelqu'un d'autre encore estima que c'était trop loin et qu'il valait mieux se diriger vers Beaubourg. Comme une volée de moineaux, le groupe se dispersa. Personne ne se serra la main. Personne ne s'embrassa. Personne ne se dit au revoir. Un rendez-vous avait-il été décidé?

Alexandra aurait été incapable de le dire. Elle était seule dans l'impasse, maintenant. Seule? Pas tout à fait.

— Alors, Alexandra Balsan, toujours aussi fière de toi?

Marie-Lou l'attendait près du passage qui menait à la rue. Un lieu obscur et malodorant, où s'entassaient les poubelles, et qui servait d'abri aux clochards du quartier.

— Tu m'invites à boire un verre?

— Non.

— Tu as tort. J'aurais beaucoup de choses à t'apprendre sur Lucerne. Sa tendance au suicide. Sa violence. Sais-tu qu'il a voulu tuer une de ses petites amies, il y a trois ans? Elle doit à l'arrivée inopinée de Jo d'être toujours en vie. Il l'avait à moitié étranglée. Tu ne connais pas cette histoire? Tout le monde la connaît! Mais Lucerne est considéré comme un génie et on pardonne tout aux amants malheureux! C'est toujours lui qu'on a plaint, en définitive. Quant à elle, tu l'as déjà rencontrée mille fois, c'est...

Le prénom féminin se perdit dans le fracas d'un tuyau d'échappement. Alexandra traversa la rue au hasard, en évitant de peu une voiture, puis une moto. Elle croyait entendre claquer sur le macadam les talons pointus de Marie-Lou. Ne pas lui répondre. Ne pas l'écouter. Ne pas céder à la tentation d'en savoir plus sur le passé de Lucerne.

Des histoires couraient sur son compte. Beaucoup. Des plus romanesques aux plus sordides.

Certaines inventées de toutes pièces. Lucerne n'apportait jamais de démenti. Il aimait sa légende de héros tragique, il se déclarait volontiers proche des personnages tourmentés de Dostoïevski. Alexandra le trouvait même un peu ridicule. Touchant, aussi. Tant de naïveté... Une fois, Adrien et Lucerne s'étaient croisés gare de Lyon. Chacun croyait être le seul à y attendre Alexandra qui revenait de Genève. Son frère Olivier venait d'être père pour la troisième fois d'une petite fille. Elle était allée voir le bébé. En fait, c'était surtout un prétexte pour se rapprocher d'Olivier. Il l'avait d'ailleurs accueillie plutôt froidement. À croire que sa visite ne signifiait rien pour lui. Mais Alexandra ne cherchait pas à évoquer Olivier. Elle tentait de se rappeler ce qu'Adrien avait pensé de Lucerne. Ce qu'il lui en avait dit. Il l'avait trouvé séduisant. Mieux, attachant. Et puis quelque chose du genre : « Il est très enfantin. C'est ça qui me ferait peur, chez lui... »

Il y avait foule dans la rue. Les bars et les cafés étaient pleins. On rajoutait des tables aux terrasses des restaurants. Des hommes marchaient lentement deux par deux ou en groupe. Il faisait de plus en plus chaud.

Alexandra n'entendait plus le bruit des hauts talons. Si Marie-Lou l'avait suivie, elle l'avait maintenant semée. Elle en éprouva un début d'apaisement.

Un homme d'environ trente ans remontait la rue dans sa direction. Il n'était en rien remarquable mais il ressemblait à Adrien. Au point que, pendant un dixième de seconde, Alexandra avait cru le reconnaître. Un espoir insensé, brutal, qui la laissait tremblante, avec un cœur qui battait trop fort et trop vite. Une grande peur, une grande joie, au fond c'était pareil.

Quand l'homme parvint à sa hauteur, elle le dévisagea intensément sans retrouver ce qui lui avait évoqué Adrien. Il la dépassa, en la frôlant. Elle eut le temps de sentir son parfum. Un parfum classique et cher, qu'elle serait capable d'identifier si elle s'en donnait seulement la peine. Elle continua à le regarder. Il était maintenant de dos et la précédait sur le trottoir. C'était sa silhouette qui l'avait trompée. Une certaine fermeté dans la démarche, une façon de pointer la tête en avant. Adrien, même quand il flânait au hasard, semblait toujours savoir où il allait. Cet homme en veste de lin vert Véronèse, aussi. Alexandra lui emboîta le pas.

Combien de semaines s'étaient écoulées depuis le départ d'Adrien pour le Japon ? Cinq ? Six ? Alexandra ne comptait plus. Le temps était devenu étale. Il y avait *Penthésilée*. Elle songea qu'elle souffrait moins directement de l'absence d'Adrien depuis qu'elle s'était engagée plus à fond dans le rôle. Ou plus exactement, que sa souffrance nourrissait celle du personnage. Que Prothoé prenait vie chaque jour davantage. « Tu peux être fière de ton travail », lui avait dit Didier Lalouette.

La chaleur devenait accablante. Il y avait tant de monde sur les trottoirs, dans la rue où les voitures circulaient avec difficulté, qu'on n'avançait qu'à grand-peine, qu'on se heurtait. Une main repoussa brutalement le sac à dos d'Alexandra. Presque un coup de poing qui la déporta vers un couple de jeunes garçons qui la repoussèrent à leur tour. Alexandra sentait la sueur couler sur son visage, le long de sa nuque et de son dos. Du plat de la main, elle balaya son front. Une vague odeur de vomi persistait autour de ses poignets qu'elle renifla sans comprendre. Puis elle se souvint. Et d'autant plus violemment que c'était à retardement, la frayeur l'envahit. Il lui semblait deviner quelque chose de terrible dans ce qu'avait tenté de faire Lucerne. Quelque chose qui la mettait en cause, elle, directement et aux yeux de tous.

Elle chercha à retrouver l'homme qui lui évoquait Adrien. Il n'était pas loin. À peine une dizaine de mètres. Elle le voyait accoudé de profil au zinc d'un bar ouvert sur la rue. Il paraissait en grande conversation avec un homme dont elle distinguait mal le visage.

Une moto en se faufilant le long du trottoir lui heurta la hanche. Alexandra pensait à ses camarades de travail, à la façon dont ils s'étaient détournés d'elle. « Ils comprendront... Ils changeront », décida-t-elle. Une question de jours, de semaines. L'approche de la première, en Avignon, les souderait tous. Au théâtre, les choses ne se passaient pas autrement. Mais qu'en savait-elle au juste ? Elle avait, à vrai dire, si peu d'expérience.

De nouveau quelqu'un la bouscula. Un grand et beau garçon au physique impressionnant de Viking. Puis un autre, le buste presque nu dans un débardeur savamment déchiré. Personne ne lui prêtait attention. Qu'est-ce qu'elle faisait à traîner dans ces rues à plus de onze heures du soir ? D'ailleurs, où se trouvait-elle ? Elle lut « Rue Vieille-du-Temple » sur un panneau et s'en étonna. C'était une rue qu'elle empruntait chaque jour pour aller répéter — l'impasse où se trouvait le local était à une centaine de mètres. Une rue dans la journée livrée à ses habitants et aux touristes, qu'elle ne reconnaissait plus avec cette foule, cette multitude de bars et de restaurants ; ces lumières partout. Quelque chose d'étrange flottait dans l'air, qu'elle ne cherchait pas à définir mais qui commençait à la troubler. Elle avait faim. Ça, au moins, c'était concret.

L'homme qu'elle avait suivi était toujours accoudé au zinc. Il s'entretenait maintenant avec un jeune garçon d'origine maghrébine. Une musique tonitruante s'échappait du bar. Alexandra se décida pour celui-là.

Elle entra résolument et se glissa à la seule place libre, quelques centimètres carrés de comptoir, entre le mur et l'épaule gauche du jeune Maghrébin. Il lui sembla que les conversations un bref instant s'arrêtaient et que se formait autour d'elle une sorte de silence étonné. Puis les conversations reprirent. Le serveur s'était immobilisé, la main posée sur l'alignement des bouteilles. Il avait un petit anneau de corsaire à l'oreille droite qui fascinait Alexandra.

— Oui ? dit le serveur.

— Je voudrais un sandwich jambon-beurre-cornichons et un ballon de côtes-du-rhône.

L'impression d'étrangeté, maintenant, se précisait. Elle avait le curieux sentiment de ne pas exister, d'être transparente. Des regards qui se posaient sur elle sans la voir. Et tout à coup, elle réalisa qu'elle était la seule femme. Non seulement dans le bar, mais tout autour, sur les trottoirs, dans la rue. Un monde d'hommes. Elle se trouvait, à la suite d'elle ne savait quelle absurdité, la seule femme dans un monde d'hommes. C'était si nouveau, si invraisemblable, si irréel, que c'en devenait comique. Elle éclata de rire. Par défense, nerveusement. Parce que, tout de même, elle sentait un malaise désagréable la gagner.

Son rire attira l'attention sur elle. Des regards cette fois précis et hostiles.

— Nous ne servons pas à manger, dit le serveur.

Le jeune Maghrébin, alors, se tourna vers elle.

— Tu ne trouveras rien ici. Va vers le Châtelet ou la Bastille, tu trouveras tout ce que tu veux là-bas.

Il lui parlait gentiment. L'homme à la veste de lin, par contre, la contemplait avec un mépris affiché. Il avait une vilaine bouche molle et fatiguée, une raideur dédaigneuse de bourgeois fortuné. Il n'avait vraiment plus rien d'Adrien.

— Tu t'en vas, insistait le jeune Maghrébin en posant sur son bras une longue main fine aux ongles soignés.

— Je m'en vais, répéta docilement Alexandra.

Un groupe de cinq garçons venait d'entrer dans le bar et lui bouchait la sortie. Sa présence physique parmi eux souleva une vague de plaisanteries. Des mains s'en prirent à son sac à dos. Pas méchamment, d'ailleurs. Une espèce de jeu.

Ce fut le jeune Maghrébin qui la guida hors du bar.

Et là, sur le trottoir, ils se heurtèrent à Jérémy.

— Aziz ! Alexandra ! s'exclama-t-il.

Et sur un ton plus soupçonneux que surpris :

— Qu'est-ce que vous faites là ? Ensemble ? Vous vous connaissez ?

Aziz lâcha Alexandra.

— Tu la connais ? C'est ton amie ? demanda-t-il d'une voix perçante.

— Alexandra ?

— Cette fille !

— Oui, c'est mon amie. Et toi, tu la connais aussi ?

— Non, je ne la connais pas. Mais elle traîne dans des endroits qui ne sont pas pour elle. Si c'est ton amie, Jérémy, tu devrais veiller sur elle !

Il s'enflammait, semblait sur le point de se fâcher.

— Et pourquoi je devrais veiller sur elle ? Elle fait ce qu'elle veut !

Aziz poussa Alexandra vers Jérémy.

— C'est ton amie, tu t'en occupes, c'est tout !

Beaucoup par jeu, Jérémy repoussa Alexandra vers Aziz...

— Tu m'agaces ! Elle fait ce qu'elle veut, je te dis !

... qui la repoussa vers Jérémy.

— Tu te la gardes ou tu te la gardes pas, moi, je m'en fiche. Mais ne compte plus sur moi pour veiller sur elle ! Il y a toujours des histoires avec toi, Jérémy ! Toujours !

Le jeune Maghrébin était pour de bon en colère. Il regagna le bar, criant à Jérémy des mots furieux, vaguement menaçants, auxquels Alexandra ne comprenait rien.

— Aziz a toujours eu un fichu caractère, conclut Jérémy. On peut savoir ce que tu fais ici ?

— J'ai faim. J'ai demandé un sandwich.

— Icï ? Dans ce bar ?

— Oui, ici, dans ce bar. Où est le problème ?

— Il n'y en a pas. Hormis un. Un tout petit détail...

— Lequel ?

— .Tu es une femme.

Alexandra prit un air penaud.

— Faut-il que je sois distraite...

— Ou gourde.

Elle ignora le commentaire.

— J'ai faim, Jérémy !

Il lui prit le bras, l'entraîna plus avant dans la rue.

— Je vais arranger ça. Mais quelle idée de te balader seule, ici ! Tu croyais quoi, Bécassine ? Qu'ils allaient t'adopter sur ta bonne mine ?

Alexandra terminait une assiette de viandes froides. Le restaurant où ils se trouvaient était bruyant et enfumé. On devait se tasser autour des tables. Les serveurs, souvent, refusaient du monde. Des groupes de promeneurs déçus se mettaient alors à plaider leur cause. Parfois, ils se recommandaient d'Untel et cela suffisait. On rajoutait alors une table contre le comptoir ou devant la porte des cuisines.

C'était, dans l'ensemble, une clientèle très jeune. Des garçons, mais aussi quelques filles, toutes belles et insolentes. Ils se connaissaient tous et s'interpellaient d'une table à l'autre. Beaucoup ne mangeaient pas et se contentaient de boire. Le patron — un homme d'une cinquantaine d'années qui se faisait appeler Nono — les tolérait avec une apparente bienveillance : cette jeune et fraîche clientèle en attirait une autre, plus âgée, plus fortunée et qui souvent payait pour eux.

Un juke-box des années cinquante diffusait sans discontinuer des quarante-cinq tours d'Elvis Presley.

Jérémy et Alexandra avaient obtenu une place au fond, sous l'escalier qui montait à l'étage où se trouvaient une deuxième salle, plus petite, méprisée par les habitués, et aussi les toilettes. Jérémy, à plusieurs reprises s'y était rendu.

— Qu'est-ce que tu fais, là-haut ? demandait Alexandra.

— T'occupe.

Il lui resservait du vin. Lui n'avait pas touché à son verre. Mais il fumait sans arrêt des cigarettes anglaises. Il la contemplait derrière le double écran des cils noirs et de la fumée. Il avait une curieuse façon d'être à la fois présent et absent. Il l'écoutait. Car Alexandra ne cessait de parler. Elle revenait inlassablement au comportement insensé de Lucerne, à ce que cela avait provoqué chez ses camarades de travail.

— Je me demande si je ne ferais pas mieux de partir, de quitter le spectacle, dit-elle.

— Pourquoi ne le fais-tu pas ?

Jérémy restait prudent. Il se gardait d'émettre un jugement, se contentant de lui renvoyer ses questions avec juste ce qu'il fallait d'intérêt pour l'encourager à poursuivre. Cette dernière question la laissa sans voix.

— Tu n'as pas envie de partir, conclut Jérémy.

— C'est vrai.

Elle tenta de s'en expliquer.

— Le travail est trop avancé. Ce serait terriblement frustrant pour moi de ne pas aller jusqu'au bout. Je commence juste à entrevoir ce que je pourrais faire, le plaisir que je pourrais en tirer. Et puis...

Sa phrase demeura en suspens. Elle but une nouvelle gorgée de vin.

— Et puis, je suis seule. Sans cette pièce, sans ce rôle, sans ce pari fou que représente pour moi jouer dans ce spectacle, en Avignon, je ne sais pas ce que je deviendrais en ce moment.

— Sans Adrien ?

Elle le contempla avec stupéfaction. Pas longtemps car Jérémy, très vite, enchaîna.

— C'est Lucerne qui m'en a parlé. Il est incroyable, tu sais ! Il a trouvé le moyen de m'inviter à dîner pour me parler de toi et de cet Adrien. De ton amour pour lui, de son amour pour toi, de sa souffrance à lui, etc.

En face de lui, Alexandra s'agitait.

— Ne t'énerve pas. S'il a fait ça, c'est uniquement pour me convaincre que je n'ai aucune chance avec toi !

Il rit très haut et très fort, avec une vraie gaieté.

— Il ne veut pas croire que sur un certain point tu ne m'intéresses pas. Un peu trop d'alcool et crac, il se met à soupçonner tout le monde ! Même moi !

Mais Alexandra n'avait guère envie de rire. Elle voulut penser à Adrien. Mais elle avait du mal à se concentrer. Tout et n'importe quoi s'interposait entre eux. Son image se brouillait comme se brouillait le regard de Jérémy dans la fumée des cigarettes.

— Pourquoi je me retrouve toujours avec toi ? demanda-t-elle brusquement.

— Parce que tu n'as pas le choix. C'est moi ou rien. Après ce qu'a fait Lucerne, les autres te laisseront tomber. Si ce n'est pas déjà fait... D'ailleurs, regarde !

Jérémy lui désignait un groupe de jeunes gens qui parlementait avec le patron. Parmi eux se trouvaient Sylvain, Marie-France et Christine.

— Ça va être amusant d'observer leur comportement !

— Je ne trouve pas ça drôle du tout ! protesta Alexandra.

Et méfiante, tout à coup :

— Ils viennent souvent ici ? Tu savais qu'on risquait de les rencontrer ?

Jérémy eut un sourire des plus ambigus.

— Oui et non. Oui, ils viennent ici comme la plupart des comédiens branchés. Non, je n'ai pas pensé qu'on pouvait les croiser. Pourquoi ? C'est grave ?

Le groupe avançait dans le restaurant. On serrait des mains, on s'embrassait, on stationnait devant chaque table, malgré les protestations des serveurs. On parlait haut et fort. Était-ce une illusion de son imagination inquiète ? Alexandra crut entendre prononcer son nom accolé à celui de Lucerne.

Ce fut Sylvain le premier qui les vit et qui se faufila vers eux. Christine et Marie-France marquèrent une brève hésitation, puis l'imitèrent. À eux trois, ils encerclèrent la petite table, sous l'escalier. Leur visage exprimait une gravité très éloignée de l'effervescence dont ils avaient fait preuve peu de minutes auparavant. Sylvain s'appuya au dossier de la chaise d'Alexandra. Il portait une vieille casquette en jean délavé qui lui donnait des airs de mauvais garçon. Comme pour en accentuer l'effet, il mâchouillait du chewing-gum.

— Tu as des nouvelles de Lucerne ? demanda-t-il.

— Non.

— Tu n'as pas appelé l'hôpital ?

— Non.

Il parut choqué. Toutefois, il ne fit aucun commentaire, se contentant de redresser sa casquette. Ses yeux allaient d'Alexandra à Jérémy, vaguement interrogatifs, vaguement inquisiteurs. Il cherchait à se faire une idée.

— Et Alma, demanda alors Christine. Tu as de ses nouvelles ?

— Non plus.

— Vraiment ? Tu n'as pas cherché à la joindre ? Tu n'as pas appelé chez elle ? Elle ne t'a pas téléphoné et laissé un message ?

Alexandra s'efforçait de cacher son irritation.

— Je ne suis pas rentrée chez moi. Mais pourquoi s'inquiéter au sujet d'Alma ? Elle allait très bien, tout à l'heure !

— Elle a vécu quelque chose d'affreux, intervint froidement Marie-France. Une humiliation abominable ! Et elle aime vraiment Lucerne, elle !

À quoi bon leur expliquer, se défendre ou se justifier ? Alexandra entendait Sylvain qui sifflotait dans son dos et ses doigts qui pianotaient sur le dossier de la chaise.

— Eh bien, bonne soirée, dit encore Marie-France.

— Amusez-vous bien, ajouta Christine.

Elles exagéraient leur naturel, forçaient sur la désinvolture. À une table voisine, leurs amis les réclamaient.

Alexandra sentit alors une main chaude et savante qui lui caressait la nuque. Sylvain se penchait sur elle, mi-rieur, mi-charmeur.

— Quelle fichue séductrice tu es ! dit-il. On ne le croirait pas au premier abord.

Alexandra se sentait devenir écarlate. Elle

secoua la tête pour échapper aux caresses de Sylvain. Mais la main se fit ferme et retint quelques secondes encore la nuque.

— Un cou si fin, si long, si gracieux... On aurait presque envie de l'étrangler !

Enfin il la lâcha. Pour éclater aussitôt d'un rire destiné au restaurant tout entier et qu'il accompagna d'un clin d'œil appuyé en direction de Jérémy.

— Sacré veinard ! Elle n'est pas si déplaisante que ça, la petite Alexandra. Et tu prétends ne pas aimer les femmes ?

Il retourna auprès de ses amis. On les entendit rire. Alexandra était atterrée.

— Je veux m'en aller, chuchota-t-elle.

— Finis au moins ton café. Ne leur donne pas l'impression qu'ils te font fuir.

— Qu'est-ce que ça peut faire l'impression que je donne ?

Alexandra sentait les larmes monter

— Au point où j'en suis.

Elle faisait des efforts visibles pour retenir l'afflux des larmes.

— C'est toujours moi qui ai tort, c'est toujours ma faute.

Elle pleurait maintenant, en se cachant maladroitement le visage derrière les mains. Jérémy ne savait que faire. « Arrête... Sandra... C'est idiot. » Il lui tendait un verre de vin, sa cigarette, un vieux Kleenex chiffonné qu'il venait d'extraire d'une de ses poches. En vain. Alexandra pleurait toujours. Sans secousses excessives, sans gémissements, avec une certaine discrétion. Jérémy réclama l'addition et voulut payer.

— Laisse, protesta Alexandra. C'est à moi, tu n'as rien mangé !

Elle jeta une carte de crédit sur la soucoupe et s'essuya les joues du plat de la main.

— J'en ai tellement assez, parfois. J'aimerais disparaître, me dissoudre.

Le serveur revenait avec la carte de crédit. Alexandra la glissa dans sa poche, ramassa le sac à dos et se leva. Elle baissa la tête en passant devant la table où ses camarades commençaient à dîner. Surtout les éviter. Surtout ne pas croiser leurs regards. Rien qu'à les imaginer qui la suivaient des yeux, elle sentait monter un nouvel afflux de larmes.

Il y avait encore plus de monde dans la rue et sur les trottoirs. Une population très mélangée. Des hommes et des femmes. Des hommes entre eux et des femmes qui ressemblaient à des hommes.

— Sodome et Gomorrhe, annonça Jérémy. C'est assez plaisant, tu ne trouves pas ?

Une électricité sensible, irritante, stagnait dans l'air. C'était comme une sorte d'agressivité qui se propageait d'un trottoir à l'autre. Les voix se faisaient plus aiguës, les rires plus brefs et plus forcés. Là quelques insultes, là le début d'une querelle. Une brutalité trouble s'installait sans qu'on comprenne pourquoi.

Jérémy prit le sac à dos.

— Je te ramène à Saint-Sulpice, décida-t-il. Ce quartier n'est pas fait pour toi.

— Il me convient tout autant que l'équipe de *Penthésilée* !

Alexandra essayait de se moquer. De son chagrin, de son découragement, de ses larmes idiotes qui continuaient de couler et qu'elle épongeait avec les débris du Kleenex.

Une femme au visage blanc et rond, avec une longue natte grise dans le dos qui lui donnait des airs de collégienne, lui offrit son aide. Elle était accompagnée d'une autre femme qu'on aurait crue sa sœur jumelle tant elle lui ressemblait et qui, tout de suite, s'interposa.

— Laisse tomber, elle n'est pas seule. Elle est avec Jérémy.

Un sourire gentiment canaille éclaira son visage.

— Bonsoir, Jérémy !

— Bonsoir, Mathilde !

— Tu montes boire un verre à la maison ? Avec... ton amie ?

— Elle est fatiguée. Je la raccompagne. Plus tard, peut-être. La clef est toujours à droite du compteur ?

— Toujours.

Les fausses jumelles disparurent avec des rires de petites filles. Comme elles se tenaient par la taille, elles eurent un certain mal à avancer au milieu de la foule des promeneurs. Un groupe de garçons en jean et blouson, juchés sur d'énormes motos, barraient une bonne partie de la rue.

— Qui c'étaient, ces filles ? demanda Alexandra.

— Des copines.

Comme souvent, Jérémy n'en dit pas plus. Du coin de l'œil, il surveillait Alexandra. Celle-ci secouait la tête en signe de détresse. Un sentiment terrible de solitude lui broyait le cœur.

— Ils vont me mettre en quarantaine, c'est sûr. Au restaurant, je me suis sentie devenir une pestiférée. Tu comprends ça ?

— Très bien.

— Comment j'arriverai à travailler dans ces conditions ?

Jérémy semblait sans réponse.

— Tu verras, se contenta-t-il de murmurer.

Il se remit en marche. Résolument, avec, croyait Alexandra, le désir de se débarrasser d'elle le plus vite possible. « Tu peux me laisser là et t'en aller de ton côté, pensait-elle. Au point où j'en suis. Un peu plus seule... Un peu moins. » Les mots se formaient en phrases dans sa tête. Mais ils ne la satisfaisaient pas et elle les essayait dans un autre sens.

Jérémy, alors, murmura :

— Je sais parfaitement ce que tu éprouves. Je n'ai pas de solution à te proposer, c'est tout.

Quelqu'un deux fois de suite cria : « Alexandra ! » C'était Sylvain qui tentait de forcer le barrage formé par les motards et qui agitait très haut sa casquette dans leur direction. Alexandra et Jérémy s'arrêtèrent pour l'attendre.

Il arriva essoufflé d'avoir couru, le visage et le buste dégoulinant de sueur. Une fois devant eux, il se dandina sans parvenir à se décider à parler. Ses yeux légèrement enfoncés fixaient Alexandra avec une intensité exagérée. Il prit le temps de redresser sa casquette. Un geste coquet, faussement nonchalant qu'il avait dû mettre au point devant son miroir.

— Je n'ai rien contre toi en particulier, dit-il enfin. Mais il ne faudrait pas que tes histoires de cul bousillent le travail. Tu ne veux pas lui accorder ce qu'il réclame, à Lucerne ? L'aimer un peu en retour ?

Il s'attendait à une riposte indignée mais elle demeurait calme, elle esquissait même un vague sourire. Il se crut encouragé à poursuivre.

— Qu'est-ce que ça peut te faire de coucher avec lui ? Juste un peu ? De temps en temps ? Pour la bonne marche du travail ?

Un éclair blanc illumina le ciel presque aussitôt suivi d'un coup de tonnerre. D'un peu partout fusaient des cris de surprise. Personne n'avait vu venir l'orage. D'autres éclairs et d'autres coups de tonnerre suivirent, encore plus rapprochés. On courait maintenant sur les trottoirs, dans les rues.

Jérémy tirait Alexandra par le poignet.

— Il va pleuvoir très fort, ne restons pas là.

Il ne se trompait pas. Une pluie diluvienne se mit à tomber. Les dîneurs rentraient précipitamment à l'intérieur des restaurants. Des grappes de gens se serraient sous les porches. On se poussait. On s'appelait. On riait. À l'agressivité larvée qui avait flotté dans l'air jusque-là, succédait une gaieté désordonnée, inimaginable quelques minutes auparavant.

— Dépêche-toi, insistait Jérémy.

Il sautillait sur place, impatient et furieux. Devant lui, Sylvain attendait toujours qu'Alexandra lui réponde. Les poings enfoncés dans les poches, il feignait d'ignorer les gouttes de pluie qui s'écrasaient sur son visage, le forçant par moments à cligner des yeux. Il cherchait si évidemment à se donner un air résolu et viril qu'il en devenait touchant. Alexandra lui trouvait du charme. Et comme ce n'était pas la première fois, elle se prit à regretter ce fossé qui se creusait entre eux, à chaque seconde davantage, cela se voyait à l'éclat de ses yeux. Un éclat dur, méchant et qui soudain lui donna envie de s'enfuir.

— Désolée de te contrarier, dit-elle d'une traite, mais tes conseils, je m'en passe. Tu peux le dire aux autres.

Et elle s'élança à la poursuite de Jérémy qui courait, plusieurs mètres devant elle, en direction de la Seine et de l'Hôtel de Ville.

Il courait vite et bien, à peine encombré par le sac à dos. Alexandra s'amusait à le suivre. La pluie, la course et l'orage la soulageaient de toutes les tensions accumulées depuis le début de la soirée. Elle revoyait l'expression dépitée de Sylvain, son geste maladroit pour la retenir qui avait eu pour conséquence d'envoyer sa casquette dans le caniveau. Et l'eau qui l'entraînait, et Sylvain qui tentait désespérément de la rattraper, sa précieuse casquette, et qui insultait tout en même temps la pluie, Alexandra et les passants qui couraient en sens inverse et qui le heurtaient de plein fouet.

Jérémy s'enfonça sous un porche et pianota de mémoire les quatre chiffres et les deux lettres d'un code. La haute et lourde porte en bois s'ouvrit. De l'autre côté, une voûte étroite précédait une succession de cours. Jérémy appuya sur le bouton de la minuterie et une faible lumière éclaira des bicyclettes et des poubelles proprement alignées contre le mur.

La pluie, sur les pavés des cours, faisait un bruit assourdissant. Il y avait des lumières aux fenêtres des immeubles, grandes ouvertes sur la nuit. Des silhouettes s'y profilaient. On entendait des exclamations de surprise devant la violence de l'averse.

— Où sommes-nous ? demanda Alexandra.

— À l'abri.

Jérémy tâtait les poches de son pantalon et de sa veste à la recherche d'une cigarette. Il en trouva enfin une, à peine mouillée, chiffonnée, à laquelle il entreprit de redonner forme. Avec un soin maniaque qui l'absorba tout entier.

Alexandra s'était détournée et regardait la pluie tomber sur l'enfilade des cours. Combien y en avait-il qui se succédaient comme des poupées gigognes ? Trois ? Quatre ? À l'odeur des arbres et de la terre mouillée, elle devina la présence d'un jardin. La nuit devenait tout à coup lourdement parfumée. Peut-être y avait-il plusieurs jardins, en fait, de l'autre côté des immeubles. Elle aimait ces odeurs de campagne en plein centre-ville.

Mais une autre odeur, douceâtre, caractéristique, envahissait la voûte. Dans l'obscurité, elle repéra Jérémy au point rouge de sa cigarette.

— Tu en veux ? chuchota-t-il en lui tendant la cigarette.

Elle fit non de la tête. Un peu par timidité, un peu à cause de cette méfiance naturelle qui la faisait se tenir à l'écart des drogues, même les plus douces, même les plus anodines. Elle songeait à son frère Olivier qui imaginait toujours le pire à son sujet. À ses idées toutes faites sur le monde du théâtre où, croyait-il, on « couchait », on « buvait » et on « se droguait », dans un grand mélange d'infantilisme et de névroses. Elle pensa encore que l'expérience de *Penthésilée* ne lui donnait pas complètement tort mais aussi qu'Olivier était moins conformiste et moins borné qu'elle se plaisait à le penser, parfois, quand il lui manquait trop et qu'elle s'irritait de son absence.

L'orage poursuivait sa route au-delà de Paris, vers le sud. La pluie tombait encore, mais plus doucement. Jérémy achevait de tirer sur sa cigarette avec des petits bruits de succion. Puis il jeta ce qui restait du mégot. Il fredonnait à voix basse

206

les premières mesures d'une valse mélancolique et lente.

Alexandra sentait le froid l'envahir. Elle réalisa alors qu'elle était trempée. Dans son dos, Jérémy frissonnait aussi. Le silence était total. Aucun bruit ne parvenait des immeubles avoisinants. À croire qu'on avait refermé toutes les fenêtres, éteint tous les postes de télévison. À croire que tout le monde était parti se coucher. On n'entendait plus que la pluie sur les pavés de la cour et Jérémy qui reniflait. Et quand Alexandra parla, sa propre voix, basse, étouffée, la surprit comme l'aurait fait une voix étrangère.

— La proposition de Sylvain, c'est absurde, non ?

— *O tempora ! O mores ! Abyssus abyssum invocat !* récita Jérémy.

Il ne lui laissa pas le temps de s'énerver.

— C'est concret, égoïste, plutôt borné, ça ne m'étonne pas de Sylvain.

Il rejoignit Alexandra au bord de la voûte, là où commençait la première cour. Parce qu'il reniflait et frissonnait, Alexandra se serra contre lui. Il passa un bras autour de sa taille.

— Tu es aussi mouillée que moi, constata-t-il avec regret.

— Tu n'aimes pas Sylvain ? Moi, il ne me déplairait pas si j'étais dans l'état d'esprit de m'intéresser à quelqu'un.

Jérémy eut un petit rire dégoûté.

— Sans façons... Je te le laisse... Ce patapouf

hétérosexuel ne me dit rien du tout. J'aime autant Lucerne, tant qu'à faire. Avec lui, j'aurais au moins l'impression de coucher avec un animal préhistorique... Avec un homme d'avant les hommes...

Il riait, serrant plus fort Alexandra contre lui. Celle-ci se réchauffait au contact du corps tiède de Jérémy.

— Quel effet cela fait-il de coucher avec un animal préhistorique ? Il t'écrasait ? Il te broyait ? Est-ce qu'il est couvert de poils de la tête aux pieds ?

— De la tête aux pieds, répondit Alexandra gravement.

Elle perçut le « ho ! » admiratif de Jérémy et poursuivit sur le même ton :

— Avec des griffes... Des écailles...

— Idiote !

Elle répondit à la tape de Jérémy par un coup de genou auquel il répliqua par un pincement. Ils riaient. « Tu n'as pas honte de coucher avec des animaux préhistoriques ? » ne cessait de répéter Jérémy. Alexandra riait de plus belle tant l'image lui semblait drôle et pertinente. Et Lucerne, tout à coup, devenait moins menaçant.

Au fond de la cour, un volet claqua. Une voix de femme endormie cria quelque chose.

— La concierge ! Filons ! Il ne faut pas qu'elle nous voie ici !

En trois bonds, Jérémy était dehors, encourageant une Alexandra abasourdie à se dépêcher.

Le sac à dos, à moitié détaché, pendait à son épaule gauche.

La pluie avait cessé. Les trottoirs vides brillaient à l'infini dans la nuit. Quelques voitures passaient dans des gerbes d'eau. L'air rafraîchi donnait des envies de chanter. Tout en pressant le pas, Jérémy fredonnait.

> *La revanche des orages*
> *A fait de la maison*
> *Un tendre paysage*
> *Pour les petits garçons.*

Mais Alexandra l'empêcha de continuer.

— Tu connaissais l'immeuble où nous nous sommes abrités ?

— Hum, hum.

— Tu as vécu là.

Jérémy soupira.

— Des questions, encore des questions...

Alexandra lui envoya un coup de coude dans les côtes.

— Tu as des manières de brute ! protesta Jérémy.

Nouveau soupir, plus long, plus pathétique, destiné à l'attendrir et qui ne lui valut qu'un deuxième coup de coude.

— Bon... Oui, j'ai vécu là. Peu de temps. Avec un monsieur très distingué, très bien, qui m'aimait et que je n'aimais pas. Enfin, pas assez. Alors, je me suis tiré, voilà. La concierge voyait en moi un gigolo, un drogué, un dealer, et je ne sais quoi encore. Elle aurait été capable d'appeler la police si elle m'avait trouvé dans sa cour.

Ils arrivaient à proximité de la place Saint-Michel. Il y avait de nouveau beaucoup de monde dans les rues. De jeunes touristes étrangers en short se pressaient tout autour de la fontaine. C'était l'heure où les cinémas se vidaient de leurs derniers spectateurs. On les entendait s'étonner bruyamment lorsqu'ils découvraient les flaques d'eau, les trottoirs encore luisants de pluie. D'autres avançaient silencieusement. Le souvenir immédiat du film qu'ils venaient de voir donnait à leur visage, au moindre de leurs gestes, une mystérieuse et douce absence.

— Regarde-les, dit Jérémy. Ceux-là sont encore dans leur film.

— Continue à me raconter ton histoire, demanda Alexandra.

— Non.

— Pourquoi ?

— *Qui baille à son amy la clef de son secret le fait de son amy son maître devenir.*

Alexandra ne put s'empêcher de rire. Bêtement. Sans raison. Parce que tout, avec Jérémy, lui devenait aisé et enfantin. Et quand il ajouta « Joachim du Bellay », elle rit davantage.

— Ne te fais pas trop de souci à propos de Lucerne, dit Jérémy. À mon avis, après le coup de ce soir, il va se tenir tranquille. Ça lui aura servi de psychodrame, d'exorcisme. Dans dix jours

210

vous partez en Avignon. Il ne peut pas se permettre de gâcher du temps en crises.

Place Saint-Sulpice, les arbres s'égouttaient encore. La fontaine crachait ses gerbes d'eau mousseuse et blanche. Une certaine activité avait repris rue des Canettes. Une femme à moitié endormie se laissait tirer par son chien. En bâillant, enveloppée dans un long châle de tricot dont un pan balayait le trottoir.

Alexandra ne riait plus, elle écoutait Jérémy. Ils prenaient la rue Palatine, tournaient dans la rue Servandoni.

— David Mathews va arriver. Il faudra tout reprendre avec lui. Un travail de chaque minute, de chaque seconde. Pour Lucerne, plus rien ne comptera que son spectacle. L'enjeu est trop important. Pareil pour toi. Pareil pour les autres. Ils oublieront leurs griefs stupides à ton égard.

L'immeuble d'Alexandra se dressait devant eux, sombre et éteint. Lugubre.

— Tu montes un instant avec moi ?

Elle avait envie que la nuit se poursuive ainsi, en paroles réconfortantes, en bavardages décousus. Envie qu'il ne la laisse pas seule avec ses fantômes et un répondeur muet. Mais Jérémy dit non. Il la prit dans ses bras et l'étreignit. Longuement et doucement. Sans l'embrasser. Puis il se détacha d'elle.

— Je viendrai aussi en Avignon. Pas tout de suite. Quelques jours après vous.

Il retira de son épaule le sac à dos et le lui tendit.

— Tout ira bien.

Alexandra, dans l'ombre, voyait briller ses dents, l'éclat de ses yeux.

— Mais n'en profite pas pour flirter avec Sylvain. C'est le genre de type à vouloir se faire toutes les filles. Dès que Lucerne se détournera de toi, crac, il te sautera dessus !

— Mais... commençait à protester Alexandra.

— Ou alors, prends des précautions. Un type qui couche avec tout ce qui passe à sa portée, de nos jours, c'est risqué. Je suppose que tu sais ce qu'il faut faire.

Alexandra était indignée.

— Tu n'es pas drôle, Jérémy ! Pas drôle du tout !

— Je t'aurai prévenue.

Et il s'éloigna. Alexandra resta quelques minutes encore au bas de son immeuble, pensive, vaguement inquiète. Elle ne savait plus quoi penser. Tout devenait flou et confus. « Adrien seul est réel. » Mais cette phrase à laquelle elle s'était si souvent accrochée, qui avait des pouvoirs d'incantation magique, tout à coup, perdait de son charme.

Avignon

Chacun à sa façon faisait connaissance avec ce qui serait désormais leur salle, leur plateau, leur théâtre — en fait, un ancien cinéma de quartier, le *Regina,* construit autour des années vingt et que le festival avait annexé et rénové. C'était leur premier contact, déterminant. Les acteurs allaient et venaient, hésitaient, tâtonnaient, avec des airs de chiens de chasse, des silences et des questions soudaines qui ne s'adressaient à personne en particulier. Ils arrivaient de Paris. Certains n'étaient même pas passés à l'hôtel, si grande était leur impatience de fouler le sol du théâtre, de s'imprégner de son odeur, de son passé, bref, de l'apprivoiser.

Dehors le mistral soufflait. Des portes s'ouvraient et claquaient violemment.

Alma arpentait méthodiquement le plateau, attentive aux craquements du plancher. « C'est là ! » criait-elle en désignant d'un doigt d'experte la latte incriminée. Ensuite elle récitait quelques phrases de son texte et se tournait vers Lucerne, debout entre les rangées de fauteuils et qui se déplaçait sans cesse d'un côté à l'autre de la salle. « Tu m'entends ? » demandait-elle. « Mal, répondait Lucerne. Ne t'inquiète pas. On adaptera tes places à l'acoustique de la salle. »

Les garçons étaient montés au balcon pour avoir une vue d'ensemble. Assis au premier rang, les coudes posés sur la rambarde de protection, ils commentaient l'étendue du plateau, sa profondeur, l'emplacement des entrées et des sorties.

— Les coulisses sont inexistantes, regrettait Sylvain.

— Évidemment, un ancien cinéma ! disait Gérard.

Didier, debout derrière eux, interpellait Alma.

— D'ici, je t'entends parfaitement. Tu peux tout à fait te passer d'élever la voix !

Lucerne, en dessous, prenait l'information de façon mitigée.

— Les meilleures places sont à l'orchestre. Ce serait un comble si on entendait mieux de là-haut !

Et comme il ne pouvait jamais demeurer longtemps sans Didier près de lui :

— Descends ! J'ai besoin de toi !

Sylvain et Gérard attendirent qu'il disparaisse pour reprendre leur conversation.

— Il est en pleine forme, l'infernal couple Lucerne-Lalouette, plaisanta Gérard. Pourvu que ça dure...

Ce genre de considération n'intéressait pas Sylvain qui poursuivait l'examen des lieux.

— Quel dommage de ne pas jouer en plein air ! disait-il. La cour d'honneur du palais des Papes convenait si bien à *Penthésilée* !

— Ici, nous n'aurons pas de problèmes de météo, de mistral, de voix cassée, argumentait Gérard.

Comme pour lui donner raison, quelque chose, à trois reprises, claqua.

— Qu'est-ce qui fait un boucan pareil ? hurlait Lucerne. Jo !

— Oui, mais Avignon, c'est le plein air ! s'obstinait Sylvain.

Il mâchouillait avec ferveur le bâtonnet de vanille qui ne le quittait plus depuis qu'il avait décidé d'arrêter de fumer, quinze jours auparavant.

Ce n'était pas le cas de Marie-Lou. Elle suivait Alma, traquant elle aussi les défaillances du plateau, la cigarette aux lèvres, sans se soucier des cendres qui tombaient un peu partout autour d'elle. Sa voix puissante essayait régulièrement les imprécations de la Grande Prêtresse de Diane.

— *Va-t'en, monstre ! chienne des enfers !... Va-t'en... Va-t'en où volent les corbeaux ! Va-t'en ! Va y pourrir ! Le regard de tes prunelles a tué le repos de ma vie !*

— Va-t'en dehors ou mets-y une sourdine ! protestait Lucerne. On n'entend plus que toi et ce fichu volet qui claque, ici !

— Et éteins ta cigarette ! criait Jo à son tour.

On ne fume ni sur le plateau, ni dans les coulisses, ni dans la salle. C'est clair ?

— Ça va, ça va, on le saura, bougonna Marie-Lou.

Mais comme il fallait toujours qu'elle ait le dernier mot :

— Tu ferais mieux de t'occuper de ta femme...

— Tu sais ce qu'elle te dit, ma femme ?

Présent depuis une semaine en Avignon, Jo avait des journées de vingt heures et commençait à donner quelques signes de fatigue. Cela le rendait nerveux, irritable, guère disposé à supporter les « caprices des acteurs ». Le peu d'humour dont il disposait en temps normal avait complètement disparu. Il avait maigri de plusieurs kilos.

— Je vais très bien, déclara Linou.

C'était vrai. Linou s'épanouissait de jour en jour. Malgré la brièveté de son rôle, elle assistait à toutes les répétitions, silencieuse, discrète, toujours en retrait de Lucerne et d'Alma. Celle-ci l'avait prise sous sa protection et ne lui ménageait ni les conseils ni les encouragements. C'était d'ailleurs inutile. Linou ignorait la peur. Jouer devant un public était une notion abstraite qu'elle ne cherchait pas à approfondir et qui, de ce fait, ne la tourmentait pas.

Jo la contemplait avec émerveillement, un instant distrait de ses problèmes techniques. Il ne l'avait pas vue depuis une semaine, il avait hâte de se retrouver seul avec elle. Lucerne et lui avaient loué une grande maison avec piscine, à dix kilomètres d'Avignon. Alma, bien sûr, suivait Lucerne. Quant à Didier, il hésitait encore. « J'ai tout de même besoin d'un peu d'indépendance... » disait-il. Mais Lucerne insistait, suppliait et Didier semblait sur le point de céder.

— Linou, dit tendrement Jo, ma Linou.

Proche d'elle, maintenant, il n'osait la prendre dans ses bras. Par pudeur. Par crainte de l'irriter. Elle affichait à son égard une sorte de distance qu'il s'efforçait de mettre sur le compte du travail.

— La maison que nous avons louée à la campagne te plaira sûrement, dit-il.

— Sûrement, répéta Linou.

Alma avait cessé d'arpenter le plateau pour se joindre à eux.

— Linou et moi nagerons tous les matins ! Nous n'en serons que plus en forme pour répéter et jouer ! Je le dis depuis le début, nous avons besoin d'un entraînement sportif pour jouer cette pièce !

Elle se tourna vers Marie-France, Christine et Marie-Lou.

— Vous viendrez aussi nager, les filles ! Vous êtes toutes invitées !

— Et nous ? cria Sylvain.

Alma n'eut qu'un regard indifférent pour le beau garçon à la casquette qui mâchouillait un bâtonnet de vanille et qui, pour mieux la séduire, prenait une pose avantageuse, à califourchon sur la rambarde.

— Vous, non. Les femmes d'un côté, les

hommes de l'autre. Comme dans *Penthésilée*. Mais vous avez la piscine municipale. Il paraît qu'elle est très bien.

Sylvain s'inclina.

— Merci à toi, gracieuse Alma, *Princesse des enfers* !

— Où est Alexandra ?

Depuis un moment déjà, Lucerne la cherchait. Il avait cessé de se déplacer entre les rangées de fauteuils. Il s'était avancé jusqu'au plateau de manière à entrevoir les coulisses, puis il était sorti dans le hall. Il avait même poussé jusqu'aux toilettes. En vain, Alexandra n'était nulle part.

— Où est Alexandra ? répéta-t-il. Jo !

Jo n'avait aucune envie de laisser si vite Linou pour partir à la recherche d'Alexandra.

— Sais pas, cria-t-il. Elle était là tout à l'heure.

Et pour avoir la paix :

— ALEXANDRA !

Il y eut un froissement de fauteuil au fond de la salle, à deux mètres à peine de Lucerne.

— Je suis là.

Alexandra sentait son cœur battre violemment dans sa poitrine. D'abord il y avait eu la découverte du théâtre, sa frayeur devant tout ce qui leur restait encore à accomplir et ce besoin qu'elle avait eu alors de se réfugier au dernier rang des fauteuils, dans l'obscurité, là où personne ne pouvait la voir. Puis Lucerne qui s'était mis à l'appeler et qu'elle avait vu se rapprocher, de dos, grande et lourde silhouette que la pénombre de la salle exagérait encore.

— Qu'est-ce que tu as à te cacher comme ça?

Il déplia le fauteuil voisin du sien et s'y laissa tomber. Le bois craqua sous son poids. « Fait trop de bruit... faudra arranger ça », marmonna-t-il. Il tira des poches de sa veste une cigarette qu'il alluma. La flamme du briquet éclaira un bref instant l'insolent profil d'Alexandra. Il lui trouva un air de petite chèvre butée.

— Eh bien, mademoiselle Seguin, quoi de neuf? demanda-t-il.

Et il rit tout seul de cette plaisanterie qu'il venait d'improviser et qu'elle n'avait pas l'air de comprendre.

— Rien de spécial. Ça va, répondit Alexandra à tout hasard.

Depuis le premier filage interrompu, deux semaines s'étaient écoulées sans que personne, jamais, ne se soit autorisé à évoquer cette soirée. C'était comme si elle n'avait jamais eu lieu. Lucerne était réapparu, frais, propre, rasé de près, avec des vêtements neufs et une énergie décuplée. Les acteurs répétaient tous les après-midi, filaient le soir. Des journées de treize heures que personne n'aurait osé lui contester et qu'il jugeait, lui, encore insuffisantes. Pas une seule fois il ne s'était adressé à Alexandra en particulier. Une décision qu'il avait prise en sortant de l'hôpital. Lui faire payer son indifférence par plus d'indifférence encore. Sa froideur par du mépris. Mais il n'avait pu que s'incliner devant la qualité constante de son travail, l'intelligence de son écoute, cette façon à la fois humble et très personnelle de se fondre dans sa mise en scène, de respecter la moindre de ses indications. Alexandra travaillait en souplesse et loyalement. Même s'il avait du mal à l'admettre. Et il s'étonnait secrètement de découvrir qu'elle était *aussi* une actrice.

— Tu te débrouilles bien maintenant, dit-il avec réticence. Il te reste toutefois un énorme morceau : toute la partie centrale avec Achille. Comme il parle peu, ça va beaucoup reposer sur toi.

— Quand arrive David ?

— Tout à l'heure, par le TGV de Paris. Je vais aller l'accueillir à la gare avec Didier et Jo. On ne va plus le lâcher. Il faut le surmotiver. Avoir supprimé les deux tiers du texte d'Achille et le faire interpréter par une star montante de la danse est un pari audacieux que beaucoup, déjà, me reprochent... Nous l'emmènerons dîner ensuite. Je l'ai eu au téléphone ce matin : son pied va très bien.

Lucerne parlait à toute vitesse, disait n'importe quoi. Parce que, durant quelques secondes, il avait oublié ses résolutions d'indifférence et avait failli lui proposer de les accompagner à la gare.

Alexandra, loin de comprendre ce qui le rendait tout à coup si loquace, appréciait qu'il s'adresse à nouveau un peu à elle. En même temps, elle se méfiait. Non pas de Lucerne, mais des autres. De leur capacité à la mal juger. Mais l'obscurité de la salle les protégeait. Elle osa un regard dans la direction de Lucerne. Il fixait un point devant lui qui pouvait être la scène, Alma qui parcourait le plateau avec Linou, les projecteurs de service qu'un technicien attaché au théâtre installait provisoirement. Elle sentait l'odeur âcre du tabac brun ; elle voyait les mains aux ongles rongés et jaunis, sans cesse en mouvement et qui trahissaient une nervosité chronique qu'exacerbait l'abus de café et d'alcool. Elle songeait aux paroles de Jérémy : « Un animal préhistorique... Un homme d'avant les hommes. »

Soudain, sans réfléchir, parce que tout à coup elle était émue de le sentir si proche, si déterminé, si fort et si fragile, elle posa rapidement ses doigts sur son poignet. Une caresse brève et chaude qui lui fit l'effet d'une brûlure. Il se tourna d'un bloc vers elle.

— Qu'est-ce qui te prend ? demanda-t-il sombrement.

La rage l'étreignait rien qu'à voir le visage surpris d'Alexandra.

— Fais attention, grinça-t-il. Fais bien attention à tout ce que tu fais. Ne crois pas que tu peux à l'infini te moquer de moi.

— Je ne me moque pas de toi !

Une ombre se frayait un chemin entre les

223

rangées de fauteuils : celle de Didier. Quand il les découvrit assis côte à côte dans ce qui pouvait passer pour une très intime et très secrète conversation, il ne dit tout d'abord rien. Mais quelque chose comme une trop grande fatigue l'assombrit.

— Désolé d'interrompre ce tête-à-tête, dit-il, mais cela fait plus d'une heure que les comédiens traînent dans le théâtre. Ce serait bien que tu leur parles.

— Me fiche des comédiens, grommela Lucerne.

— Alors, bonsoir, je m'en vais dîner.

— Didier, attends-moi ! Je plaisantais.

Les comédiens, disséminés dans les fauteuils de l'orchestre, faisaient face à Lucerne, debout sur la scène, encadré par Didier et Jo. On avait allumé la salle. Un éclairage sommaire et économique qui permettait toutefois d'admirer l'architecture Art déco du *Regina*.

Deux hommes venaient d'arriver que Lucerne présenta. L'un était chargé du décor et des costumes, l'autre des éclairages. Ce dernier connaissait la plupart des comédiens et n'en finissait pas de serrer des mains, de donner l'accolade. Il était rond, ouvert, affable et s'exprimait avec un fort accent méridional.

— Quand René en aura fini avec ses mondanités, je pourrai peut-être commencer... lança Lucerne.

Il allumait une nouvelle cigarette au mégot de

l'ancienne. Ce que voyant, Marie-Lou sortit immédiatement un paquet de sa grande besace.

— On ne fume pas dans la salle, rappela Sylvain que sa nouvelle abstinence rendait intraitable.

Lucerne l'approuva.

— Exact. On ne fume pas dans la salle. Excepté la mise en scène, c'est-à-dire moi !

Il rit de sa plaisanterie et de la mine dépitée de Marie-Lou. Mais très vite, il se reprit, changea de ton.

— Ce soir, vous êtes libres. Didier, Jo et moi allons chercher David Mathews avec qui nous devons discuter. Profitez bien de cette soirée, c'est la dernière. À partir de demain, nous travaillerons tous les jours, même les dimanches. Nous filerons tous les soirs. Les journées seront découpées en tranches de répétitions. Vous avez le planning affiché dans les coulisses. Nous ne pouvons plus nous permettre le moindre retard. J'attends de vous que vous vous surpassiez. À Paris, vous avez tous travaillé correctement. Maintenant, il faut me surprendre, m'étonner, m'éblouir ! Vous devez y aller comme si votre vie entière était en jeu. Je n'ai pas l'intention de faire un beau spectacle de plus. Notre spectacle doit être l'événement du festival ou rien. Je veux que *Penthésilée* soit le seul spectacle du festival, qu'il devienne une référence, qu'il entre dans la légende comme *Le Cid* ou *Le prince de Hombourg* du temps du Vilar.

La voix de Lucerne se transformait, devenait chaude, profonde, ardente ; son visage s'illuminait ; son corps voûté se redressait au rythme des mots. Une formidable volonté de convaincre émanait de lui. Dans la salle, on l'écoutait avec ferveur, sans bouger, comme amoureusement.

— Je vous le dis et vous le répète, je me fiche que mon spectacle soit « beau », « réussi », tout ce qu'on dira à propos de ces autres spectacles qui se répètent actuellement et pour lesquels j'ai d'emblée le plus profond mépris. Je veux que *Penthésilée* les prenne à la gorge, les empêche de dormir. Que leur vision de l'amour en soit pour toujours troublée. Bonsoir à tous. À demain, quatorze heures.

Il descendit du plateau pour, à son tour, serrer les mains de son décorateur et de son éclairagiste. Un silence respectueux se faisait autour de lui. Les comédiens hésitaient à sortir, à lui adresser la parole. Ils erraient dans les travées à la recherche de quelque chose qu'eux-mêmes ignoraient et qui les retenait comme prisonniers du théâtre.

— Je passerais bien ma première nuit ici, dit Christine.

Elle traduisait une envie qui leur était commune à tous, même s'il ne se trouva personne pour l'approuver.

— Ne restez pas là, vous gênez la technique, grondait Jo.

Il ignora Sylvain qui se mit aussitôt au gardeà-vous, son sonore « Bien, mon adjudant ! » Il ne s'intéressait qu'à Linou.

— Tu nous accompagnes à la gare ? Tu dînes avec nous ?

Linou se tourna vers Alma. Elle avait son visage innocent et ses grands yeux un peu fixes de toujours. Mais aussi un air si bizarrement soumis que Jo en fut choqué.

— Mon Dieu, Linou ! Quel besoin de te référer sans cesse à Alma ?

Alma passait autour de la taille de Linou un bras à la fois tendre et protecteur. Elle sourit à Jo.

— C'est notre première soirée en Avignon. Nous devons tous rester ensemble. Linou est une actrice comme les autres, dit-elle.

— Mais toi, Linou, qu'est-ce que tu préfères ? insistait Jo.

Linou eut un soupir excédé. « Oh, moi, ça m'est égal », dit-elle sur un ton boudeur. La pression autour de sa taille s'accentua. « Mais non, ça ne t'est pas égal. Tu as très envie de rester avec nous », lui souffla Alma. Et Linou, maussade : « J'aime autant rester avec eux ce soir. » Jo s'inclina.

— Lucerne et moi passerons vous prendre toutes les deux entre onze heures et minuit à *La Civette*.

Alma avait pris d'emblée la tête du groupe qui remontait la rue des Teinturiers en direction de la place de l'Horloge. *Penthésilée* était son cinquième spectacle en Avignon, ce qui lui conférait une certaine autorité en matière d'hôtels, de restaurants et de cafés. Elle énumérait joyeusement les avantages et les défauts de chacun, évoquait ses anciens rôles, enchaînait anecdote sur anecdote. Elle était drôle, fiévreuse et impatiente. « Quand nous aurons commencé à jouer... » Beaucoup de ses phrases débutaient par cette formule.

Marie-Lou, Linou, Marie-France, Christine, Sylvain, Michel, Gérard et Alexandra la suivaient comme ils auraient suivi leur reine. Ce soir-là, ils se découvraient tous unis, soudés, indispensables et indestructibles. Une équipe, une vraie. Même Alexandra s'y sentait à sa place. L'espèce de sourde réticence que sa présence provoquait encore chez ses camarades semblait s'être dissoute au fur et à mesure que le TGV les emportait loin de Paris. Et à Gérard qui lui demandait si elle avait déjà joué en Avignon, elle pouvait répondre : « Non, jamais. Et toi ? — Oui... Non. Des travaux d'élève, l'année dernière. Mais à Villeneuve. » Comme c'était facile tout à coup.

Parfois, leur groupe en croisait un autre. Des comédiens qui sortaient de répétition et qui cherchaient eux aussi un restaurant pour dîner. Tous avaient le même air farouche et concentré qui signifiait : « Attention, nous ne sommes pas là pour nous amuser... Nous faisons un spectacle, le meilleur » ; une même absence ; un même refus de l'existence des autres. Il arrivait, bien sûr, qu'on se connaisse d'un groupe à l'autre. Mais le temps n'était pas aux effusions et l'on s'en tenait au strict minimum. « Tu répètes quoi ? Où ? » « Ah bon. » Sourire compatissant ou sourire envieux. « Nous, nous répétons... » Et chacun de courir ensuite rattraper son groupe qui s'éloignait au détour d'une ruelle et qui écouterait avec une indifférence à demi feinte les informations du retardataire. « Des bandes, pensait Alexandra. Des sectes. » Une délicieuse fierté la gagnait à l'idée d'être comme eux, de faire partie de ce théâtre-là, le plus prestigieux, le plus noble, celui qui se produisait chaque été en Avignon. « J'en suis », se répétait-elle.

— On s'éloigne de la place de l'Horloge, remarqua Sylvain.

Alma venait de s'engager dans une rue étroite et circulaire.

— Nous n'allons pas place de l'Horloge, dit-elle en souriant.

— La place de l'Horloge, c'est bon pour les touristes, ajouta Marie-Lou.

Elle marchait à la droite d'Alma, mêlait ses anecdotes aux siennes. Sylvain cherchait une réplique, elle le devança.

— ... ou pour les débutants.

— Je ne suis pas un débutant !

— Et alors, on ne peut plus rigoler ?

La voix forte et rocailleuse de Marie-Lou avait toujours des accents agressifs. On ne savait jamais si elle plaisantait ou si elle cherchait le conflit, ce qui en découlerait si on lui répondait sur le même ton. Sylvain choisit de se taire.

Mais Alma se tourna vers lui et le prit à témoin.

— Ce lieu te convient-il, mon beau guerrier grec ?

D'un ample mouvement du bras, elle désignait une petite place triangulaire qu'occupait entièrement la terrasse d'un restaurant. Des tables et des chaises s'alignaient sous les platanes. Aux branches, pendait une guirlande de lampions. Il n'y avait pour l'instant que quelques dîneurs.

— Un restaurant... grec ! ajoutait Alma. En ton honneur, Sylvain ! En votre honneur, les garçons !

Les garçons se déclarèrent flattés. On réunit deux tables, on s'installa. Alma avait placé Sylvain à sa gauche et Linou à sa droite. Elle se comportait comme une maîtresse de maison, choisissait les plats et les vins. Les serveurs la reconnaissaient et la questionnaient. Elle annonça les représentations de *Penthésilée,* présenta ses camarades. Elle irradiait la joie et la bonne humeur. Elle s'adressait à chacun en particulier, gentiment, affectueusement, comme si elle cherchait le temps d'un dîner à effacer l'autre Alma, si froide, si lointaine et qui depuis plusieurs semaines ne vivait plus que pour *Penthésilée.* Mais, toujours, elle revenait à Linou et d'une voix caressante l'implorait de goûter tel ou tel plat. « Mange, petit chat, mange... » Sa main alors s'attardait sur le bras de Linou, encerclait son coude, son poignet. « Tu es si menue... »

Alexandra n'intervenait que très rarement dans les conversations. Un reste de timidité, un réflexe de prudence. Elle était sensible à la grâce d'Alma, à sa gaieté. Elle s'amusait des mauvaises plaisanteries de Sylvain. Gérard, assis à côté d'elle, se taisait aussi. Son silence, rêveur, amical, excusait et confortait le sien.

— Où est Jérémy? demanda soudain Christine.

— C'est à Alexandra Balsan qu'il faut le demander.

Marie-Lou avait une façon particulièrement insultante de prononcer son nom de famille et Alexandra en conçut une immédiate irritation. Mais, comme Sylvain quelque temps auparavant, la crainte d'un conflit la retint et elle se contenta d'un neutre : « Je ne sais pas. »

— Et tu t'imagines qu'on va te croire, mademoiselle Balsan ? insistait lourdement Marie-Lou.

— Peu importe Jérémy, dit Alma.

Elle remplit de vin le verre vide que Marie-Lou lui tendait.

— Ne te mêle pas toujours des affaires des autres.

C'était dit fermement et Marie-Lou, à la surprise de tous, ne répliqua pas. Alexandra sourit à Alma. Mais ce sourire resta sans effet. Le regard bleu demeurait, quand il croisait le sien, désespérément énigmatique. « Qu'est-ce qu'elle pense de moi ? » se demandait Alexandra.

— Alma ? Et si on dînait ou déjeunait un jour ensemble ? demanda-t-elle.

Le regard bleu un bref instant cilla, surpris, déconcerté. La réponse tardait. Alma affichait un sourire de commande qui ne signifiait rien. Alexandra déjà regrettait sa proposition. Que pouvait-elle espérer d'Alma ? Elle se détourna, gênée, ne sachant comment revenir en arrière, comment faire oublier cette absurde demande.

Un délicat croissant de lune venait d'apparaître dans le ciel, entre les branches de platane. Le vent avait chassé tous les nuages.

Une dizaine de jeunes, garçons et filles, envahissaient à leur tour la terrasse du restaurant grec, parlant fort, réclamant des boissons. « Nous ne sommes pas un café… Nous servons à dîner », expliquait un serveur. « Nous ne voulons pas manger… »

Alma contemplait leur groupe avec désapprobation.

— J'espère qu'on va refuser de les servir. Nous étions si tranquilles, dit-elle.

— Sûrement des gens du off, ajouta Marie-Lou. Ça se voit tout de...

Mais elle ne put achever. Linou venait de bondir hors de sa chaise. Si rapidement, si précipitamment que son coude heurta de plein fouet celui de Marie-Lou. Il y eut un verre de vin renversé et les insultes furieuses de Marie-Lou. Puis l'appel d'Alma : « Linou ! » Mais Linou, de toute évidence, n'entendait rien. Ou alors, elle se fichait bien de ce qui pouvait se passer à sa table.

Elle s'était jetée au cou d'un grand garçon au crâne rasé, torse nu sous un gilet de cuir et qui la soulevait de terre pour mieux l'embrasser. « Les copains, c'est Linou ! » Ses amis abandonnèrent aussitôt le serveur et accoururent. Linou mêlait son rire aux leurs, passait de bras en bras. Elle n'avait plus rien à voir avec la jeune femme silencieuse et réservée que côtoyait tous les jours l'équipe de *Penthésilée*. Et c'était si surprenant que tous s'étaient tus pour mieux la regarder.

Alma avait allumé une des cigarettes de Marie-Lou. Son regard bleu était rivé au groupe formé par Linou et ses amis. Un regard si fixe qu'il en devenait stupide. Enfin Linou revint, rouge, essoufflée, animée d'une sorte de fièvre qui la faisait sautiller d'un pied sur l'autre.

— Des copains... Je vais les accompagner boire un verre... À plus tard.

Alma se tourna en souriant vers les « copains ».

— Présente-nous tes amis, dit-elle. Nous avons du vin, nous pouvons leur offrir à boire !

— Pas la peine... Ils vont me montrer leur théâtre... C'est le off... Ciao !

Alma attrapa Linou par le bras. Un geste rapide de chasseresse qui provoqua chez Linou un cri de contrariété. « Laisse-moi » ou « lâche-moi », crut entendre Alexandra.

— Jo et Lucerne nous attendent à *La Civette* vers onze heures trente, rappela Alma.

Linou ne répondit pas. Son visage hostile et buté ressemblait à celui d'une enfant que des parents cruels auraient injustement punie. Ses yeux cherchaient du secours du côté d'Alexandra, de Sylvain, de n'importe qui. Elle ne tentait même pas de se débattre, consciente de la force physique d'Alma. Celle-ci ne desserrait pas son étreinte.

— Tu les verras une autre fois, tes amis, plaida-t-elle. C'est notre première soirée en Avignon ! C'est bien de la passer tous ensemble, ça nous portera chance !

Sa voix chaude se voulait persuasive. Mais Linou s'obstinait dans son rôle de victime. Ses amis semblaient avoir renoncé à l'attendre et amorçaient un mouvement de retraite. L'un d'entre eux enfourchait une moto. Un long frisson secoua le corps de Linou tandis qu'elle se tournait vers eux.

— Laisse-la s'en aller, dit alors Sylvain.

Et comme Alma hésitait, retenant toujours Linou par le bras.

— Elle fait ce qu'elle veut. Et ce qu'elle veut c'est rejoindre ses copains.

Les paupières de Linou battirent très fort. Ses lèvres esquissèrent un baiser à l'intention de Sylvain.

— Je serai à *La Civette* à onze heures trente, murmura-t-elle. S'il te plaît..

Elle se pencha en avant. Ses mains se posèrent sur les tempes d'Alma, sa bouche effleura la sienne. « Ne t'inquiète pas », dit-elle encore. Alma relâcha son étreinte et Linou s'enfuit. La moto roulait lentement le long du trottoir. « Attends-moi ! » hurla Linou. Elle sauta sur le siège et la moto démarra dans un vacarme tel que tous les dîneurs se bouchèrent les oreilles.

Dans l'équipe de *Penthésilée,* il y eut d'abord un silence puis, de façon tout aussi marquée, une reprise désordonnée des conversations. Alma donna le ton en évoquant sa courte expérience du théâtre off, cinq ans auparavant.

— On a fait un spectacle autour d'un montage d'extraits de pièces de Molière. On jouait dans une remise près de la place des Carmes. À vingt-trois heures, je crois bien. Avant nous, cinq équipes se succédaient. Après nous, trois. Je ne vous dis pas la complication pour entreposer les costumes, les accessoires... Ah, c'était l'époque héroïque !

Elle avait parlé d'une traite, sans reprendre son souffle. Ses mains étaient posées à plat devant elle sur la nappe en papier : courtes, larges, trapues. Des mains de garçon malgré les bagues et les ongles laqués de rouge. Des mains de lutteuse. Alexandra les fixait, fascinée, comme si elle les découvrait.

— Qu'est-ce que t'as ? T'as mal au ventre, raillait Sylvain.

Il allongeait ses jambes sous la table jusqu'à rencontrer celles d'Alexandra. Celle-ci recula les siennes, mais les jambes de Sylvain suivirent, tenaces, patientes, joueuses. Elle lui donna un coup de pied. Les jambes s'écartèrent puis revinrent exagérément entreprenantes. « Arrête », protesta Alexandra à voix basse. Les jambes de Sylvain consentirent à marquer une pause.

Peu à peu le silence se fit autour de la table. Chacun rêvait. Rêves de gloire, de conquête, de triomphe. Rêves de vie. Un alanguissement des corps et des cœurs. On finissait les verres de vin, on commandait des cafés. Alma bâillait. Exagérément, ostensiblement. La première, elle paya sa part d'addition et quitta la table. Il était un peu plus de onze heures.

— Où habitez-vous les uns et les autres ? demanda-t-elle.

Elle semblait pressée de s'en aller tout à coup. Ses questions pourtant amicales sonnaient faux. Mais on lui répondit. Gérard et Michel avaient loué un studio près de la gare. Marie-Lou,

236

Sylvain, Marie-France et Christine étaient descendus dans un hôtel conseillé par le festival et qui se trouvait pas loin des remparts, boulevard Raspail.

— Et toi, Alexandra ?

— Moi aussi.

On en était à se dire au revoir. On se donnait l'accolade, on s'embrassait. Avec une affection nouvelle, excitante, exagérée, bien sûr, mais si sincère aussi. « Nous faisons partie du meilleur spectacle », répétaient certains. « Ce sera l'événement du festival », répondaient les autres. « Jurons-le », proposa Alma. Tous jurèrent. À voix basse, en prenant pour témoins le croissant de lune et les étoiles. Avec la ferveur d'une bande de conjurés. Ou de louveteaux.

Alexandra marchait au hasard dans les rues d'Avignon. Ses derniers camarades étaient partis dans des directions différentes, elle était seule. Pour penser. Pour rêver. Elle songeait à Lucerne. Il était satisfait de son travail dans *Penthésilée*. Elle espérait que cela l'emporterait sur le reste ; qu'il cesserait de lui en vouloir ; qu'il réaliserait qu'il ne l'aimait pas autant qu'il s'obstinait absurdement à le croire ; que *Penthésilée,* enfin, les réconcilierait dans une amitié paisible. Cette nuit-là, Alexandra mettait le théâtre au-dessus de tout. Le théâtre les sauverait, les transfigurerait. Elle le souhaitait comme on souhaite parfois croire en Dieu, passionnément, obscurément.

237

Arriverait-elle à faire en sorte qu'Adrien, s'il lui revenait, comprenne ce qu'était le théâtre dans sa vie ? Et Olivier ? Son frère Olivier qui ne croyait pas au sérieux de son choix. Qui refusait qu'elle devienne une actrice. Qui espérait encore qu'elle change de métier, qu'elle se marie, qu'elle fasse des enfants ou qu'elle parte soigner des malades en Afrique. N'importe quoi plutôt que du théâtre. En quittant Paris, elle avait laissé sur son répondeur le numéro de téléphone de l'hôtel d'Avignon. Olivier l'appellerait-il pour lui demander de ses nouvelles ? Cela faisait des mois qu'ils ne s'étaient pas parlé. Et Adrien ? Par instants la traversait, fulgurante, presque douloureuse, cette intuition : Adrien serait de retour pour la première de *Penthésilée*. Il en avait inscrit la date sur son agenda.

Parfois, elle se retournait. Illuminé, immense, le palais des Papes se dressait entre la ville et les étoiles comme une vision de conte de fées. Alexandra restait quelques minutes à le contempler, le cœur battant, avec ce sentiment si nouveau et si fort d'approcher un de ses rêves les plus secrets.

Tout à coup, Alexandra aperçut David Mathews qui marchait à sa rencontre, sur le même trottoir, bien au milieu, sans se presser, sans s'attarder. Il était étonnamment beau et singulier. Quelque chose de lumineux et d'animal se dégageait de lui tandis qu'il avançait. « Un ange, pensa Alexandra. Un félin. »

Il la dépassa sans la reconnaître. Mais elle

reçut sa présence comme un souffle chaud, comme une caresse. Et quand il disparut, ce qui flotta un instant encore derrière lui la laissa désemparée et vaguement déçue. Sans s'en rendre compte, elle s'était mise à fredonner les premières paroles de cette ballade qu'il avait chantée lors de l'anniversaire d'Alma.

Alas my love ! you do me wrong
To cast me off discourteously ;
And I have loved you so long,
Delighting in your company.

Si David Mathews était encore dans l'impossibilité de danser certains rôles au Royal Ballet, son pied était tout à fait remis. L'opération avait été bénigne, il s'était reposé, il refusait qu'on en parle. Il s'immergea dans le travail théâtral où il se révéla d'une souplesse et d'une rapidité qui firent l'admiration de tous. Il s'appropriait aussitôt les indications de Lucerne, les prolongeait, trouvait naturellement le lien entre ses différentes apparitions, le juste rapport avec ses partenaires. Il donnait le sentiment de n'avoir qu'à apparaître pour être Achille. C'était vrai et faux. À une sorte de grâce innée, il adjoignait la discipline, la concentration et la rigueur morale qui lui venaient de la danse.

En peu de jours, David Mathews imposa un Achille tout en nuances. D'abord d'une autorité rayonnante, il glissait peu à peu vers un personnage somnambulique, vulnérable et offert. Il était ce héros désarmé par l'amour et qui marche au-devant de la mort sans la soupçonner, candide, enfantin et tendre. On craignait pour lui, on pressentait le pire. Mais pour ceux qui ignoraient la pièce de Kleist, le pire était inimaginable. Comment croire, en effet, que Penthésilée, dans un moment de folie, lâcherait sur lui la meute de ses chiens et que ce corps solaire, si jeune et si parfait, périrait déchiqueté?

— Je veux leur donner envie de vomir. Je veux qu'ils ne s'en remettent pas de sitôt et que le suicide de Penthésilée, ensuite, les achève! répétait Lucerne avec férocité.

Ils, c'était les futurs spectateurs, masse pour le moment informe et abstraite que l'on évoquait avec un mélange de mépris et d'effroi.

Lucerne avait exigé et obtenu que les répétitions se déroulent à huis clos, sans témoins. Pas de journalistes, pas de photographes. Hormis une exception pour les organisateurs du festival qui eurent droit à un filage. Un seul. Ils firent peu de commentaires mais s'avouèrent « impressionnés » et « confiants ». Ils promirent de ne plus revenir avant la première. Mais grâce à eux, la rumeur commença à se répandre : Avignon abritait un spectacle meurtrier et sanguinaire dont on pouvait présager qu'il « ferait l'événement ». On parlait de Lucerne comme d'un poète visionnaire et romantique, véritable descendant de Kleist.

Lui, ignorait farouchement tout ce tapage.

Il ne vivait plus que pour son spectacle, dormant à peine, toujours au théâtre, exigeant de son équipe une présence continuelle auprès de lui. Une rage semblait l'animer. Tour à tour Achille et Penthésilée, il disait souffrir autant que ses personnages. Rien ni personne ne paraissait pouvoir le divertir. Il se fâchait souvent contre les lenteurs de la technique ou les hésitations d'un acteur. Ses colères, soudaines et effrayantes, ne duraient d'ailleurs pas. Mais elles entretenaient son équipe dans un perpétuel état de tension.

Heureusement, Didier Lalouette tempérait beaucoup de ses excès, adoucissait les commentaires souvent durs, soulignait le moindre des efforts. En même temps, il ne cessait de revenir au texte de Kleist et, à partir de celle de Gracq, de revoir l'adaptation écourtée qu'il en avait tirée. Certaines répliques d'Achille furent réintroduites.

David Mathews avait une belle voix. Un soupçon d'accent britannique la rendait étrange et contribuait à faire d'Achille un homme différent de ses compagnons. Cette ombre d'accent, David s'appliquait à la gommer. Il parlait lentement, articulait soigneusement chaque mot. C'était pour lui un défi professionnel de plus qu'il relevait avec son élégance habituelle.

Jamais il ne se plaignait, jamais il ne faisait part de ses doutes, de ses peurs. Son humeur restait égale, sa disponibilité constante. Mais il ne se liait avec personne. Le travail terminé, il rentrait aussitôt se coucher. Sur sa demande, le festival lui avait trouvé un cours de danse où il allait tous les matins faire ses exercices à la barre. Il veillait aussi à rééduquer son pied avec un podologue habitué aux problèmes spécifiques des danseurs. Il logeait dans un appartement prêté par un ami antiquaire près du palais des Papes. Y était-il seul ? Personne n'aurait su le dire.

Lucerne lui avait d'abord reproché de faire bande à part, puis s'était incliné. David était à ses yeux l'artiste parfait, l'outil perfectionné et docile que tout metteur en scène rêve de rencontrer. Parfois, il se laissait aller à quelques secondes de contentement et on pouvait l'entendre gémir de plaisir : « Alma... David... » Il semblait alors éperdu d'amour et de reconnaissance. Mais cela ne durait guère et sa nature coléreuse et sombre reprenait vite le dessus.

— Plus de tension ! réclamait-il. Mettez-vous en danger ! Jouez votre vie !

Et l'acteur, électrisé, détruisait ce qu'il avait acquis et tentait quelque chose de nouveau qui le fragiliserait davantage encore mais qui était un pas de plus vers cette part inconnue de lui-même que traquait Lucerne.

— Si vous avez une seule seconde le sentiment de ne plus être sur une corde raide, abandonné au-dessus d'effroyables précipices, c'est que vous n'avez pas votre place ici. Vous ne serez jamais assez en danger ! martelait-il.

On lui avait installé une table au centre du sixième rang de l'orchestre et branché une lampe-veilleuse de manière à lui permettre de lire et d'écrire. Cet éclairage accentuait la couleur terreuse de son visage dévoré de nouveau par une barbe hirsute et sale. Il portait toujours les mêmes vêtements noirs ; sa veste, une sorte de chiffon informe, donnait à croire qu'il dormait dedans. Ce laisser-aller volontaire, agressif, tranchait avec l'élégance minutieuse de Didier, assis à ses côtés, au milieu d'un amoncellement de cahiers, de brochures et d'éditions diverses de *Penthésilée*. Vestes, chemises et cravates, toutes de couleurs vives, se succédaient avec goût et fantaisie. Si on lui en faisait compliment, Didier se justifiait ainsi : « C'est ma façon de résister à Lucerne. » Et comme celui-ci se retournait, méfiant, prêt à se fâcher : « Je propose que, pour la première, tu te laves et te changes. L'équipe tout entière est disposée à se cotiser pour t'offrir le coiffeur. » Lucerne s'en tirait par une grimace dédaigneuse. Didier lui était plus que jamais indispensable. Il avait réussi à l'attirer dans sa maison. Il ne le quittait pas, le guettait dès le réveil, l'empêchait d'aller se coucher. Sans arrêt, il s'adressait à lui. Didier s'épuisait mais tenait bon. Il avait en fait monnayé sa présence chez Lucerne : « Le lendemain de la première, je me tire ! Je disparais ! Il y aura dix mille kilomètres entre toi et moi ! »

Il faisait une chaleur accablante, cet après-midi-là, dans l'ancien cinéma transformé en théâtre. On répétait la scène XXI où Achille se rend, confiant et désarmé, à ce qu'il croit être un rendez-vous amoureux et qui est un rendez-vous avec la mort. Pour cette dernière apparition, Lucerne l'avait voulu presque nu, offrant à tous — à Penthésilée, à ses chiens, au public — son corps magnifique. « Il faut que toutes les femmes et tous les hommes présents dans la salle rêvent de coucher avec lui », avait-il expliqué dès les premières séances de travail, autour de la table.

La répétition avançait lentement et laborieusement. Des tonnes de sable blanc recouvraient maintenant le plateau. Une tente, quelques armes éparses et les restes d'un feu éteint figuraient le camp des Grecs.

Sylvain et Gérard entouraient David. Ce jour-là, ils se prenaient les pieds dans leurs tout nouveaux costumes, s'enfonçaient trop profondément dans le sable. Ils juraient contre le décor, la chaleur, leur maladresse et les rigueurs de la mise en scène. En chuchotant, bien entendu, de manière que Lucerne, derrière sa table de travail, ne les entende pas. David, à l'inverse, semblait se jouer de toutes ces difficultés. Il bougeait peu, mais le moindre de ses mouvements captait l'attention des membres de l'équipe éparpillés dans la salle.

— J'ai beau l'éclairer moins que les autres, se lamentait René, il prend quand même toutes les lumières. Je n'ai jamais vu ça. Sylvain et Gérard disparaissent dès qu'il entre en scène.

— C'est vrai qu'ils sont un peu ternes comparés à David, reconnut Didier.

— Débrouille-toi, dit Lucerne. Mais je veux que ces deux crétins existent quand même un minimum face à David.

L'éclairagiste s'inclina.

— J'espère te trouver une solution pour demain après-midi.

— Pour ce soir !

L'éclairagiste leva les bras au ciel et émit à l'égard de son metteur en scène quelques jurons provençaux.

— Et comment veux-tu que je fasse ? Vous répétez tout le temps ! Vous ne nous laissez que le matin, à nous, la technique !

— Travaille sur l'heure de la pause.

— À la place du dîner ? Tu veux ma mort ?

Lucerne eut un regard mauvais pour le ventre qui enflait sous la chemise camarguaise.

— Tu es trop gros ! Vous ne pensez tous qu'à vous distraire et à manger ! Est-ce que je m'amuse, moi ? Est-ce que je mange ?

Il écrasa furieusement sa cigarette à même la table, à quelques centimètres de la soucoupe qui lui servait de cendrier. Didier ramassa le mégot et souffla sur les cendres.

— Si on poursuivait ? proposa-t-il.

Sur scène, les trois hommes qu'on ne regardait plus venaient de s'arrêter de jouer. Sylvain et Gérard s'étaient avancés à l'extrême bord du plateau. Leurs yeux inquiets fouillaient l'obscurité de la salle en direction de la petite zone éclairée par la lampe-veilleuse.

— Qu'est-ce qu'ils ont, ces deux abrutis ?
bougonna Lucerne. Et de sa voix coupante et
dure : Pourquoi vous arrêtez-vous ? Continuez !

Mais Sylvain, décidément, traversait une phase
de découragement qui le rendait nerveux et
discutailleur.

— Ça ne va pas, dit-il.

— Qu'est-ce qui ne va pas ?

— Tout. Cette chaleur. Ce sable. Cette couverture ridicule qui me sert de manteau et avec
laquelle je n'arrive plus à jouer !

David, obligeamment, prit Sylvain par les
poignets et le guida sur le sable.

— Tu n'as qu'à marcher comme ça... Et puis
comme ça... Tu lèves à peine la jambe, tu plies le
genou... Tu y penses une journée et puis ce sera
comme une deuxième habitude.

Il lui emprunta le morceau d'étoffe dont il se
drapa.

— Et avec le manteau, c'est exactement pareil.
Tu te concentres. Le mouvement part de la
hanche, puis du genou, puis c'est le pied qui se
lève. C'est ce même mouvement qui te permet de
repousser les pans du manteau si tu sens qu'il te
gêne. Essaie !

Il lui reposa l'étoffe sur les épaules.

— Qu'est-ce que je fais ? cria Sylvain en direction de la salle.

— Tu essaies ! cria Lucerne en retour.

Tant bien que mal, Sylvain suivait les indications de David. Mais ce que ce dernier faisait

naturellement devenait avec lui une caricature du pas de l'oie. « Les épaules, lui soufflait David. Ne pense plus qu'à elles. Efface-les. Et ton buste, bien de face... »

— C'est pas possible, murmurait Lucerne, on se croirait dans un film de Mel Brooks !

Car la démonstration de Sylvain ne faisait qu'empirer. Raide, emprunté, il lançait excessivement lentement le haut de la jambe droite, puis la gauche. Les pans de son manteau voletaient autour de lui. Il avait l'air d'un soldat nazi d'opérette.

— *The Producers !* gloussa Didier. C'est tout à fait *The Producers* !

Et à voix basse, il chantonna :

— *Springtime for Hitler and Germany...*

Son fou rire gagna Alma, Alexandra et Linou, assises un rang derrière lui. Sur le plateau, David, patiemment, s'obstinait.

— Ce n'est pas encore ça, Sylvain. Essaie de faire comme moi...

Le contraste était irrésistible entre le gracieux corps presque nu de David et celui embarrassé, entortillé et pataud de Sylvain. Même Jo, présent dans le renfoncement qui tenait lieu de coulisses, ne pouvait plus se retenir de rire. Ce que voyant, Sylvain s'arrêta net. D'un geste furieux, il lança le morceau d'étoffe aussi loin qu'il put sur le sable. Il était rouge, son jean et son tee-shirt étaient trempés de sueur.

— Ce n'est pas possible de jouer dans une

pareille fournaise ! cria-t-il en se tournant vers Lucerne. Pourquoi on n'a pas l'air conditionné, comme dans les autres théâtres du festival ? Quand on crève de chaud, on travaille mal !

Lucerne s'était redressé, tremblant d'une rage trop longtemps contenue. Dans un même mouvement de recul, Alexandra et Linou se renfoncèrent dans leurs fauteuils. Alma, à l'inverse, se rapprocha de Didier, soucieuse et contrariée. On l'entendit qui protestait à mi-voix : « On perd un temps fou ! J'ai besoin qu'on passe à mes scènes ! »

— Cette fournaise, comme tu dis, correspond exactement à la fournaise dans laquelle se débattent et meurent Penthésilée et Achille.

Lucerne articulait chaque mot comme s'il s'adressait à un demeuré. Ses mains s'étreignaient l'une l'autre dans un mouvement involontaire, incontrôlé et convulsif.

— Ça ne va pas aider le public à suivre le spectacle, plaida encore Sylvain.

— Qui parle d'aider le public ? hurla Lucerne. Je n'arrête pas de vous dire qu'il ne faut pas aider le public ! Qu'il faut lui rendre la vie difficile ! Qu'il doit souffrir, lui aussi ! Mériter le drame que nous lui offrons ! Ça fait deux mois que je me tue à vous le répéter et vous, bande de roquets serviles, vous continuez à parler d' « aider le public » !

Inquiet, Sylvain reculait. Les autres membres de l'équipe, choqués par ce vous collectif, se sentaient devenir nerveux à leur tour. Didier se

249

taisait et son silence était comme une caution à la colère de Lucerne. Il y eut une sorte de flottement durant lequel chacun s'efforça solitairement au calme. Puis, la voix posée de David résonna dans le théâtre.

— Et si nous reprenions ? D'après le plan de travail, les filles répètent dans une heure. Je devine qu'Alma s'impatiente.

— Continuons, en effet, approuva Lucerne.

Il frappa dans ses mains.

— Allons-y !

Gérard et Sylvain reprirent leurs places initiales, entourant un David rêveur, lointain, comme absent à eux, au sable, aux lumières qui devenaient bleues et qui donnaient l'illusion de la nuit. La scène entre Ulysse, Diomède et Achille pouvait reprendre.

— *J'étais en train de demander si la guerre pour Hélène, sous les murs de Troie, c'était un rêve — un rêve oublié ?* dit Sylvain.

David perdit en une seconde son air de somnambule. Son corps se contracta et devint celui d'un guerrier prêt au combat. Une détermination brutale et virile se dégageait de lui. Mais quand il parla, ce fut d'une voix très douce. Et cette douceur, le soin qu'il prenait pour articuler chaque mot donnaient à ses paroles quelque chose de menaçant et de terrible. Ce n'était encore presque rien et pourtant le sentiment du danger, de la mort proche, commençait à s'imposer.

*— Écoute-moi, Ulysse. Si Troie s'engloutissait —
comprends-tu bien — et si un lac — un beau lac bleu
— s'étalait à sa place, si des pêcheurs tout gris de
clair de lune venaient amarrer leurs barques aux
girouettes de ses toits — si un brochet tenait ses
assises dans le vieux palais de Priam, et si un couple
de loutres ou de rats faisait l'amour dans le lit d'Hélène — je me soucierais de Troie autant que je le fais
maintenant.*

Un frisson parcourut les quelques membres
de l'équipe resserrés autour de Lucerne et
Didier. « Ô mon Dieu ! » soupira Alma et sa
main se posa sur l'épaule de Lucerne. Celui-ci
pivota en arrière, vers ses actrices. Il vit
l'expression émue de leur visage et son propre
trouble s'en trouva accentué.

— Quelle présence ! chuchota Alma.

— David est magnifique ! approuva Lucerne.
Je me sens devenir pédé rien qu'à le regarder !

— Oh, oui ! Je comprends ! enchaîna étourdiment Alexandra.

Les muscles de la mâchoire de Lucerne se
crispèrent. Il eut un mouvement nerveux du
buste pour se dégager de la main d'Alma, toujours posée sur son épaule.

— Comment ça, tu comprends ?

Il n'entendit pas le « Chut, taisez-vous ! » de
Didier. Alexandra si, et ce fut dans un murmure qu'elle répondit. En se rapprochant de
Lucerne, en lui souriant gentiment, encore
éblouie par la prestation de David.

— David, quand on le voit sur scène, provoque le désir. Celui des femmes, celui des hommes.

— Excuse-moi, mais je ne saisis toujours pas, s'obstinait Lucerne.

— Mais enfin, Jean, protesta Alma, c'est exactement ce que tu nous as toujours dit ! La raison qui t'a poussé à choisir David Mathews plutôt qu'un acteur !

Il les contempla, toutes deux penchées vers lui, buste contre buste, épaule contre épaule : deux Amazones, en vérité.

— Vous vous êtes donné le mot ? demanda-t-il, méfiant.

— Le mot de quoi ?

Alma s'en étranglait d'impatience. Alexandra s'était renfoncée dans son fauteuil. Elle contemplait passionnément les trois garçons qui venaient d'achever la scène et qui attendaient que Lucerne et Didier se prononcent.

— C'était bien, dit enfin Didier. Les problèmes de manteaux sont des problèmes techniques que vous résoudrez très vite. Mais pour le reste, l'intention y est. Peut-être pourriez-vous la refaire encore une fois ? Pour fixer. Qu'en penses-tu, Lucerne ?

Lucerne ne pensait rien. Il épiait avidement Alexandra, traquant sur son visage les signes du trouble, de l'amour, de la passion qu'il était en train de lui prêter pour David, à toute vitesse, dans le désordre et rageusement.

— Alors, Lucerne ? Tu dors ? demanda Didier.

— C'était bien, trancha Lucerne avec effort. Nous y reviendrons demain à quatorze heures. Passons à la scène XIII.

Il venait d'apercevoir sur le bras mince et hâlé d'Alexandra une petite rougeur suspecte, presque à la hauteur de l'épaule gauche, qui ressemblait fort à la marque laissée par une morsure. Il fallait qu'il la confronte aussitôt avec David. La scène XIII s'y prêtait.

— Alma, David et Alexandra sur le plateau, tonna-t-il. Les autres, vous pouvez partir.

— Mais soyez de retour à vingt heures trente. Le filage démarre à vingt et une heures, tonna Jo en écho.

— Je voudrais bien qu'on en vienne à la scène d'amour de Penthésilée et d'Achille, réclamait Alma sans bouger, respectant ainsi la pose de guerrière évanouie que lui avait indiquée Lucerne.

Alexandra s'arrêta de jouer.

— C'est comme tu veux, Alma, dit-elle.

Dans la salle, Lucerne ne l'entendait pas ainsi.

— C'est moi qui décide qui répète quoi. Si ça ne te convient pas, Alma, je peux toujours m'en aller et te laisser le soin de tout diriger à ma place.

Comme pour renforcer l'aspect menaçant de ses paroles, Lucerne se leva. Si brusquement qu'il heurta la planche qui lui servait de table de travail. La lampe-veilleuse roula à terre. Jo la ramassa.

— De toute façon, dit-il, il ne reste plus que trente minutes avant la pause.

— Qui a besoin d'une pause ? grogna Lucerne.

— Je ne sais pas, répondit Jo avec calme. Mais

la technique a besoin du plateau. C'est prévu comme ça.

Lucerne se laissa tomber de tout son poids dans le fauteuil.

— J'ai demandé qu'on fasse quelque chose pour empêcher que ces fauteuils grincent, craquent et couinent ! Qu'est-ce qu'on a fait ?

— Rien encore, reconnut Jo.

Sur le plateau, les acteurs attendaient, figés comme sur un instantané photographique.

David et Alexandra, agenouillés autour du corps immobile d'Alma, avaient cessé de se faire face. Leurs doigts traçaient machinalement des dessins sur le sable. Ils venaient de répéter plusieurs fois de suite une scène durant laquelle Prothoé suppliait Achille d'épargner la reine blessée, de lui cacher qu'elle était vaincue et prisonnière, de lui faire croire qu'elle avait presque gagné la bataille et qu'il était, lui, son glorieux prisonnier.

Alexandra s'y était montrée excellente, trouvant du premier coup le juste balancement entre l'espoir et le désespoir, la naïveté et la lucidité. Le courant qui passait entre elle et David était celui qu'exigeait cette scène, ni plus ni moins. Lucerne avait beau traquer chez eux les signes d'une autre complicité, amoureuse ou sur le point de le devenir, il ne trouvait rien susceptible de nourrir son imagination morbide et soupçonneuse. Mais loin de s'en rassurer, il devenait plus exaspéré encore.

— Ça ne va pas ? demanda enfin Alexandra.

Elle ne posait jamais ce genre de question, par pudeur, par timidité. Mais le silence hostile de Lucerne, son obstination à ne pas passer à la scène suivante — celle que réclamait, à juste titre, Alma — devenaient d'effroyables sources d'angoisse. Se pouvait-il qu'elle se soit trompée dans son interprétation ? Tout semblait maintenant le lui suggérer.

— Ce que je fais est très mauvais, c'est ça ?

Elle parlait d'une voix étranglée sans oser regarder en direction de la salle. « Don't worry, you are great », lui chuchota David. Ses yeux bruns pailletés de jaune lui souriaient, confiants, gentils.

Alma eut un long bâillement d'ennui.

— Doit-on considérer que la répétition est terminée ?

Lucerne continuait à se taire, le regard toujours rivé sur le couple que formaient David et Alexandra.

— Je considère que, pour moi, c'est terminé.

Alma se leva, esquissant quelques étirements, tournant lentement la tête de gauche à droite et inversement, massant ses membres endoloris.

Au sixième rang de l'orchestre, un fauteuil claqua bruyamment, puis la porte du fond qui ouvrait sur le hall : Lucerne venait de quitter le théâtre.

— La répétition est terminée, conclut Didier.

— Filage à vingt et une heures, rappela Jo.

Il rattrapa Alma qui s'apprêtait à quitter le plateau.

— Où est Linou? demanda-t-il, un rien agressif.

— Dans le restaurant où nous dînons tous, je suppose.

— D'habitude, elle assiste à toutes les répétitions jusqu'au bout, insistait Jo. Est-ce qu'elle serait allée dîner ailleurs? Tu crois qu'elle le ferait sans prévenir?

Alma eut un deuxième bâillement, affecté celui-là.

— J'ai dit à Linou de m'attendre et elle m'attend, dit-elle.

Jo parut soulagé.

— Je vois que tu veilles sur elle. Je te remercie. Je ne sais pas ce qu'elle a en ce moment. Elle est...

— ... comme une actrice à dix jours de la première, compléta Alma. Maintenant, je désirerais aller me changer.

Il s'écarta en balbutiant des excuses, puis ramassa l'arc et le carquois qu'elle avait jetés sur le sol dans un geste inhabituel de mauvaise humeur. Comme un écho lointain au départ précipité de Lucerne, il y eut un autre claquement de porte : celle de la loge commune des filles où Alma venait de s'enfermer.

Dans la salle encore obscure, Alexandra cherchait Didier Lalouette. Celui-ci achevait de mettre de l'ordre sur la table de travail. Quelqu'un l'avait rejoint qui se redressa dès qu'elle apparut

257

dans la travée centrale : Jérémy. Spontanément, elle l'embrassa.

— Je suis si heureuse que tu sois de retour.

— J'ai assisté à toute la répétition du balcon, dit-il. Tu es très bien.

— Pour de bon ?

— Pour de bon.

Il n'en fallait pas plus pour qu'aussitôt Alexandra se sente mieux. Mais le souvenir du comportement lunatique de Lucerne l'empêchait de se détendre complètement. Sans doute Didier le comprit-il car il lui serra le bras.

— La première approche... Lucerne devient nerveux... Ta scène avec David est belle et juste.

— Vraiment ?

Didier feignit l'épuisement.

— Ah, ces acteurs ! Il faut toujours les féliciter ! Leur dire qu'ils sont les plus beaux ! les plus grands ! les meilleurs !

Il poussa devant lui Alexandra et Jérémy.

— Allons dîner. Prenons des forces. Nous avons tous intérêt à être au mieux ce soir, durant le filage... Lucerne ne nous passera rien ! Tu auras quelques surprises, Jérémy. Plusieurs répliques d'Achille ont été réintroduites exprès pour David... J'ai essayé de te joindre à Paris pour te consulter. Mais je ne t'ai pas trouvé et il fallait aller vite. C'était difficile, tu sais, de me passer de ta collaboration...

Le filage se déroula dans un grand climat de tension. À la nervosité normale des comédiens, à leur peur, répondait on ne savait quelle fièvre qui venait des coulisses et de la salle. Comme si les sentiments passionnés des uns contaminaient immédiatement les sentiments jusque-là plus timides des autres.

L'amour de Penthésilée, *la Reine au sein brûlé, la Furie errante, la Princesse à la ceinture de diamants,* embrasait les esprits et glaçait les cœurs.

Il avait été décidé au préalable qu'on n'irait pas jusqu'au bout de la pièce. Les terribles dernières scènes, celles où l'on assistait à la folie meurtrière de Penthésilée, à la fin hideuse d'Achille, puis au suicide de la reine, n'avaient pas été assez répétées pour qu'on les incorpore. Le filage s'achevait donc après ce que tous appelaient la « scène d'amour ».

Pour Achille qu'elle croyait être son prisonnier, Penthésilée racontait l'histoire des Amazones.

Dans ce récit, Alma avait des enthousiasmes de petite fille, des pudeurs de vierge et des élans passionnés de grande amoureuse. David était allongé contre elle, la tête posée sur ses cuisses. Quelque chose d'infiniment fragile se dégageait d'eux. Une sensualité retenue, troublante, des caresses à peine ébauchées. Mais la présence muette d'Alexandra rappelait que cette scène, si douce, si tendre et qui donnait à croire que les deux amants enfin pouvaient s'aimer, reposait sur un effroyable et dangereux mensonge.

L'entrée désordonnée des Grecs mit fin au filage. On ralluma la salle et le plateau. Les acteurs éblouis clignaient des yeux comme des oiseaux de nuit effarouchés. Marie-Lou, Christine, Marie-France et Linou sortaient lentement des coulisses. David avait quitté les genoux d'Alma pour s'en aller rouler un peu plus loin. Couché sur le sable, les yeux clos, il semblait dormir.

Alma et Alexandra ne bougeaient pas. Quelque chose de meurtri, qui ne leur appartenait pas en propre, stagnait dans l'air comme un halo tragique. Elles semblaient absentes, très loin du théâtre, de cette vie qui reprenait peu à peu autour d'elles et qui se manifestait maintenant par des toux, des raclements de gorge, des soupirs. Les uns après les autres, les acteurs et les actrices se tournaient vers Lucerne.

Il se taisait. Un silence lourd, prolongé, et que personne n'osait encore interrompre. Il était si profondément enfoncé dans le fauteuil, si tassé, qu'on ne voyait pas, du plateau, l'expression de son visage. Coincée entre ses genoux, une bouteille de whisky à peine entamée brillait d'un éclat ambré. Une autre, vide, se dressait sur la table entre la lampe et les brochures diverses de *Penthésilée*. Seule sa main droite s'agitait à la recherche de son paquet de cigarettes.

Dans les coulisses, les techniciens jusque-là discrets et disciplinés recommençaient à s'affairer. On les voyait aller et venir, pousser des câbles et des projecteurs. On les entendait s'interpeller. Un objet tomba d'une passerelle et provoqua une déflagration suivie d'un hurlement de frayeur.

— Vous ne pouvez pas vous taire! cria alors Lucerne.

Il se relevait, frappant de ses poings la table de travail. Un silence immédiat se fit autour de lui. On entendit distinctement le grelot d'une bicyclette tinter à l'extérieur du théâtre.

— Vous ne pouvez pas vous taire? Êtes-vous à ce point insensibles à la souffrance? Savez-vous ce que c'est d'aimer? Avez-vous vu cette pièce? L'avez-vous écoutée? Vous croyez l'avoir interprétée! Mais avez-vous écouté Penthésilée?

Lucerne parlait sur le souffle, d'une voix si assourdie, si rauque, que tous se tendaient pour mieux l'entendre.

— Vous ne savez pas ce que c'est que d'aimer! Vous êtes là avec vos petites vies minables, vos amours étriquées... Mais un peu de respect devant la souffrance! Un peu de respect pour ceux qui osent aimer!

En coulisse, la porte qui ouvrait sur l'impasse claqua brutalement : un technicien excédé s'en allait. Jo eut un geste pour exiger des autres, ceux qu'on ne voyait pas et qui se tenaient dans les différents renfoncements, la continuité du silence réclamé par Lucerne.

Celui-ci tenait la bouteille de whisky collée contre son ventre. Son visage exprimait une si intense douleur que Didier lui-même en fut impressionné. « Sortons un moment, proposa-t-il. Tu leur parleras plus tard. Ou demain. » Mais c'était comme si Lucerne ne pouvait plus l'entendre. Ou ne voulait pas.

— Vous n'êtes pas dignes de cette histoire... Vous n'êtes pas dignes de la côtoyer, elle, Penthésilée...

De son bras tendu et qui tremblait, il désignait Alma, toujours immobile et qui regardait obstinément ailleurs.

— Alma! appela-t-il.

Comme elle ne répondait pas, il repoussa la table de travail et se dirigea en titubant vers le plateau, la bouteille à la main. Les acteurs découvrirent alors son visage inondé de larmes. Certains, gênés, se détournèrent. D'autres, à l'inverse, étaient envahis d'une émotion brouillonne où tout se mêlait : la tension du filage, la crainte de ce qui allait advenir, la pitié.

— Oui, je pleure, disait Lucerne. Je pleure parce que Alma en Penthésilée me fait pleurer...

Il voulut s'incliner devant elle. Mais il perdit l'équilibre et son front heurta le bord du plateau. Si bruyamment que Jo surgit en courant des coulisses où se poursuivait à voix basse une discussion entre les quelques techniciens encore présents.

— Merci, Alma, articulait cérémonieusement Lucerne, tu m'as donné ce soir tout ce que j'espérais... Tu es la plus grande d'entre les plus grandes... Merci, David, de justifier un tel amour... Grâce à vous deux, ils sauront enfin ce que c'est que d'aimer !

Son front heurta une deuxième fois le bord du plateau. Volontairement cette fois-là.

— Car ils ne savent pas ! Personne ! Pas un d'entre vous, ici, dans ce théâtre ! Et vous prétendez jouer ce spectacle ?

Lucerne continuait ce geste insensé de heurter sa tête contre la rampe. Mais il semblait y puiser de nouvelles forces. Ses larmes avaient séché, une rage froide les remplaçait.

— Qu'est-ce que je dois faire pour que vous compreniez que vous ne souffrez pas assez ? Me fracasser le crâne devant vous ?

En coulisse, le bruit s'amplifiait.

— Silence ! hurla Lucerne. Vous ne voyez pas qu'on travaille ?

De nouveau, Jo courut parlementer.

— Vous êtes tièdes ! Vous êtes mous ! Vous

263

êtes peureux! À des années-lumière de Penthésilée, de l'amour...

Il but longuement à la bouteille. Son regard
un court instant se brouilla puis retrouva sa
féroce vivacité.

— *Pièce canine*, a écrit Kleist! Avez-vous
compris ce que vous êtes chargés de raconter?
Moi, je ne peux ni aimer ni jouer à votre
place. C'est tout ce que j'ai à vous dire.

Les comédiens se taisaient encore lorsqu'ils
sortirent du théâtre. Jo, derrière eux, bouclait
toutes les issues. Puis il partit à la recherche
des techniciens. Dans sa hâte, il avait oublié
d'éteindre l'enseigne lumineuse et les six lettres
qui formaient le mot *Regina* scintillaient en rose
sur le fronton de l'ancien cinéma.

David le premier s'en alla, suivi par Didier.
Les autres ne se décidaient pas à les imiter.
Une tristesse commune les retenait devant les
grilles fermées du théâtre.

Alma avait passé un bras autour de la taille
de Linou. Une même affection retenait en
groupe étroit Marie-France, Christine, Michel
et Gérard. Sylvain, un genou dans le caniveau,
déroulait la chaîne qui liait sa bicyclette au
tronc d'un platane. Il mâchait énergiquement
son bâtonnet de vanille. Ses yeux, à plusieurs
reprises, s'étaient posés sur Alexandra, durs,
méfiants et en même temps empreints d'une
interrogation étonnée. Il semblait sur le point

de lui poser une question et de chaque fois y renoncer.

Elle ne se décidait pas à rejoindre ses camarades qui paraissaient d'ailleurs l'ignorer, occupés maintenant à se séparer, à échanger des phrases banales sur l'heure tardive, la direction à prendre et le vent qui se levait. Par une sorte de pudeur tacite, personne n'évoquait le filage.

Une deuxième bicyclette surgit d'une ruelle avoisinante, conduite par Jérémy. Il freina devant Alexandra.

— Ne reste pas là, dit-elle, poussée par une crainte immédiate et irraisonnée qui la faisait regarder autour d'elle comme si un quelconque danger, tout à coup, la menaçait.

— Je te raccompagne ? proposa Jérémy. On bavardera. Tu me raconteras tout ce qui s'est passé durant mon absence. Ça chauffe, on dirait ! Il vous traite souvent comme il l'a fait tout à l'heure ? Et Alma et David tolèrent ça ?

Il riait. « Non, non », faisait Alexandra de la tête. Elle voyait que ses camarades s'étaient retournés et la regardaient. « Va-t'en... On se retrouvera ailleurs... demain... Plus tard. » Elle vit encore l'expression navrée de Jérémy et elle eut honte. Mais elle s'obstina : « Va-t'en. — Comme tu veux. » Jérémy sortit un bout de papier de sa poche sur lequel il griffonna quelques chiffres. « Mon numéro de téléphone. Appelle-moi si ça ne va pas. » Elle prit le bout de papier et très vite se détourna. « À demain. — À demain », répondit-il d'un ton léger. Elle entendit le bruit lisse des pneus sur le goudron, le grelot de sa sonnette quand il quitta la rue déserte pour une autre, plus abandonnée encore et qui s'enfonçait dans un Avignon qu'elle ne connaissait pas.

Et puis, survint ce que confusément elle redoutait.

Soudain, il sortit du porche où il devait s'être caché jusque-là et ses mains s'abattirent sur ses épaules. Elle cria. Un cri qui ne fit que décupler la rage de Lucerne et auquel il répondit par une bordée d'insultes. Sa main droite, maintenant, la frappait, visant le visage, la poitrine, le ventre. Des coups donnés si maladroitement qu'ils les déséquilibraient tous deux et qu'à plusieurs reprises ils faillirent tomber. Alexandra se défendait comme elle le pouvait. Mal, en évitant les poings furieux qui s'abattaient au hasard dans un tumulte d'injures et de menaces. Il était question de Jérémy, du bout de papier qu'il lui avait donné et qu'il cherchait. Alexandra vit comme dans un cauchemar ses camarades se rapprocher et s'immobiliser à quelques mètres. Personne ne passait dans la rue. Aucun promeneur, aucune voiture. Pas même une fenêtre qui se serait ouverte sur un habitant du quartier.

Mais une ombre se détacha du groupe et se jeta sur Lucerne. Une détente de bête fauve. Lucerne chancela sous le poids de l'attaque. Ses poings lâchèrent Alexandra qui roula sur le trottoir sans comprendre qu'elle était à moitié nue et qu'une partie de son chemisier était resté dans les mains de Lucerne.

— Ne recommence jamais ça ! criait Alma.

C'était elle, maintenant, qui le frappait. Lucerne, d'ailleurs, se fatiguait. Il marmonnait de pâteux « Alma... Arrête... Alma ».

De sa voix de tragédienne, Marie-Lou les suppliait de cesser le combat. Mais une joie sauvage et carnassière l'animait qui démentait ses paroles. Cela se lisait sur son visage qu'éclairaient à la fois le lampadaire et les six lettres roses du *Regina*.

Les trois garçons, jusque-là très en retrait, se décidèrent enfin à intervenir. D'un coup d'épaule, Sylvain s'interposa entre Lucerne et Alma. Ses bras puissants repoussèrent les deux combattants, hors d'haleine, à bout de forces, soulagés en fait.

Il demeura encore quelques secondes planté au milieu de la rue, jambes écartées, poings sur les hanches, maître momentanément incontesté de la situation.

— Ça suffit pour ce soir, dit-il.

Alexandra ne bougeait plus du bout de trottoir où elle était tombée. Elle n'était pas blessée. Lucerne, dans sa maladresse, lui avait à peine fait mal et pourtant elle n'arrivait pas à trouver les forces nécessaires pour s'enfuir. Comme si tout chez elle était paralysé : l'esprit, l'instinct, les muscles. Son regard terrifié ne quittait pas Lucerne. Alexandra était en état de choc. Mais Lucerne était désormais dans l'incapacité de se battre avec qui que ce soit. Guidé par Marie-France et Christine, il venait de s'allonger sur un banc. Il poussait des râles de moribond entre-coupés de petits cris de détresse. Sa poitrine se soulevait de façon impressionnante. Penchée au-dessus de lui, Marie-Lou l'encourageait à respi-rer plus lentement, plus doucement. Christine, Marie-France et Linou les encadraient tels trois anges gardiens.

Sylvain ramassa un bout de chiffon qui gisait dans le caniveau et en fit une boule qu'il lança dans la direction d'Alexandra : à peu près tout ce qui restait d'un joli chemisier jaune en soie lavée que lui avait offert Adrien, cinq mois auparavant.

— Toi, dit-il, toi...

Il se rapprocha et la contempla furieusement, indifférent aux efforts qu'elle faisait maintenant pour se relever.

— Je ne peux plus te blairer, Alexandra! Je ne sais pas ce que tu as *encore* fait à Lucerne ou ce que, *encore*, tu n'as pas fait, je m'en fiche, ça ne me regarde pas, mais j'en ai marre!

Sylvain s'était mis à crier. Une voix perçante, aiguë, que personne ne lui connaissait : la voix de quelqu'un au bord de la crise de nerfs.

— Ce que tu lui as fait, ce que tu ne lui as pas fait, qu'est-ce qu'on y peut, nous autres? Mais c'est à nous qu'il s'en prend! Aussi, il peut te battre, te casser la figure, je ne bougerai plus le petit doigt pour te défendre! Tu entends,

268

Alexandra? Ne crois pas que tu peux compter sur une quelconque...

Dans sa colère, Sylvain s'était mis à bafouiller.

— ... une quelconque solidarité! une quelconque galanterie! Je me fiche bien que des hommes frappent des filles comme toi! Tu t'es regardée, d'abord?

Il détaillait méchamment le buste à moitié nu d'Alexandra, les seins ronds et un peu lourds que la jeune femme ne songait même pas à cacher tant les paroles venimeuses de Sylvain l'atteignaient, la blessaient. Elle espéra un bref instant qu'une voix — peut-être celle de Christine, ou alors de Marie-France — s'élèverait pour la défendre, pour expliquer à quel point ce discours était absurde et injuste. Mais rien ne vint; le silence tout autour pesait comme une approbation. Et c'était pire que les coups de Lucerne, pire que tout, ces paroles, ce silence.

— Viens.

Alma se détacha du mur contre lequel elle s'était appuyée pour reprendre son souffle. Elle respirait encore avec difficulté mais se tenait de nouveau droite, les épaules effacées, à la fois résolue et arrogante.

— Viens prendre un verre.

Plus qu'une proposition, c'était un ordre. Alma enleva sa veste qu'elle jeta sur les épaules d'Alexandra. Une veste d'officier, à col dur, en drap épais, sans doute achetée aux puces.

269

— Et habille-toi. Il ne manquerait plus qu'on t'arrête pour exhibition nocturne.

— Alma! appela Lucerne en se redressant sur le banc. Alma!

Il fallait passer devant lui pour rejoindre le centre-ville. Alma le fit la tête haute, poussant devant elle une Alexandra récalcitrante et peureuse.

— N'aie pas peur, dit-elle. Il ne te touchera plus.

Et à Lucerne qui pour la troisième fois hurlait son prénom :

— Ferme-la, maintenant.

— Allez vous faire voir! cria Lucerne.

Il achevait de se relever, aidé par Marie-Lou, Christine et Gérard. Une fois sur pied, il insulta dans le désordre Alexandra, Alma, les organisateurs du festival d'Avignon, les techniciens du *Regina* et Sylvain qui venait de refuser de lui prêter sa bicyclette. Et puis les étoiles qui scintillaient dans le ciel et qu'il injuria une par une, nommément, longuement, dans un surprenant étalage de connaissances en astronomie.

Alma ne s'accordait que trois cigarettes en fin de journée. Les fumer devenait un rituel raffiné et voluptueux dont rien ni personne ne pouvait la distraire. Elle prit donc tout son temps pour choisir une longue et fine cigarette blonde, pour l'allumer et pour en tirer les premières bouffées.

Le vent qui s'était brusquement levé et soufflait avec force avait rafraîchi l'atmosphère : on remontait le col de sa veste, on croisait frileusement les bras sur le ventre.

Alexandra commençait lentement à se remettre de sa peur. Elle regardait avec curiosité ce café dans lequel elle n'était jamais venue et qui était un des derniers à fermer ; les canettes de bière, les papiers sales et les mégots qui jonchaient le sol et qu'une Africaine somnolente balayait ; les clochards avinés, agrippés au comptoir, dont les exclamations bruyantes faisaient sursauter un couple d'adolescents — un garçon et une fille — aux doigts chastement enlacés et dont les gros sacs attestaient qu'ils étaient en attente d'un train. Partiraient-ils ensemble? Allaient-ils se séparer? Et dans ce cas-là, lequel des deux resterait pour s'en retourner ensuite, solitaire et désolé, vers une chambre qu'Alexandra imaginait proche de la sienne, rue Servandoni : petite, en désordre, avec des volets fermés et des draps répandus sur le sol...

L'absence d'Adrien, tout à coup, prenait des proportions dramatiques, insupportables, scandaleuses. C'était une douleur dans le bas-ventre, dans l'estomac, une nausée qui la poussait à se détourner de la cigarette d'Alma dont l'arôme l'écœurait, des tasses de tilleul-menthe qu'on avait déposées à leur intention. Comparé à ce vide, tout perdait de son importance : la furie de Lucerne à son égard, la première de *Penthésilée* si proche maintenant, Alma dont le regard bleu et fixe passait bien au-dessus de son épaule pour suivre, pourrait-on croire, le va-et-vient d'un couple de vagabonds et de leur chien.

— S'il y a une chose que je ne supporte pas, dit-elle, c'est la façon dont les gens droguent et maltraitent leurs animaux pour mieux nous apitoyer. J'ai dû menacer un clochard de lui cogner la gueule, l'autre soir, s'il ne cessait pas de battre un malheureux corniaud, croisement ingrat de caniche et de teckel...

Son regard vint lentement se poser sur Alexandra.

— S'il y a une autre chose que je ne supporte

272

pas c'est qu'on s'attaque physiquement à quelqu'un de plus faible que soi. Lucerne n'aurait
jamais dû te frapper. Il ne recommencera pas. En
ma présence, tout du moins...

Dans le miroir qui occupait tout le mur du
fond, Alexandra voyait se refléter leurs deux
silhouettes : celle d'Alma, bien d'aplomb sur sa
chaise, nette, comme tirée au cordeau, et la
sienne, si brouillonne. Elle rectifia sa position.
L'éclairage au néon donnait à tous les consomma-
teurs un même air blafard et épuisé.

— Quelle horreur ! dit Alexandra. J'ai quarante ans, ce soir !

Elle se frotta les joues dans l'espoir d'y ramener
un peu de couleurs. Mais le miroir s'obstina à ne
pas lui renvoyer une meilleure image.

— Quelle importance ? répondit Alma avec
impatience.

Le silence, entre elles, retomba. Alexandra se
remit à penser. Les choses n'en resteraient pas là :
il lui fallait dans quelques heures retourner au
Regina, reprendre les répétitions, affronter
Lucerne. Le souvenir de sa violence lui arracha
une grimace de dégoût. Comme le souvenir de sa
terreur et de ce qu'elle commençait à appeler « sa
lâcheté ». Et c'était peut-être ça, rétrospective-
ment, qui la dégoûtait le plus : sa paralysie de
lapin stupéfait pris dans les phares d'une voiture
et qui se laisse écraser sans tenter de fuir. Oui,
c'était ainsi qu'elle se voyait maintenant : un
lamentable lapin sur une route de campagne... Le

273

miroir, cruellement fidèle à ses divagations, lui renvoya l'image de ce lapin-là, hébété et stupide.

— Évidemment, tu serais en droit de songer à quitter le spectacle, dit soudain Alma.

Alexandra sursauta. C'était peut-être étrange, mais cette pensée ne l'avait pas effleurée ce soir. Elle tenta d'accrocher le regard d'Alma. Savoir ce qu'elle avait en tête. Comprendre le pourquoi de ce qui lui semblait être une proposition. Une suggestion, tout du moins.

— Ah, oui ? dit-elle prudemment.

Le regard bleu l'effleura. Alexandra y décerna de l'agacement. Comme si tout ce qu'elle pouvait taire, tout ce qu'elle pouvait dire l'irritait de la même façon. « Elle ne me supporte pas », pensa Alexandra en lui donnant raison. Sans elle, sans sa présence, l'existence auprès de Lucerne serait beaucoup plus simple.

— Je suis désolée, dit-elle sincèrement.

Le haussement d'épaules, en face d'elle, l'empêcha de poursuivre. Alma reprit la parole. En buvant son tilleul-menthe par petites gorgées.

— Tu pourrais penser à t'en aller. Mais tu ne le feras pas. D'abord, parce que nous sommes à dix jours de la première et que ce serait un coup terrible pour le spectacle. Ensuite, parce que cela te coûterait très cher. Sans parler du fait que ça casserait pour longtemps ta carrière. Plus personne ne voudrait t'engager après une pareille désertion. Seules les grandes vedettes peuvent se permettre ce genre d'éclat. Ce n'est pas ton cas.

Elle alluma sa deuxième cigarette et sortit de sa poche un peu de monnaie pour régler l'addition. Elle avait l'air satisfait de quelqu'un qui a correctement rempli sa mission, et qui peut s'en retourner la conscience en paix.

— Mais je ne pensais pas quitter le spectacle, dit Alexandra.

Pour la première fois depuis qu'elles se trouvaient dans le café, le regard d'Alma se posa vraiment sur Alexandra.

— Ah, bon ? Eh bien, tant mieux.

Elle avait rassemblé la monnaie suffisante et ramassait son paquet de cigarettes, son briquet et tout un bric-à-brac qu'elle avait étalé d'emblée sur la table et où Alexandra distinguait un énorme trousseau de clefs, un miroir, une trousse de maquillage, une pochette de photos, un vieux marron fripé et un petit ours en peluche râpé à qui il manquait un œil. Tous ces objets reprirent le chemin de sa vaste besace en cuir.

Au comptoir, deux clochards se querellaient. Ils se poussaient du coude, échangeaient des insultes pâteuses et méchantes. Le couple d'ado-lescents avait disparu. Alexandra les chercha des yeux. Ils traversaient sagement le passage clouté devant la gare, ployant sous le poids des sacs en toile. À une table voisine, un grand garçon de type nordique, barbu et chevelu, tentait sur sa guitare quelques accords compliqués. Derrière le comptoir, on refusait maintenant de servir à boire.

— On ferme ! cria le patron.

Alma se levait. Prise d'une soudaine impulsion, Alexandra plaqua sa main sur la sienne.

— Attends... Je voulais te dire...

L'agacement réapparut aussitôt. Il ne fallait surtout pas qu'Alexandra s'y arrête.

— Pour Lucerne, je suis désolée... Je veux dire, je n'y suis pour rien... Je ne fais rien pour le... pour... Enfin, tu vois ce que je veux dire...

Elle avait lâché la main d'Alma et s'était levée à son tour. Les deux jeunes femmes se faisaient face de part et d'autre de la table.

— Tu n'as pas à t'excuser, dit Alma froidement. Je suis tout à fait capable de comprendre ce qui se passe. De toute façon, pour moi, seule compte la première de *Penthésilée*. Je ne peux pas me permettre d'avoir des états d'âme et des doutes.

— Mais Lucerne, tu l'aimes ?

Alma parut choquée par cette question. Son regard bleu devint très dur, très fixe et très lointain.

— Peu importe le sexe, le cœur, il n'y a que le théâtre. En ce moment, tout du moins... Quand les représentations s'achèveront, ce sera une autre histoire...

Elle semblait impatiente d'en finir. Seule une politesse un peu forcée la retenait encore auprès d'Alexandra. Mais comme celle-ci tardait à regagner la sortie :

— Tu me demandes si j'aime Lucerne, je ne

276

répondrai pas à cette question. Ce serait une trop longue discussion et ce type de discussion-là m'a toujours ennuyée. Tu vois ce que je veux dire ? Le côté filles entre elles qui se font des confidences. Et puis, nos conceptions de l' « amour », « aimer » pour employer tes mots, ne peuvent être que très, très, très différentes.

Il y avait quelque chose d'insultant dans son discours, dans sa façon d'insister sur l'adverbe très, et Alexandra regrettait déjà sa question. Elle se dirigea, soudain lasse et découragée, vers la sortie.

Le vent froid qui soufflait dehors la saisit. Un vent qui faisait tournoyer les branches des arbres et qui soulevait d'irréguliers nuages de poussière. Les parasols repliés de la terrasse tanguaient dangereusement entre les tables. Les néons du café s'éteignaient. On entendit grincer le rideau de fer qu'une main experte venait de descendre.

— Je fais quelques pas avec toi, dit Alma. Jusqu'à l'angle du boulevard Raspail. Après, je remonterai vers la place de l'Horloge où je trouverai un taxi. J'ai besoin de marcher un peu seule.

Elles longèrent la rue. Des voitures — très peu — ralentissaient à leur hauteur. Des vitres se baissaient et des hommes en quête d'aventures les invitaient à monter. Mais ils n'insistaient guère. L'expression glaciale d'Alma suffisait à les décourager et très vite ils redémarraient pour s'en aller rouler près de la gare.

Alexandra vit avec soulagement se rapprocher l'angle du boûlevard Raspail. La présence muette d'Alma l'intimidait, lui pesait. Elle aurait souhaité autre chose : une attitude un peu plus amicale, un peu plus confiante. Cela lui rappelait le temps des premières cours de récréation, en Suisse, cette manie qu'elle avait toujours de s'éprendre de grandes filles dédaigneuses de huit ans qui l'ignoraient parce qu'elle en avait cinq. Sa volonté farouche de les séduire. Ses échecs trop prévus et contre lesquels elle se cognait néanmoins.

— Nous voilà arrivées, dit Alma. Ton hôtel est au bout de l'avenue.

— Je sais.

— Bonne nuit, Alexandra.

Elle marqua une brève hésitation et puis l'embrassa sur la joue. Un baiser rapide, guindé, qui ne demandait pas de contrepartie. Déjà, elle se détournait. Pour faire volte-face.

— Ah, oui... Ne te monte pas la tête à propos de Lucerne. Il ne t'aime pas. Il ne t'aime plus. Même s'il l'ignore encore. C'est *Penthésilée* qui le rend enragé, c'est *la Reine au sein brûlé, la Princesse à la ceinture de diamants*. Toi, tu n'es qu'un prétexte, un placebo, un exutoire. Il ne va pas tarder à le comprendre.

Elle rit d'un rire haut et clair qui niait la nuit, le vent, le froid, les vagabonds qui erraient à la recherche d'un abri, Alexandra que ces paroles blessaient et qui donnait l'impression de se ratati-

278

ner sur place. Les yeux bleus brillaient maintenant d'un éclat sauvage et triomphant.

— Sérieusement, Alexandra... Comment pourrait-il hésiter encore longtemps ? Entre toi et moi ?

Et elle se détourna, définitivement cette fois, regagnant l'avenue de la République de sa grande foulée d'Amazone.

Alexandra se sentit gelée jusqu'aux os. Elle boutonna la veste d'officier tout imprégnée encore du parfum d'Alma : une odeur épicée et forte qui ne fit qu'ajouter à sa détresse.

Seules quelques lampes demeuraient allumées au rez-de-chaussée de l'hôtel Raspail. Le gardien de nuit somnolait derrière le comptoir où s'étalait un quotidien local ouvert à la page des mots croisés. Un minuscule transistor diffusait en sourdine des informations. Alexandra s'approcha doucement. Elle cherchait, dans le casier des clefs, le bout de papier plié en quatre qui indiquerait qu'elle avait reçu une communication téléphonique. Réflexe immédiat, espoir sans cesse renouvelé et toujours déçu : personne encore ne l'avait appelée dans cet hôtel. Et de fait, une fois de plus, il n'y avait rien. Pas même sa clef dont elle n'eut pas le temps de remarquer l'absence.

— Alexandra Balsan, appela une voix rauque de fumeuse.

Au bout du hall, se trouvait un espace meublé sommairement et qui faisait à la fois office de salon-télévision et de bar. Marie-Lou avait pris l'habitude de s'y arrêter après la fermeture des cafés de la place de l'Horloge.

Un accord passé avec le gardien de nuit lui permettait de stocker ses bouteilles de rosé dans le frigidaire de l'hôtel. En échange de quoi, quand elle se trouvait seule, il buvait avec elle. De quoi se parlaient-ils alors ? Personne ne le savait. Marie-Lou racontait que de longues et passionnantes conversations les menaient jusqu'à l'aube. Elle prétendait aussi qu'il était amoureux d'elle et qu'il lui faisait une cour discrète et délicieuse. Par indifférence ou par gentillesse, on feignait de la croire.

Mais pour une fois, Marie-Lou n'était pas seule. Marie-France et Christine l'encadraient sur le divan. Elles semblaient toutes les deux si fatiguées qu'Alexandra se demanda ce qui pouvait les retenir dans le hall de l'hôtel, à presque trois heures du matin.

Marie-Lou, à l'inverse, débordait d'énergie. Elle appela une deuxième fois Alexandra, impatiente, autoritaire, parcourue d'un fou rire qu'on pouvait à première vue mettre sur le compte de l'ivresse. Alexandra se résigna à lui obéir. Mais Marie-Lou ne lui proposa pas un verre. Elle ne l'invita pas à s'asseoir non plus. De la contempler, debout devant elle, qui se balançait nerveusement sur une jambe, empêtrée dans la veste trop grande et trop longue d'Alma, semblait suffire à son bonheur. « Elle se moque de moi », pensa Alexandra. Et cela lui donna la force de s'en aller.

— Bonsoir, dit-elle d'une voix égale.

Déjà, elle leur tournait le dos, soulagée de les quitter, pressée de retrouver le calme et l'obscurité de sa chambre.

— Quelqu'un t'attend, dit Marie-Lou.

Alexandra eut comme un haut-le-corps. Mais elle parvint à maîtriser sa surprise, à taire le prénom d'Adrien qui, tout de suite, avait failli jaillir sur ses lèvres. À ne rien dire. À ne rien demander. C'était d'ailleurs inutile. Marie-Lou était incapable de retenir plus longtemps ses informations.

— ... dans ta chambre.

— Je ne te crois pas, murmura Alexandra.

Elle s'était retournée et fixait Marie-Lou de son regard inquiet où se lisaient le doute, l'espoir, puis le désir fou qu'un miracle se soit produit. Elle pensa aussi que Marie-Lou était ivre et que ses propos étaient ceux d'une ivrogne. Or, ivre, elle l'était. Cela se voyait à ses yeux rétrécis, à sa peau marbrée de plaques rouges, à son articulation à la fois molle et laborieuse. Une ivresse contrôlée, assumée, qui contribuait à faire d'elle un personnage agressif, souvent pathétique et presque toujours seul. Marie-France et Christine, visiblement, ne lui apportaient aucun réconfort. Elles étaient là par lassitude, par ennui, par besoin de parler encore et encore de l'état des répétitions. Mais rien d'amical ne s'était établi entre elles trois.

Marie-Lou porta un toast avec son verre de rosé.

— Pas mal ce numéro de biche effarouchée, Alexandra Balsan. Lucerne a raison, nous devons te reconnaître un certain talent d'actrice.

Une quinte de toux la secoua si fortement qu'elle dut poser son verre.

— Pardon... Un talent d'actrice certain ! S'il savait, le pauvre...

Alexandra la fixait maintenant avec horreur. Marie-Lou était une méchante fée acharnée à lui nuire. Quant aux deux autres, elles ne valaient guère mieux. Alexandra détestait leur silence dont on ne savait de qui ou de quoi il les faisait complices. Sans un mot, elle tourna les talons.

Sa chambre se trouvait au rez-de-chaussée, au bout d'un long couloir. Alexandra avançait, le cœur battant, les mains moites, tout à coup. Elle n'avait pas trouvé sa clef dans le casier. Elle se répétait qu'elle l'avait oubliée dans sa chambre, que ce genre de distraction lui arrivait fréquemment. Qu'il n'y avait rien à espérer. Rien à imaginer. Qu'Adrien se trouvait à des milliers de kilomètres, à Tokyo, au Japon. Le nom de cette ville étrangère avait un poids de vérité qui ne trompait pas. Et elle tourna brutalement la poignée de sa porte pour en finir avec ces rêves absurdes, avec ce fantôme.

— N'aie pas peur, Sandra, c'est moi !

Jérémy venait de bondir de l'unique fauteuil. Sa mince silhouette se profilait dans l'obscurité de la pièce que seule la lune, de l'autre côté de la fenêtre, éclairait. Une lune haute dans le ciel et qui en était à son troisième quartier.

— J'aurais dû m'en douter, murmura Alexandra avec lassitude.

Elle referma la porte d'un coup d'épaule, hésitant à allumer le plafonnier, à pénétrer plus avant dans la chambre. Jérémy ne bougeait plus, comme en attente de ce qu'elle allait dire.

— Pourquoi es-tu venu ? Tu ne crois pas que j'ai déjà assez d'ennuis ? Elles t'ont vu prendre ma clef !

Son découragement était tel que les mots lui manquaient. C'était une mauvaise plaisanterie, la présence de Jérémy dans sa chambre. Elle n'avait même plus la force de se disputer avec lui. « Pourquoi es-tu venu ? » répéta-t-elle dans un souffle. Elle se laissa tomber de tout son poids sur le lit.

— Tout Avignon sait déjà ce qui s'est passé à la sortie du filage... J'étais inquiet... Pour toi...

Jérémy fit un premier pas vers le lit.

— Pour moi aussi, d'ailleurs... Il paraît que Lucerne me cherche pour me casser la gueule... Tu es au courant ?

Il hésitait, bredouillait, feignait la bonne humeur.

— De toutes les façons, je repars demain matin à l'aube... Je ne reviendrai plus avant la première... Je voulais te dire au revoir...

Allongée sur le dos, les avant-bras repliés sous la nuque, Alexandra fixait obstinément le plafond. Pour Jérémy, son silence pesait comme une accusation.

— Je n'aurais pas dû ?

Ses mains fouillaient les poches intérieures et extérieures de sa veste à la recherche d'un paquet de cigarettes.

— Tu es fâchée ? Tu m'en veux ?

Il avait trouvé le paquet, il fit craquer une allumette.

— C'est la perfide Œnone qui te fait peur ?

Alexandra se souleva sur les coudes. Ses yeux s'étaient habitués à la pénombre de la pièce. Elle respira l'air frais de la nuit qui entrait par la fenêtre grande ouverte. Sa chambre donnait sur le jardin d'un couvent. Dehors, le vent soufflait. Elle voyait se balancer la cime d'un jeune cyprès. Il y avait des lauriers près du mur dont les ombres des branches balayaient le sol de la chambre. Elle entendait bruisser leurs feuillages. C'était comme une respiration nocturne propre à ce jardin. Le point rouge de la cigarette de Jérémy éclairait régulièrement sa bouche, le bas de son visage. « C'est mon seul ami », pensa-t-elle très vite et de penser cela acheva de l'accabler.

— La perfide Œnone, comme tu dis... commença-t-elle.

— C'est pas moi qui le dis, c'est Racine.

Elle se laissa retomber sur le lit. Malgré l'inhabituelle fraîcheur de la nuit, elle avait chaud. Enlever la veste d'Alma, se débarrasser de cette tenace odeur poivrée qui l'imprégnait. Elle le fit rageusement, furieuse d'avoir tant tardé. La veste vola au-dessus du lit et finit sa course aux pieds de Jérémy.

Lui la regardait faire avec un mélange d'intérêt et d'effroi. Il vit d'abord un sein et une épaule, puis le buste tout entier : Alexandra venait d'arracher le lambeau de chemisier qui lui restait encore. Maintenant, assise en tailleur sur la couverture, nue jusqu'à la taille, elle le défiait avec toute l'insolence de son nez, de ses yeux.

— Je te plais ? demanda-t-elle.

Elle se mit à genoux et s'offrit plus délibérément à son regard. Il contempla le long cou, le buste étroit et souple, les seins un peu lourds.

— Pas mal, admit-il. Tu trouveras sûrement des amateurs.

Les mains d'Alexandra s'attaquaient à la boucle du ceinturon. Elle tentait de le défaire tout en regardant Jérémy, une lueur un peu folle au fond des yeux.

— Arrête ce strip-tease, dit Jérémy précipitamment et en se reculant car Alexandra se préparait à jeter le ceinturon dans sa direction.

Elle suspendit son geste, fit une moue.

— Pourquoi ? demanda-t-elle.

Il lui renvoya sa question.

— Pourquoi ?

Les épaules d'Alexandra s'arrondissaient, son ventre se creusait. Elle eut un long soupir et tendit le bras vers Jérémy.

— Passe-moi ta cigarette.

Il la lui offrit. Elle tira deux bouffées et l'écrasa distraitement dans le cendrier.

— Assieds-toi sur le lit.

Il hésitait, cherchait à deviner ce qu'elle avait en tête.

— Je ne te violerai pas.

Son ton était tranquille. Comme sa nudité et son regard. Il s'assit près d'elle, emprunté, sur ses gardes, et en même temps plein de curiosité.

— Pourquoi ? demanda-t-il encore.

— Pourquoi quoi ?

— Ce cirque. Ces avances que tu es en train de me faire. Ce sont bien des avances ?

— Ça se voit tant que ça ?

Il voulut lui donner une tape. Sa main, par hasard, rencontra son ventre et il fut un bref instant troublé par la douceur de sa peau, par les muscles tendus. Mais il ne dit rien. Alexandra protestait.

— Tu parles d'une caresse !

Elle se laissa tomber en travers du lit et retrouva sa position du début, les bras repliés sous la nuque. Ses espadrilles glissèrent sur le sol sans faire de bruit. Elle ne portait plus qu'un jean dont elle avait ouvert le premier bouton. Sa peau nue luisait sur la couverture sombre. De nouveau, elle fixait le plafond.

— Tout le monde, maintenant, va penser que tu es mon amant, commença-t-elle d'une voix morne, autant leur donner raison ! Je ne pense qu'à Adrien, je ne désire que lui. Je ne te désire pas du tout, Jérémy ! Je ne suis pas amoureuse de toi ! Je ne rêve pas de toi ! Mais...

— Tu me rassures !

Il fut surpris par le regard furieux qu'elle lui jeta, par son absence d'humour.

— Mais à force de sans arrêt me soupçonner... Je suis comme les autres ! Moi aussi *Penthésilée* me monte à la tête ! On pense que je couche à droite et à gauche ? Eh bien, allons-y ! Au moins Lucerne saura pourquoi il me déteste ! J'en ai marre de cette pièce ! De *Penthésilée* ! Marre d'entendre sans arrêt parler d'amour et de ne jamais le faire ! Marre ! Et crois-moi, j'étais à des milliers de kilomètres de ça !

— C'est le mistral qui t'énerve, dit gentiment Jérémy. Dès qu'il tombera, tu te sentiras beaucoup mieux.

— Comment ça « c'est le mistral qui m'énerve » ? Comment ça « je me sentirai beaucoup mieux » ?

Dans sa colère, elle s'était mise à crier. Jérémy s'en effraya.

— Chut !

— Quoi, chut ? Puisque tout le monde sait que tu es dans ma chambre ! Pourquoi se taire ? Parler doucement ? Tout est ta faute, Jérémy ! Ton ami arabe de la rue Vieille-du-Temple a raison : avec toi, c'est toujours les ennuis !

— Laisse Aziz en dehors, je te prie !

Jérémy aussi élevait la voix, exaspéré par Alexandra, ses reproches, l'absurdité de son discours et de sa nudité. Il ramassa un tee-shirt qui traînait sur le sol et le lança.

— Et puis, habille-toi ! Ça suffit, cet exhibitionnisme !

Elle lui renvoya le tee-shirt.

— Alors, c'est sûr ? C'est bien sûr ? Tu ne veux pas faire l'amour avec moi ? Juste une fois ? Juste cette nuit ?

— C'est sûr ! Ni ce soir, ni demain, ni jamais ! C'est incroyable que tu ne comprennes pas, que tu insistes ! Tu n'es pas un garçon ! Tu n'as rien d'un garçon ! Même si tu les singes avec tes jeans, tes ceinturons ! Non, mais tu as vu tes seins ? Habille-toi, je ne peux plus les supporter !

Il lui lança une deuxième fois le tee-shirt et se tut, honteux de ce qu'il venait de lui dire, furieux de s'être ainsi emporté, d'avoir crié. Il n'osait pas se l'avouer, mais il avait peur d'elle. Une peur obscure, sournoise et irraisonnée.

Quelqu'un marchait à l'étage au-dessus. On entendait des pas résonner dans le plafond. Puis il y eut des bruits de tuyauterie, une chasse d'eau tirée sans précautions et qui résonna dans tout l'hôtel.

Alexandra s'était levée. Il la vit qui cherchait et enfilait ses espadrilles.

— Qu'est-ce que tu fais ? demanda-t-il avec inquiétude.

— Devine.

Elle ouvrait l'armoire, décrochait un chemisier. Ses mouvements étaient si saccadés qu'à deux reprises elle se cogna brutalement. De rage, elle donna un coup de pied à la porte de la salle de bains.

— Je m'en vais, dit-elle. Reste, si tu veux. Au point où j'en suis...

— Tu vas où?

Elle rit, très haut, très fort. Un rire directement calqué sur celui d'Alma.

— Où? Mais me trouver quelqu'un qui veuille bien de moi!

— Ah, oui? Et qui ça? On peut savoir?

Jérémy ne savait plus si elle jouait, si elle bluffait ou si elle disait vrai. Il la contempla qui cherchait à quatre pattes son ceinturon en grommelant. Il choisit de penser qu'elle jouait et tenta de la suivre sur ce terrain.

— Adresse-toi à David. Avec lui, je suis tranquille, il ne te touchera pas.

Elle leva vers lui un visage sincèrement choqué.

— David? Jamais je ne le mêlerai à des histoires aussi sordides! David est un artiste de génie, un ange, un être d'exception...

— OK! OK!

Jérémy n'avait pas envie d'entendre l'éloge de David. Il tenta une autre plaisanterie.

— Lucerne, alors! Tu aurais la bénédiction de toute l'équipe!

Alexandra rectifiait l'élastique qui tenait sa queue de cheval. Son visage ainsi dégagé exprimait un désarroi tel que Jérémy s'en effraya.

— Stop, Sandra, dit-il doucement.

Mais c'était comme si elle ne l'entendait plus.

— Je vais voir Sylvain. C'est facile, chambre 42, troisième étage.

— Cet hétéro-plouc ! Cet hétéro-coq !

Déjà, elle était dans le couloir. La porte claqua dans son dos.

— *Tota mulier in utero !* cria Jérémy.

Alexandra gravit les trois étages dans un état paroxystique d'exaltation et d'énervement. Il n'était plus question de désir ou d'amour. Elle voulait Sylvain comme elle aurait voulu une pomme, un verre d'eau ou une promenade dans la forêt. Ce qu'il lui dirait, la façon dont il l'accueillerait, ce qu'ils feraient ensuite et les conséquences éventuelles de leur acte ne comptaient pas, n'existaient pas. Il n'y avait plus que cette force brute qui la poussait en avant. Toutefois, arrivée devant la porte de la chambre 42, elle hésita. Fallait-il cogner ou bien entrer sans s'annoncer ? Au fin fond de sa conscience, une voix cherchait à se faire entendre qui conseillait de s'enfuir, de renoncer à ce projet absurde. Si elle l'écoutait ne serait-ce qu'une seconde, elle lui obéirait. Mais Alexandra, cette nuit-là, voulait du désordre, de la folie, quelque chose qui la situerait une fois pour toutes au-delà de tout ce que Lucerne pouvait craindre d'elle, qui justifierait toutes ses imaginations morbides. Et pour cela, elle devait en passer par Sylvain. Ses doigts tremblaient tellement — de nervosité, d'effroi et de la lutte qui commençait entre la voix et elle — qu'elle eut du mal à tourner la poignée. Mais la porte n'était pas fermée et elle s'ouvrit.

La clarté de la lune baignait la chambre.

Exactement comme la sienne, en bas, au rez-de-chaussée. Sur le lit, deux corps nus se chevauchaient. Un minuscule corps de femme empalé sur un grand corps d'homme. Linou et Sylvain.

— Déjà ?

Jérémy était sur le point de quitter la chambre d'Alexandra. Son retour précipité le prit de court. Il craignit un bref instant qu'elle ne jetât de nouveau son dévolu sur lui, puis il comprit qu'il ne risquait plus rien. Alexandra venait de se précipiter à plat ventre sur le lit. Au passage, il avait entr'aperçu le visage bouleversé, les yeux noyés de larmes.

— L'hétéro-plouc n'a pas voulu de toi ? Il dormait ? Ne me dis pas qu'il préfère les garçons, je ne te croirais pas !

Il tournait autour du lit, hésitant à la questionner davantage. Il n'avait même plus envie de se moquer d'elle. Elle lui faisait pitié maintenant, cette pauvre chose secouée de sanglots qui gémissait et murmurait des mots sans suite parmi lesquels il lui sembla reconnaître le prénom d'Adrien. Il ne voyait pas son visage, mais les bras qui étreignaient l'oreiller, les épaules qui se soulevaient, les pieds chaussés d'espadrilles qui battaient la couverture. Il les lui enleva. Un geste amical pour lui rappeler qu'il était là, près d'elle, capable d'écouter tout ce qu'elle voudrait bien lui confier. Capable aussi d'attendre en silence qu'elle cesse de pleurer.

Cela ne dura pas longtemps. Très vite, les tremblements s'espacèrent et le corps retrouva une relative immobilité. Il y eut encore des gémissements, des reniflements, un long soupir et ce fut fini. Alexandra roula sur le dos et présenta à Jérémy un visage rouge et chiffonné sur lequel l'oreiller avait laissé des traces. Elle tenta un timide sourire.

— Je crois que je viens d'avoir une crise de nerfs. Tu penses que je suis une hystérique ?

Jérémy demeura prudent.

— C'est toi qui le dis.

Le sourire d'Alexandra s'accentua. Elle contemplait Jérémy, debout près du lit. Brusquement, elle replongea dans l'oreiller. Elle bredouillait.

— J'ai tellement honte...

Complètement rassuré, il s'assit sur le lit et lui tapota l'épaule. Il se permit même de fanfaronner.

— Après tout, peut-être que nous aurions dû faire l'amour...

— Je crois que si tu avais voulu, j'aurais été la première à me sauver... Pareil avec Sylvain, d'ailleurs...

— S'il te plaît, ne me mets pas sur le même plan que l'hétéro-coq !

— Sylvain était avec Linou !

— Intéressant, fut le seul commentaire de Jérémy.

Alexandra s'allongea de nouveau et Jérémy

l'imita. Spontanément, naturellement. Quelques centimètres séparaient les deux corps. Ainsi étendus côte à côte, ils écoutèrent les cris d'un oiseau de nuit, les frottements réguliers des branches de laurier contre les volets. Aucun des deux n'éprouvait le besoin de parler. Alexandra sentait le sommeil venir. Mais son chagrin persistait. Un chagrin confus, poisseux, où tout se mêlait et que la fatigue, sans doute, exagérait. Elle se rapprocha de Jérémy et posa sa tête sur son épaule. Une de ses jambes s'enroula aux siennes. Elle sentait son odeur de garçon. Et c'était une consolation, cette odeur qui lui rappelait Adrien mais aussi son frère Olivier contre qui longtemps elle avait aimé dormir. Jérémy la laissait faire. Il avait cessé d'avoir peur. Peut-être parce qu'à deux reprises elle avait chuchoté le prénom d'Olivier.

— Sylvain, dit enfin Alexandra, c'est un démon.

— Mais non. Si démon il y a, c'est Linou.

— Linou ? Un démon ?

Ils murmuraient comme il convient de le faire au cœur de la nuit.

— Linou a qui elle veut, quand elle veut. Elle est égoïste et sans morale. Je plains Jo. Et Alma.

— Alma ?

— Alma est amoureuse de Linou. Ne me dis pas que tu ne l'as pas remarqué !

Alexandra ne savait que répondre. « Tais-toi », chuchota-t-elle en frottant sa joue contre la chemise de Jérémy. « Tais-toi, tais-toi. — Très bien, je me tais », dit Jérémy. Il la sentait s'alourdir contre lui. Bientôt, elle dormirait.

— Je vais m'en aller.

— Reste encore un peu.

Il voyait son visage à quelques centimètres du sien, les yeux qui luttaient pour rester ouverts, le petit nez qui se fronçait sous l'effort. Et tout ce visage se contractait, s'affolait. « Ne me laisse pas seule », implorait-il. En réponse, Jérémy se serra contre Alexandra. Pas longtemps, deux ou trois secondes, puis il s'écarta. Dix minutes encore et il s'en irait.

— Je voudrais tant qu'on m'aime comme Achille aime Penthésilée, bredouilla Alexandra d'une voix pâteuse.

Elle luttait contre le sommeil qui la gagnait. Le sommeil avec sa cohorte de mauvais rêves.

— Oui. *Comme les hommes aiment les femmes : chastement, et d'un cœur plein de désir — en toute innocence, et avec l'envie de la leur faire perdre,* récita Jérémy d'une traite.

Il se tut, puis très doucement ajouta :

— Moi aussi, j'aimerais qu'on m'aime ainsi.

— Toi... ?

Mais Alexandra ne put aller au bout de sa question : elle venait de sombrer dans le sommeil. Jérémy attendit un peu et quitta la chambre. Dehors, le vent était tombé. Le ciel s'éclaircissait. Dans les platanes du boulevard, les oiseaux commençaient à chanter. Jérémy se dirigea sans se presser vers la gare.

Lucerne traquait chacun de ses acteurs jusqu'au plus profond de leur être, exigeant d'eux toujours et toujours plus. Personne ne lui résista, personne même n'y songea. Tous étaient conscients de l'importance de cet ultime travail, tous lui faisaient confiance. Totalement. Passionnément. Pour certains, c'était comme une révélation, comme une nouvelle naissance. Pour la première fois dans leur jeune carrière, ceux-là se sentaient devenir des acteurs et des actrices.

Lucerne était tout aussi exigeant avec les techniciens.

René, l'éclairagiste, passait presque toutes ses nuits au théâtre. Il cherchait, il essayait, il proposait. Lucerne, présent à ses côtés, n'était jamais satisfait. « Je ne veux pas d'une lumière efficace. La lumière, c'est une affaire de sensations », répétait-il.

De la même façon, il refusa à trois reprises la plus grande partie des costumes. Des couturières appelées en renfort travaillaient en heures supplémentaires dans les sous-sols du théâtre.

Le budget prévu initialement commençait d'être dépassé. Lucerne refusait d'en tenir compte. À Jo de se débrouiller avec les différents producteurs du spectacle.

Alexandra avait eu sa visite. Posément, froidement, Jo lui avait décrit ce qu'il adviendrait d'elle et de sa carrière si jamais elle quittait Avignon. Il n'avait pas tenté de minimiser la brutalité de Lucerne. Ni de l'expliquer ni de l'excuser. Il promit juste de veiller « à ce que cela ne se reproduise pas ».

Mais toutes les peurs d'Alexandra se concentraient désormais sur le spectacle. Elle ne voyait plus les regards haineux que Lucerne, parfois, posait sur elle. Il la traitait dans le travail comme il traitait les autres et cela la rassurait. Comme la rassurait cette décision qu'il avait prise de ne plus boire jusqu'à la première. Ce qui se passerait après, une fois les représentations commencées, elle ne l'envisageait pas. Comme les autres, elle était hypnotisée par la date du 11 juillet. Et elle s'y préparait. De toutes ses forces. De tout son cœur. En perdant le sommeil, l'appétit, le désir d'autre chose. Il lui semblait par instants qu'elle vivait là les heures les plus intenses de sa vie.

Malgré la présence de ventilateurs, malgré les portes ouvertes, il faisait excessivement chaud, cet après-midi-là, au *Regina*. Les machinistes travaillaient en short et torse nu. Les autres membres de l'équipe avaient leur chemise largement ouverte et s'éventaient avec tout ce qui leur tombait sous la main : un quotidien, la brochure de *Penthésilée*, le programme du festival.

Sur scène, les acteurs répétaient en costume et dans les lumières. Personne ne songeait plus à se plaindre. Lucerne avait décrété qu'il ne tolérerait plus la moindre allusion à ce problème.

Il était le seul à n'avoir modifié en rien sa façon de s'habiller. Il portait toujours la même veste et le même pantalon noirs, des chemises et des chaussettes en laine, noires elles aussi. Il ne se rasait plus. Tout cela contribuait à faire de lui un personnage ténébreux, étrange, que les acteurs et les metteurs en scène des autres spectacles regardaient passer en chuchotant. Il effrayait, il intriguait, il fascinait. Avignon tout entier s'intéressait à lui, lui ne s'intéressait à personne.

— *Penthésilée... Elle est couchée, vautrée au milieu de ses chiens... et elle, qui est née d'une femme ! elle déchire le corps d'Achille, elle le dépèce. Avec les dents...*

Marie-France, la voix cassée par l'émotion, commençait le long monologue de Méroé. Les autres Amazones et la Grande Prêtresse écoutaient, révulsées, le récit de l'atroce mort d'Achille. Derrière elles, la reine folle et meurtrière, maintenant amnésique, regardait on ne savait quoi, oublieuse du sang qui tachait abondamment ses bras, ses mains, son menton. Elle ignorait le cadavre d'Achille qui gisait sur le sable, recouvert d'un drap souillé. Une lune froide et blanche qu'on ne voyait pas mais qu'on devinait, éclairait le groupe tragique. Une lune que René, l'éclairagiste, s'efforçait de rendre plus subtile encore.

— Ce n'est pas assez mystérieux, râlait Lucerne. Tu appelles ça un clair de lune ?

Assis à sa place habituelle, au sixième rang, il s'adressait sans se retourner à René, installé au fond de la salle et qui pianotait sur son jeu d'orgue.

— C'est mieux. C'est un HMI ?

— Oui. En contre-jour.

Didier, assis près de Lucerne, intervint à son tour.

— Il me semble qu'on ne voit pas assez le visage de Méroé...

— Comme avec le soleil, la lune s'obtient à partir d'une source unique, se défendit René. Et puis, vous réclamiez une vraie nuit... Vous vouliez aussi les actrices dans la pénombre...

— Je veux une vraie nuit, je veux une vraie pénombre, je veux un vrai clair de lune et je veux que les visages de certaines actrices soient très présents, même dans le noir ! riposta Lucerne d'une voix cinglante. Ce n'est pourtant pas compliqué !

— Justement, si !

René prit le temps d'essuyer ses mains trempées de sueur et se remit à pianoter sur son jeu d'orgue.

300

— Je viens de rajouter un projecteur de face, expliqua-t-il. Je peux aussi vous en allumer d'autres. De toute façon, ils seront toujours plus faibles, en intensité, que le contre-jour.

— Faut voir, grogna Lucerne.

— Mais c'est la juste direction, ajouta Didier. On a la pénombre du clair de lune et le visage de Méroé.

— On fait un effet avec les circuits 48 à 50, murmura René à l'intention de son assistant. Puis les circuits 1 à 25, je les veux à 30. Tu m'enregistres tout ça dans la mémoire 20.

Sur le plateau, les actrices poursuivaient leur scène, ignorant volontairement les problèmes techniques, magnifiquement concentrées, jouant pour elles autant que pour Lucerne. C'était une de leurs dernières répétitions, elles en profitaient pour essayer et essayer encore, avec une audace et une liberté qui forçaient l'admiration de leurs partenaires masculins présents dans la salle.

— Jo! hurla Lucerne.

Jo surgit en courant du hall. Affublé d'un talkie-walkie, il dirigeait à voix basse les différents techniciens dispersés dans le théâtre. La discipline quasi militaire qui régnait maintenant au *Regina* était son œuvre : on le craignait, on filait doux. On l'estimait aussi d'avoir su à ce point-là se faire obéir.

— Pour le filage de ce soir, il me faut beaucoup plus de sang sur Achille et beaucoup plus sur le visage et les mains de Penthésilée, dit Lucerne.

— Pour Achille, je m'en charge, répondit Jo. Pour Penthésilée, adresse-toi directement à Alma.

Lucerne frappa la table en signe d'impatience. Didier, déjà, inscrivait cette remarque dans son carnet de notes.

Sur le plateau, Penthésilée, peu à peu, reprenait vie. Elle ne se souvenait de rien et continuait à ignorer le cadavre d'Achille que Méroé et Astérie cherchaient à lui dissimuler. Aidée de Prothoé, elle plongeait la tête dans une vasque, s'aspergeait, replongeait de nouveau.

— *Là, c'est bien... c'est tout à fait bien,* murmurait Alma.

— *Voilà! C'est parfait. Toute la tête dans l'eau, chérie! Encore — encore! Comme un jeune cygne!* suppliait Alexandra.

Elle nettoyait le visage d'Alma, lissait les cheveux noirs et souillés de sang. Une détresse poignante émanait d'elle et l'on ne savait pas, à cette seconde, laquelle des deux souffrait le plus.

Pendant quelques instants, l'émotion rendit Lucerne muet. Il voyait ses deux actrices s'approcher de ce qu'il avait rêvé, cette absolue fragilité du jeu qui donnait au spectateur le sentiment de surprendre la partie cachée de leur être et, pourquoi pas, de leur voler leur secret. Il pensa que la douleur de Prothoé était celle d'Alexandra et il en conçut un curieux mélange de pitié, d'effroi et de jubilation. Puis il pensa que c'était une actrice, que tout cela était faux et son trouble s'en trouva accru. Mais, vraie ou feinte, il se savait l'artisan de cette souffrance et un sentiment de triomphe l'étreignait. « Ce n'est pas encore assez », décida-t-il sans chercher à démêler s'il s'agissait de la personne, de l'actrice ou du personnage.

Brusquement, sur le plateau, tout s'arrêta. Alma semblait très en colère. Bien loin de la reine folle et meurtrie qu'elle venait d'interpréter.

— L'eau de la vasque est sale, dit-elle. C'est déjà désagréable pour se laver, mais en plus j'en avale et je risque de m'empoisonner !

Sa voix emplissait le parterre, montait jusqu'au balcon. Jo, debout derrière Lucerne, tenta d'abord de s'expliquer.

— Je m'en suis moi-même occupé il y a une heure. C'est de l'eau du robinet, tu peux en avaler sans crainte, nous en buvons tous les jours.

— Rien ne me le prouve, s'obstinait Alma. Je ne peux pas me permettre ce genre de risque...

Jo voyait les poings de Lucerne marteler de nouveau la table. Il l'entendait grogner de contrariété.

— Très bien. Tu auras de l'eau minérale et on remplira la vasque deux minutes avant ta scène.

Il approcha le talkie-walkie de sa bouche et murmura à l'intention de l'accessoiriste : « Prévois des cartons d'eau minérale... Oui, pour toutes les représentations à partir du filage de ce soir. »

Mais sur le plateau, Alma tardait à reprendre sa place. Elle allait et venait, comme à la recherche de son texte ou d'une énergie enfuie. Ses épaules puissantes se soulevaient irrégulièrement de rage, de dépit, de fatigue. Les cinq autres actrices la regardaient faire, un peu inquiètes et en même temps respectueuses de ce qui semblait l'agiter. Une lassitude commune les gagnait, les écrasait. Linou ne put retenir un bâillement. Alma s'arrêta brutalement dans ses déambulations.

— Je t'ennuie ? Je te fais perdre ton précieux temps ? Je ne joue pas assez bien ?

Son agressivité surprit Linou comme elle surprit tout le monde dans le théâtre.

— Mais non. C'est juste que...

Linou en bredouillait.

— Eh bien, domine-toi, prends sur toi. Au cas où tu ne t'en serais pas rendu compte, on travaille !

Alma avait pris la voix sèche et coupante de Lucerne, son mépris. Lucerne, lui, caressait sa barbe nerveusement.

— Si Alma commence à faire sa star, dit-il à l'intention de Didier.

Celui-ci avait quitté son fauteuil et marchait dans l'allée centrale en direction du plateau.

— Puisqu'on est arrêté, dit-il, j'en profite pour te signaler, Alma, qu'il faut plus de sang sur ton visage. Pas seulement autour de la bouche.

— Ça ne doit pas être joli, enchaîna aussitôt Lucerne, mais répugnant. N'oublie jamais ce que tu viens de faire. Tu lui as dévoré les entrailles, à ton amant! Tu as plongé ta tête à l'intérieur du ventre de David!

Le linge qui recouvrait le corps immobile d'Achille se souleva et, le visage et le buste dégoulinant de sueur, David apparut.

— Je t'en prie, Lucerne. Parle du ventre et des entrailles d'Achille, pas des miens.

Alma daigna rire. Ses camarades s'empressèrent de faire écho, soulagées, prêtes à reprendre le travail et à poursuivre jusqu'au bout de la scène, jusqu'au bout de la pièce.

— On y va! clamait Lucerne.

Mais Alma tardait à se décider.

— Quoi, encore!

— Désolée, Lucerne, mais je ne veux pas jouer la fin, dit-elle. Ni maintenant en répétition, ni ce soir, ni même demain dans le filage pour les photographes. Je veux la garder pour la première, après-demain... Je préférerais répéter dans mes bottes.

Elle se tourna vers ses camarades.

— Désolée pour vous aussi. Je ne vous aide évidemment pas. Surtout toi, Alexandra. Mais je ne peux pas faire autrement. Cette dernière scène est trop dure... trop folle... Il me faut le public.

— Ne t'inquiète pas, s'empressa de la rassurer Marie-Lou. Nous ferons comme si tu jouais vraiment. Tu as tous les droits, avec un rôle pareil!

Alma lui adressa un sourire exagérément reconnaissant.

— Oui, ne t'inquiète pas pour nous, répéta Linou.

Le sourire se figea.

— Et pourquoi je m'inquiéterais pour toi ? grinça Alma. Tu ne fais rien dans cette scène. Quelle importance si je joue ou pas ?

Elle quitta le groupe des filles et apostropha Lucerne.

— On y va ou on n'y va pas ?

— On y va !

Sur le plateau, les actrices reprenaient leur place initiale.

— On file la scène jusqu'au bout, jusqu'au suicide de Penthésilée. Mais si quelque chose ne va pas, arrêtez-vous. Après-demain, il sera trop tard. Et fais un effort, Alma !

Alma ne répondit pas, se contentant de le fixer de son terrible regard bleu. Puis, elle reprit la position qu'elle avait auparavant dans les bras d'Alexandra. Celle-ci la sentait contre sa poitrine palpiter d'une colère contenue.

— *Je suis heureuse, ma sœur ! Je me sens mûre maintenant pour la mort ! C'est vrai — je ne sais plus ce qu'il m'est advenu en ce monde. Mais si je mourais maintenant...* récita Alma d'une voix plate et blanche.

Dans la salle, Lucerne en tremblait de rage.

— Mais qu'est-ce qu'elle a, cette chienne ! Elle, toujours si parfaite, la voilà qui me casse les pieds comme personne jamais n'a osé le faire !

— Nous sommes à quarante-huit heures de la

306

première, plaidait Didier. Ne lui en veux pas. Fais-lui confiance.

— Ah, comme je hais les femmes! s'exclama Lucerne. On ne peut jamais compter sur elles! Elles vous trahissent toujours et toujours! Il n'y en a pas une pour racheter l'autre!

Il était minuit passé, les comédiens tardaient à quitter les loges. Une même fatigue ralentissait le moindre de leurs gestes et les retenait, comme écrasés, devant leur miroir. Ils ne parlaient pas, ou très peu. Comme si après s'être dépensés sans compter, il leur fallait maintenant s'économiser.

Dans le couloir, Jo s'impatientait.

— Dépêchez-vous... Ne traînez pas... Lucerne et Didier vous attendent pour vous lire leurs notes !

Il frappa aux portes des deux loges, puis à celle de la douche où Alma se lavait à grande eau. David, une serviette enroulée autour des reins, attendait qu'elle libère la place. Il contemplait avec suspicion ses bras et son buste teintés d'hémoglobine.

— Ça part très bien avec de l'eau et du savon, dit Jo.

— Très bien, confirma Alma en sortant de la douche.

Elle était enveloppée dans un peignoir blanc à capuche que l'hémoglobine, le fond de teint et la poudre avaient déjà taché. Ses pieds mouillés inscrivaient leurs traces sur le linoléum du couloir.

— Dépêche-toi, répéta Jo. Il est tard, nous ne pouvons pas rester indéfiniment dans le théâtre.

Il ouvrit d'autorité la porte de la loge des filles, lui désignant le chemin.

Assises sur leur tabouret, les cinq actrices achevaient de se préparer. Elles se poussèrent à l'entrée d'Alma de manière à lui faire une place. L'exiguïté du lieu, la chaleur et le plafond trop bas contribuaient à rendre l'atmosphère de la loge très étouffante. Un peu d'air passait entre les barreaux d'un soupirail qui ouvrait sur la rue, au ras du trottoir : c'était la seule source d'aération.

— Il faudrait un ventilateur, dit Alma entre ses dents. On suffoque ici !

— Il faudrait surtout que celles qui sont déjà prêtes montent dans la salle, répliqua Jo.

Il cogna à la porte de la loge des garçons qu'une mince cloison séparait de celle des filles.

— Vous avez entendu ? Dans la salle ! Alma et David vous rejoindront !

Christine, Marie-France et Alexandra s'engagèrent dans le couloir où les rejoignirent Gérard, Michel et Sylvain. Ce dernier s'attardait, feignant de vérifier le contenu de ses poches, son reflet dans le miroir. Histoire d'énerver Jo, lequel restait de glace. Mais quand Sylvain voulut s'assurer du bon fonctionnement de la lance d'incendie, il perdit tout son calme.

— Laisse ça ! hurla-t-il.

Sylvain glissa son bras autour de la taille de Christine. Il riait maintenant, heureux et détendu.

— Qu'est-ce qu'il a, notre Jojo ? On dirait que ses nerfs lâchent !

Le couloir et l'escalier en colimaçon qui reliait le sous-sol au plafond étaient si étroits qu'on ne pouvait passer à deux. Alexandra s'effaça. Ce faisant, elle vit Marie-Lou et Linou qui quittaient la loge et le bras nu d'Alma qui se tendait vers elles.

— Reste avec moi, Linou, dit Alma.

— Comme tu veux.

Linou recula jusqu'à la tablette de maquillage. Elle portait un mini-short en lin noir et un cache-cœur qui mettaient en valeur son petit corps hâlé. Elle mâchait avec indifférence du chewing-gum.

— Lucerne veut voir tous ceux qui sont prêts, rappela Jo. Laisse Alma se préparer et rejoins tes camarades.

Linou tenta une bulle avec son chewing-gum.

— Mettez-vous d'accord, dit-elle avant que la bulle n'éclate. Moi, je veux bien tout ce qu'on veut.

Elle esquissa un vague déhanchement qui pouvait signifier qu'elle se résignait à quitter la loge et que Jo, en tout cas, interpréta comme tel. Mais pour la deuxième fois, le bras d'Alma se détendit.

La porte claqua, fermée à toute volée. Il y eut le bruit sec d'un loquet que l'on tire et la voix plus sèche encore d'Alma : « Je t'ai demandé de rester ici ! »

Alexandra se trouvait toujours à mi-escalier. Elle vit Jo chanceler, puis prendre appui contre la porte de la douche où David achevait de se laver. Elle vit l'expression douloureuse de son visage, la pâleur bilieuse de la peau, les yeux éteints et fixes. Sa maigreur.

Tout à coup, il l'aperçut.

— Qu'est-ce que tu as à me regarder comme ça ? demanda-t-il rudement. Monte dans la salle !

Lucerne était à sa place habituelle, entouré de Didier et de René, l'éclairagiste ; les comédiens disposés en demi-cercle devant lui.

Alexandra était assise à l'extrême bord d'une rangée, sans personne à ses côtés. Non pas que ses camarades aient choisi une fois pour toutes de la maintenir à l'écart, mais elle se sentait mieux comme ça, un peu en retrait. Un besoin de se concentrer sur le travail qui venait de finir. Passer mentalement en revue le film de la soirée. Se souvenir de ce qu'elle avait éprouvé. Scène après scène et si possible réplique après réplique. Anticiper sur les remarques de Lucerne. Il lui semblait qu'elle avait manqué de force au début et cela la tracassait. Elle cherchait en vain une réponse sur le visage de ses camarades.

C'était des visages exagérément fermés, butés,

douloureux, inconsciemment proches du masque torturé de Lucerne. Seul Sylvain extériorisait sa nervosité. On l'entendait se plaindre d'un changement d'éclairage, d'une réplique oubliée, de la chaleur, de l'acoustique. Ou à l'inverse et avec la même conviction, louer telle bascule de lumière, tel moment de son jeu, etc. « Tais-toi un peu, lui disait Didier Lalouette. On n'entend que toi. » Mais gentiment, de façon à précéder une remarque autrement plus désagréable de Lucerne.

Tous attendaient avec plus ou moins de patience qu'Alma, Linou et David remontent des loges. « Qu'est-ce qu'ils fichent, grognait Lucerne. Elle commence à dépasser les bornes, Alma... » Mais un peu de la crainte qu'elle lui inspirait l'emportait et il n'en disait pas plus. « Favoritisme », persiflait Sylvain à voix basse.

Enfin David apparut, les cheveux mouillés, la peau humide, un sourire désarmant sur les lèvres.

— Excusez-moi, vous tous. Mais j'avais de l'hémoglobine jusque dans les oreilles !

— Tu es tout excusé, dit Lucerne qui avait pour lui des égards qu'il n'avait pour personne.

Le jeune homme s'installa une rangée devant Alexandra. Il cala ses jambes sur le dossier d'un strapontin et s'enfonça dans le fauteuil. Il était vêtu de son habituel jean délavé et d'un tee-shirt blanc qui moulait son torse, son ventre plat et musclé. Ses pieds étaient nus dans des baskets délacées. Du chandail en cachemire posé négligemment sur ses épaules, émanait une discrète odeur de citron vert et de lavande.

— C'était bien, notre petite scène, dit-il à l'intention d'Alexandra.

Comme il ne se retournait pas, elle se pencha en avant. Son menton effleura la nuque de David.

— Mais je pense qu'on gagnerait à la resserrer, ajouta-t-il. Ce n'est pas ton avis?

L'arrivée d'Alma et Linou mit fin aux bavardages. La première balança son sac et sa veste dans un fauteuil et s'assit plus loin, à l'écart. Malgré les interdictions de fumer sans cesse répétées, elle alluma une de ses longues cigarettes blondes. La seconde hésitait, feignant d'ignorer Sylvain qui lui désignait un fauteuil vide près de lui.

— Puisque nous sommes au complet... commença Didier.

Il se tut. C'était à Lucerne de donner la lecture des notes. Mais celui-ci grogna quelque chose qui ressemblait à un refus. « Vas-y », articula-t-il plus distinctement ensuite.

Depuis quelques minutes, son regard ne quittait plus Alexandra qui avait posé son coude sur le dossier du fauteuil de David. Une attitude qu'il jugeait exagérément confiante et familière. De sa part à elle, bien sûr, mais aussi de la part de David qui semblait trouver cela normal. Il aurait pu se reculer, s'écarter, changer de fauteuil, mais non, comme tous les autres acteurs, il attendait la lecture de ces fichues notes.

Soudain, David rencontra le regard soupçonneux de Lucerne. Il lui sourit. Un sourire affectueux, complètement dépourvu d'ambiguïté. Mais Alexandra, à l'inverse, rougit. Et à sa façon de se renfoncer aussitôt dans son fauteuil, Lucerne comprit qu'il l'avait effrayée : c'est donc qu'elle avait quelque chose à cacher. Une joie féroce l'envahit à l'idée qu'il saurait à un moment ou à un autre la confondre. Cette pensée lui insuffla l'énergie nécessaire pour commencer la lecture des notes. Il le fit donc, avec cette voix sourde, comme épuisée, qui était la sienne depuis une semaine et qui nécessitait de la part de tous une attention accrue.

Alexandra eut un peu de mal à retrouver son calme. Elle s'efforçait d'écouter Lucerne, d'oublier la haine de son regard. Comme toujours, les propos du metteur en scène étaient remarquables de justesse et d'intelligence. De petites phrases sèches, pertinentes et définitives qui montraient à quel point il voyait et entendait tout. Ses rares félicitations, ce soir-là, allaient à Marie-France et à Christine.

— Vous êtes vraiment devenues des princesses amazones. À égalité avec Alma. Des louves, des guerrières...

Les deux jeunes actrices gardaient un silence recueilli. Elles ne manifestaient aucun plaisir, aucune fierté, comme si le moindre relâchement risquait de menacer l'intégrité de leur travail.

Il n'en était pas de même pour Linou.

Elle avait fini par s'asseoir près d'Alexandra, au bout de la rangée. Un fauteuil vide les séparait sur lequel elle avait déposé un petit sac en peluche qui figurait une coccinelle. Elle avait négligemment ramené ses pieds sur le fauteuil et noué ses bras autour de ses genoux. Tantôt elle inclinait la tête à droite, tantôt à gauche, vers Alexandra. Tantôt elle se renversait en arrière dans un long soupir muet dont on ne savait pas s'il était destiné à attirer l'attention ou s'il ne faisait qu'exprimer un douloureux et irrémédiable ennui. Ses yeux, grands, écarquillés et fixes, se posaient de temps en temps sur Alexandra, paresseusement, comme par mégarde. Alexandra alors se détournait, bizarrement embarrassée.

Mais une fois, elle tarda. Les yeux de Linou étaient devenus si insistants qu'Alexandra n'avait pu retenir un involontaire haussement de sourcils. Comme si elle n'attendait que ça, que cette permission qui n'en était pas une, Linou se précipita dans le fauteuil voisin d'Alexandra. Elle serrait contre son ventre le sac coccinelle.

— Ça ne finira donc jamais, ces notes, chuchota-t-elle. On se croirait à la messe...

— J'aurais souhaité, Alma, que tu joues vraiment la dernière scène, poursuivit Lucerne. En te contentant de l'indiquer tu me mets de force dans l'obligation de te faire confiance...

Il marqua une pause, le temps d'allumer une

315

nouvelle cigarette au mégot de la précédente. Mégot qu'il jeta à terre et que Didier, aussitôt, écrasa de son talon.

— Eh bien, je te fais confiance.

Il eut un rire amer.

— Comme Achille avec Penthésilée... J'espère que tu ne me dévoreras pas les entrailles...

— Tu peux être tranquille, répondit froidement Alma.

Linou eut un autre soupir destiné à attendrir Alexandra et qui resta sans réponse. Elle agitait devant elle ses petites mains aux ongles courts et négligés. Brusquement, l'une se posa, familière et décidée, sur la jambe droite d'Alexandra. Un geste hardi, insolent, qui contrastait avec l'expression implorante de son visage.

— J'en ai fini, disait Lucerne d'une voix maintenant éraillée. J'espère que vous avez tous bien compris ce que je vous ai dit, car je ne vous parlerai plus jamais aussi longuement. Demain après-midi, nous reverrons en détail toute la pièce pour les lumières. Quelques entrées et quelques sorties ne sont pas encore ce que je souhaite. Mais c'est de la technique, ça n'a rien à voir avec le jeu.

Une toux aussi soudaine que violente l'empêcha de poursuivre. Tous attendirent qu'elle cesse en profitant de cette interruption pour se reporter aux notes prises durant son exposé et qui les concernaient chacun individuellement. Notes qui les hanteraient cette nuit encore, et puis la suivante, et cela jusqu'à la première.

Alexandra écartait sa jambe de manière à fuir la main de Linou.

— Ne me rembarre pas, toi, suppliait Linou à voix basse.

Et elle s'approcha davantage, allant jusqu'à appuyer sa tête et ses épaules contre les épaules d'Alexandra, comme un petit animal espiègle et caressant.

— Petit chat, ne put s'empêcher de dire Alexandra.

— Un petit chat très gentil... très tendre... très affectueux...

La toux de Lucerne s'était calmée, il allumait une nouvelle cigarette.

— J'en viens à ce que j'avais principalement à vous dire et que je vous demande d'écouter avec beaucoup d'attention. Je considère que j'ai vu ce soir mon spectacle pour la première et la dernière fois. Le filage de demain, en présence des photographes et des gens du festival, je refuse d'y assister. *Penthésilée* est une tragédie qui se vit dans un silence incompatible avec les crépitements de flashes. Les commentaires des gens du festival m'indiffèrent. Je sais ce que j'ai fait, je l'ai vu ce soir, cette féroce *pièce canine*. Il faut qu'à la première et pour toutes les représentations qui suivront vous la jouiez comme vous l'avez jouée ce soir, alors qu'il n'y avait personne dans la salle. Entre vous... Comme si vous étiez seuls au monde... Les dernières femmes et les derniers hommes... Sur la douleur... À la limite de l'évanouissement... De l'audible... Quelles que soient les réactions des spectateurs qui vous reprocheront de jouer entre vous, sans se soucier d'eux. Si vous les entendez crier : « Plus fort ! », ne leur cédez pas ! Jamais ! Ne pensez pas à les toucher, à les émouvoir ! Ne pensez qu'à la tragédie que tous vos personnages vivent ! Tous, sans exception ! Les quelques spectateurs qui seront touchés le seront au cœur et pour longtemps. Même s'ils ne représentent qu'une minuscule poignée, ma *Penthésilée* leur est dédiée. Les autres, les professionnels du théâtre, les épiciers, les faux poètes et les charognards, qu'ils retournent croupir dans leurs caravanes ou leurs hôtels cinq étoiles, je les méprise, je les vomis ! Ils n'existent pas !

Lucerne avait parlé d'une traite, sur le souffle, en forçant sa voix jusqu'à manquer de la briser. Un silence absolu suivit son discours. En coulisse, les techniciens se déplaçaient sur la pointe des pieds. Parfois, on les apercevait qui communiquaient par signes, comme des sourds-muets.

Linou frotta sa joue contre le bras nu d'Alexandra et murmura un ironique « Oh la la... » Puis, plus sérieusement : « Tu sens la vanille. » « Chut », lui murmura Alexandra en retour. Mais soudain, elle croisa, par hasard parce qu'elle s'apprêtait à changer de position, le regard intense, brûlant et terrible d'Alma. Un regard où s'affrontaient à égalité l'amour, la haine et le désir de meurtre. Un regard comme elle n'en avait encore jamais eu, ou alors sur scène, et qui bouleversa Alexandra.

Lucerne se redressait, s'appuyant de tout son poids sur la table. Son poing s'abattit sur l'épaule de Didier.

— Et maintenant, frère, nous pouvons boire. Jo !

— Le travail est loin d'être terminé. La première est dans quarante-huit heures, tu dois tenir jusque-là.

Didier se dégagea avec une irritation que tous, autour, perçurent. Lucerne ne s'en offusqua pas. Il prit la bouteille de whisky que Jo lui tendait et en but une longue rasade.

Les comédiens se levaient prudemment, comme au ralenti, en ménageant leurs dernières forces. Dans le clair-obscur du théâtre, ils ressemblaient à des naufragés, à des compagnons de hasard unis pour le meilleur et pour le pire et qui tenteraient en commun de survivre. C'était partout la même économie de gestes, de paroles, de sourires. Partout aussi, la même ferveur, la même dignité.

Lucerne les désigna un par un avec le goulot de la bouteille.

— Regarde comme ils sont épuisés, dit-il à Didier. On les croirait hantés. Ils sauront jouer ma *Penthésilée*. Ils n'ont plus besoin de moi, dorénavant.

Lui-même semblait maintenant à bout de forces. La fatigue creusait ses traits, rétrécissait ses yeux. Il but de nouveau. Longuement, en grimaçant.

— Tu avais promis, dit Didier.

— J'ai besoin de cet alcool. Je suis perdu... Je ne sais plus rien... Est-ce mon spectacle que j'ai vu ce soir ? Existe-t-il vraiment ? Et si oui, pourquoi le montrer au reste du monde ? Est-ce qu'on raconte ses rêves ?

Un désespoir le gagnait qu'il ne cherchait ni à combattre ni à renier et qui émut Didier parce qu'il le reconnaissait. « Nous y voilà », pensa-t-il.

— Ce spectacle, c'est moi, poursuivait Lucerne. C'est mon cœur déchiré, mis à nu, jeté en pâture. Je ne supporte pas ça. Maintenant que j'ai vu mon spectacle, je voudrais le détruire !

Il tendit la bouteille de whisky à Didier qui en but à son tour une longue gorgée. Ils entendaient le piétinement des acteurs dans le hall du théâtre, les grincements de portes que l'on fermait en coulisse. Appuyé contre le cadre de la scène, Jo attendait sans rien dire que Lucerne veuille à son tour quitter la salle pour éteindre les dernières lumières. Il dormait debout. Il faisait pitié.

— Partons, dit Didier. Il est deux heures du matin. L'équipe doit se reposer. Et toi aussi, si tu veux tenir jusqu'à la première.

— Je ne veux pas tenir jusqu'à la première.

— Ne dis pas de bêtises.

Didier fit un signe à Jo pour le rassurer : ils allaient se lever et quitter le théâtre. Jo, les yeux écarquillés de fatigue, agita le bras en direction de la cabine technique : le plateau s'éteignit, on venait de couper les services.

— Je ne veux pas tenir jusqu'à la première, s'obstinait Lucerne. Il ne faut plus que je travaille... Il ne faut plus que j'intervienne... que je touche à mon spectacle... Sinon, je le détruirais, tu comprends ? Je le détruirais !

Il avait empoigné Didier par le devant de sa chemise, il criait de sa voix à demi brisée et qui ne portait plus. La bouteille roula à terre. Il lâcha Didier et partit à sa recherche à quatre pattes entre les rangées de fauteuils. Il finit par la trouver et rejoignit Didier dans la travée centrale.

— Je te parle sérieusement. Je n'ai même jamais été aussi sérieux et aussi honnête, et c'est honnêtement que je te préviens : mon seul désir est de détruire ce que j'ai fait. Et j'ai encore en moi toutes les forces pour y parvenir !

Jo les précédait. Il houspillait les acteurs présents dans le hall. Il guettait Linou. Elle était dehors, sur le trottoir, en train de rire avec Sylvain. Elle appelait aussi Alexandra.

— Viens avec nous boire une dernière bière ! Pour une fois ! Tu fais toujours bande à part !

Elle se frotta contre Sylvain.

— Dis-lui, toi...

Il la repoussa. Par mauvaise humeur, par fatigue. Parce qu'il avait vu Jo qui les observait de ses yeux fiévreux et que, de façon très inattendue, il n'avait pas envie de le faire souffrir

321

davantage. Une solidarité nouvelle d'homme à homme qui excluait les femmes, qui excluait Linou.

— Tu m'ennuies, dit-il sèchement.

Déjà il enfourchait sa bicyclette. Mais Linou l'oublia aussitôt et se frotta contre Alexandra, caressante, rieuse, ronronnant des paroles sans suite où il était question de boire un verre, de manger une glace, d'aller danser dans une boîte des environs d'Avignon, Alexandra ne savait pas, ne voulait pas savoir.

— Cesse ce jeu idiot, dit-elle avec impatience.

Elle cherchait Alma. On venait d'éteindre les dernières lumières du hall. Elle l'aperçut dans le groupe qui descendait les marches devant le *Regina*.

— Bonsoir ! lança Alma à la cantonade.

La première, elle quitta le groupe encore hésitant des comédiens. Elle passa devant Linou et Alexandra sans un regard, sans une parole. Elle donnait l'impression de s'enfoncer dans la nuit. De vouloir s'y dissoudre. Très vite, on la perdit de vue.

— Linou ! appelait Jo. On rentre !

— Je ne veux pas y aller, dit Linou à voix basse.

— Tu fais ce que tu veux, je m'en fiche, mais je m'en vais seule, murmura Alexandra sur le même ton.

Jo descendait les marches. Lucerne et Didier le suivaient, voûtés, silencieux, comme accablés. La bouteille de whisky allait de l'un à l'autre, passait par Jo et revenait. Les trois hommes buvaient sec. Avec une étrange distinction qui empêchait qu'on se moque d'eux. Ils gagnèrent le trottoir. Au passage, Jo prit Linou par la main, et Linou, docile, se laissa conduire. Ils avançaient lentement, un peu décalés. Lucerne fermait la marche de son pas court et pesant de plantigrade.

En arrivant à la hauteur d'Alexandra, il s'arrêta et la contempla, les sourcils froncés, comme s'il se demandait à qui il avait affaire, où il l'avait rencontrée. Il balbutia quelque chose qu'elle ne comprit pas.

— Bonsoir, Lucerne, dit-elle en faisant un pas de côté.

— Attends, Sandra...

Elle s'immobilisa, le cœur battant, cherchant par réflexe vers qui se retourner en cas d'agression.

— N'aie pas peur, disait Lucerne. Je veux seulement que tu viennes avec moi...

— Non.

— Un moment, juste un tout petit moment...

— Non.

— Je suis si désespéré. Tu ne comprends pas ? Tu ne vois donc rien ? Regarde-moi en face, au moins ! Sandra... En face !

Mais Alexandra, obstinément, fuyait son regard, détournait la tête. Comme si tout ce qui restait en elle d'énergie s'incarnait dans son refus.

Lucerne eut un hoquet de mépris.

— Tu n'es même pas cruelle, mademoiselle Seguin. Tu es juste bornée, stupide. Tu es sans arrière-plan, sans dimension. Tu n'as que ta jeunesse.

Il enfonça le goulot de la bouteille dans le sein gauche d'Alexandra. Méchamment, avec l'intention délibérée de lui faire mal. Elle eut un cri de douleur et bondit de côté.

— Ta poitrine, poursuivait Lucerne, ta jolie poitrine un peu lourde et qui me plaît tant.

Didier et Jo accouraient. Il se calma.

— Tu n'existes pas, mademoiselle Seguin. Tu n'es rien d'autre que ce que j'ai bien voulu faire de toi, c'est-à-dire trois fois rien. Et il ne tient qu'à moi de te virer, de te briser.

Fraternels et bourrus, Didier et Jo l'entraînaient. Lucerne, une dernière fois, cria :

— Tu n'existes pas ! Tu n'existes pas !

Un vent léger agitait les branches des platanes, devant le *Regina*. Le bruissement de leurs feuilles semblait faire écho aux paroles de Lucerne. Elles résonnaient dans la tête d'Alexandra à lui donner le vertige.

— Là, il exagère. Il n'aurait pas dû.

Marie-Lou l'avait rejointe. Marie-France et Christine pressaient le pas, soucieuses de ne pas s'attarder davantage.

— On ne dit pas des choses pareilles à son actrice quarante-huit heures avant la première, insistait Marie-Lou. Il y a des jours où Lucerne me dégoûte !

Il y avait dans sa façon de s'adresser à Alexandra une bienveillance nouvelle, encore timide et qu'on pouvait ne pas percevoir tout de suite. Alexandra, à vrai dire, s'en fichait. Jamais encore Lucerne ne lui avait fait aussi mal. Il l'avait atteinte dans la seule partie de son être qui existait un peu, dont elle commençait à être fière, et qui l'aidait à vivre. En attaquant l'actrice, il l'avait frappée au cœur. Elle fit deux pas, hébétée, croyant entendre les branches des platanes répercuter le cruel « Tu n'existes pas ».

— Tu rentres à l'hôtel ? demanda Marie-Lou. Moi aussi.

Sa main droite qui tenait une cigarette se posa en hésitant sur l'avant-bras d'Alexandra.

— J'espère que tu n'es pas idiote au point de croire ce qu'il t'a dit...

Sa voix rauque de fumeuse s'élevait dans la nuit, exagérément rude, presque masculine.

— Je te surveille depuis le début des répétitions, Alexandra Balsan. Tu as beaucoup de talent, même si j'ai eu du mal à l'admettre et si je me suis obstinée à ne voir en toi qu'une ex-petite amie du metteur en scène. Tu es vraiment une comédienne. Tout le monde, en voyant *Penthésilée*, s'en rendra compte. Alors, les paroles d'un ex, caractériel et jaloux...

Marie-Lou s'exprimait par rafales serrées, avec des pauses durant lesquelles elle allumait une nouvelle cigarette, toussait, perdait ce qui lui restait de souffle. Elle s'était remise en marche.

— Mais, sans Lucerne, je ne serais rien, murmura Alexandra. Il l'a dit : sans lui, je n'existe pas.

— C'est justement ce que tu ne dois pas croire. La comédienne que tu es existe à part entière. Avec ou sans Lucerne. C'est ça qu'il n'a pas supporté ce soir. À mon avis, il l'ignorait...

— Pourtant...

— Maintenant, si tu veux vraiment te raconter que tu ne vaux rien, que tu ne sais rien faire et que le théâtre n'a pas besoin de toi, libre à toi... La profession est encombrée de jolies filles sans énergie, sans détermination, et qui sont là sans savoir pourquoi, par caprice, souvent. Heureusement, elles ne durent pas... Personne ne les oblige à faire ce métier. Personne ne t'oblige, toi, à le faire.

La nuit était chaude, chargée d'odeurs, une vraie nuit d'été. On croisait encore ici et là, au détour d'une ruelle ou devant un restaurant qui venait de baisser son rideau, des comédiens aussi épuisés qu'excités et qui repoussaient le moment d'aller se coucher. Ils sortaient d'un filage. Ils avaient la tête pleine des commentaires de leur metteur en scène et la peur au ventre. Eux aussi comptaient les heures qui les séparaient de leur première.

— Des zombis, décréta Marie-Lou affectueusement.

« Comme nous », pensa Alexandra.

Marie-Lou avait cessé de parler. Elle avançait

326

à petits pas, comme oublieuse de la présence d'Alexandra à ses côtés. Ses talons claquaient sur le macadam. Elle s'essoufflait et la fatigue la faisait plus âgée. Alexandra observait son visage aux traits gonflés, les paupières devenues trop lourdes, la peau épaisse et terne, les cheveux trop blonds dont on percevait les racines grises. Que restait-il de la ravissante jeune première qu'elle avait été jadis, il n'y avait pas si longtemps, et qui laissait dans la mémoire de certains un souvenir ému ? Pourquoi avait-elle vieilli si vite ? Alexandra se sentit soudain très triste.

Mais la ville, tout autour, palpitait d'une vie nocturne dense et mystérieuse à laquelle il était difficile de résister. Des vibrations s'en dégageaient qui donnaient la fièvre et qui chassaient les chagrins. Alexandra se retourna. Elle savait qu'à cet endroit précis du boulevard, on apercevait une dernière fois le palais des Papes. De contempler même brièvement sa masse immense et illuminée dressée dans la nuit lui procura un intense sentiment de bonheur. Elle avait trente et un ans, tout était à faire, tout était devant elle : Avignon était sa ville, un jour elle en serait une des princesses.

Quand elles entrèrent dans le hall de l'hôtel, Alexandra avait oublié les paroles de Lucerne. Elle vit le gardien qui dormait, renversé dans son fauteuil, le casier sans message. Elle bâilla. Marie-Lou, déjà, était allée chercher sa bouteille de rosé dans la cuisine.

Il y avait deux verres sur le plateau. Alexandra s'empressa de devancer l'invitation.

— Je suis morte de fatigue, dit-elle. Je te remercie de m'avoir parlé comme tu l'as fait... À demain.

Quelque chose dans le visage de Marie-Lou, aussitôt, se contracta. Alexandra s'en voulut de sa maladresse, de son manque de générosité.

— C'est ce que je n'aime pas chez toi, Alexandra Balsan, ce côté jeune fille bien élevée qui ne boit pas, qui s'économise...

Avec un haussement d'épaules, Marie-Lou se dirigea vers le coin du salon où brillait faiblement une petite lampe. Alexandra la vit poser le plateau sur la table basse encombrée de magazines et de dépliants touristiques. Allumer une cigarette et se servir un verre.

— Tu ne vas pas boire seule ? demanda-t-elle timidement.

— Et pourquoi pas ? Tu dors bien seule, toi.

Marie-Lou grimaça un sourire, vida d'un trait le verre de rosé.

— Je n'ai jamais pensé sérieusement que tu couchais avec Jérémy.

— Et Lucerne ?

— Va dormir. Ne pense plus à lui. Je ne lui ai jamais raconté la présence de Jérémy dans ta chambre.

Et voyant qu'Alexandra se penchait pour l'embrasser :

— Pas de sensiblerie avec moi, Alexandra

Balsan. Nous ne sommes pas encore des amies, mais deux actrices engagées dans la même galère et qui doivent défendre leur rôle.

Elle leva haut son verre, les yeux plissés de malice, tout à coup.

— À la santé de Penthésilée, *la Reine au sein brûlé, la Princesse à la ceinture de diamants*! Elle n'a pas fini de nous en faire voir!

Acteurs et techniciens, tous attendaient Lucerne. On était au milieu de l'après-midi, à quelques heures de la première et il n'arrivait toujours pas. La veille, déjà, on ne l'avait pas vu. Les dernières répétitions et l'ultime filage s'étaient déroulés sans lui dans une sorte de désarroi intérieur généralisé. Mais le climat d'urgence qui régnait partout dans le théâtre exigeait qu'on aille de l'avant, qu'on se comporte comme s'il était toujours là à s'agiter nerveusement dans son fauteuil. Personne ne s'était plaint, personne n'avait protesté. Mais beaucoup s'étaient sentis blessés par ce qui, tout de même, commençait à s'apparenter à une désertion.

— Vous êtes sûrs qu'il va venir? demanda David.

Il s'adressait à Didier et à Jo, appuyés au cadre de la scène et qui guettaient avec une inquiétude croissante la porte d'entrée.

— Il doit régler les saluts, répondit Jo. Il le fait toujours.

Il s'efforçait au calme mais son regard fuyant le trahissait.

— Il tient à renforcer le moral de ses troupes, ajouta Didier d'un ton léger. Il doit être en train de nous concocter un de ses discours incendiaires dont il a le secret...

Pas plus que Jo, il n'était convaincant.

— Les troupes ont bien besoin qu'on leur remonte le moral, dit Marie-Lou d'une voix lugubre.

Elle chercha un appui complice du côté de Marie-France, de Christine ou d'Alexandra, mais les trois jeunes femmes, enfoncées dans leur fauteuil, ne semblaient pas disposées à la suivre sur ce terrain. Elles se taisaient, accablées d'appréhension, consultant sans arrêt leur montre, la gorge nouée, comptant les heures qui les séparaient de la représentation.

Sylvain, Michel et Gérard se comportaient à peu près de la même façon. Régulièrement, leurs regards se posaient sur Alma comme si elle seule détenait la réponse à leurs questions. Mais Alma, perdue dans ses pensées, les ignorait. On aurait dit qu'elle avait tracé autour d'elle un cercle magique et invisible qui la coupait de ses camarades, l'isolant, la protégeant. Même Linou ne parvenait plus à se faire entendre. À plusieurs reprises, elle avait murmuré des phrases auxquelles Alma n'avait daigné répondre autrement que par des haussements d'épaules agacés. Linou s'était alors retournée vers Marie-Lou.

— Puisque Lucerne ne vient pas, on pourrait sortir prendre l'air. Il fait horriblement chaud, ici.

Elle s'éventait avec un quotidien régional où s'étalait en première page la photo de David. Au-dessous, on pouvait lire cette légende : « Une star de la danse ouvre le festival d'Avignon. » À l'inverse de ses camarades, Linou était fraîche, détendue et de bonne humeur.

— On serait mieux au bord d'une piscine, non ?

— Tu n'es peut-être pas au courant, mais on joue ce soir, répondit Marie-Lou avec rudesse.

— Ah, le voilà ! s'exclama quelqu'un.

La porte principale, celle qu'emprunterait le public, venait enfin de s'ouvrir. Hélas, ce ne fut pas Lucerne qui apparut, mais une jeune femme qui tendait une feuille de papier pliée en quatre. Une des secrétaires du théâtre que Didier s'empressa de rejoindre. Ils eurent, à voix basse, un bref conciliabule. Puis la jeune femme se retira et Didier revint vers le plateau. Il marchait lentement, tête basse, lisant et relisant ce qui était écrit sur la feuille de papier. Quand il fit face aux acteurs et aux techniciens, tous furent saisis par l'expression découragée de son visage, par le pli amer de la bouche.

— Lucerne ne viendra pas, dit-il enfin. Mais il a dicté ses instructions et nous allons les respecter à la lettre.

Et devant le brouhaha que ses paroles soulevaient dans la salle :

— Ça ne sert à rien de s'indigner. Plus vite nous aurons réglé ces fichus saluts, plus vite vous serez libres de quitter le théâtre et de vous reposer.

Mais personne ne semblait disposé à lui obéir. Les comédiens, d'abord incrédules, échangeaient maintenant des regards navrés ou furieux, incapables d'exprimer à voix haute et de façon cohérente ce qu'ils éprouvaient. Ils avaient compté sur la présence de Lucerne, ils l'avaient attendu. Patiemment, avec confiance. Son absence, à quelques heures de la représentation, leur enlevait beaucoup de leurs forces et de leur foi dans le spectacle. Livrés à eux-mêmes, ils se sentaient perdus, abandonnés. Cette détresse, Didier la voyait, la comprenait et la partageait.

— Et comment veut-il que nous saluions ? demanda Alma.

Elle s'efforçait de garder un ton neutre, se tenait sagement assise, les mains posées bien à plat sur ses genoux.

David quitta sa place favorite au bord de la travée et vint vers elle.

— Allons-y, chuchota-t-il. Donnons-leur l'exemple.

Au sens propre et au sens figuré, il lui tendait la main. Elle perçut l'énorme effort qu'il faisait sur lui-même, son exigence déçue et pourtant inaltérable. Sa fierté. Sa morale de bête de scène qui veut qu'on aille jusqu'au bout. Cette vaillance la galvanisa. « Allons-y », répéta-t-elle. Et plus doucement, à la seule intention du beau jeune homme aux yeux pailletés de jaune et qui lui souriait comme pour l'encourager encore et encore : « David... cher David. »

Les acteurs reprirent les places qu'ils occupaient à la toute fin de la pièce, quand les Amazones et les Grecs, un instant réunis, entourent les cadavres d'Achille et de Penthésilée. Les lumières de René suggéraient la naissance d'une aube radieuse. Marie-Lou, en Grande Prêtresse, prononça les dernières paroles :

— *Ô Dieux ! Qu'elle est fragile, votre créature ! Avec quel orgueil, celle qui gît là brisée — il y a si peu de temps — sur la plus haute cime de sa vie se berçait de son grand murmure !*

Puis il y eut ce long silence exigé par Lucerne, si étiré, si chargé d'horreur et de chagrin qu'il en devenait douloureux jusque dans la salle.

— Noir ! réclama Didier.

Toutes les lumières s'éteignirent effaçant d'un seul coup l'image tragique. Alma et David se relevaient, gagnaient les coulisses à la suite de leurs camarades.

— Plus vite, exigeait Didier, ça doit être instantané. Première vague : Sylvain, Michel et Gérard, vous revenez côté jardin. Vous saluez. Applaudissements. Vous ne traînez pas et ressortez par où vous êtes entrés. Deuxième vague : Christine, Marie-France et Linou, vous arrivez côté cour. Même chose. Saluts, applaudissements, etc. Vous repartez. Troisième vague : Alexandra entre côté jardin et Marie-Lou côté cour. Saluts et applaudissements. Vous libérez le plateau pour Alma et David. Alma, tu arrives côté jardin et David côté cour. Vous restez sous les applaudissements plus longtemps que les autres. Noir. Lumières. Tout le monde sur le plateau pour saluer ensemble. Proprement, bien alignés. Vous saluez autant de fois que la régie vous envoie les noir-lumières. C'est clair pour tout le monde ? On reprend sur l'image figée de la fin. Allons-y ! Sylvain, Michel et Gérard, vous êtes déjà en retard ! C'est pas possible ! On reprend à cause de vous ! Noir ! Lumières !

Les comédiens couraient des coulisses à la scène, avec une ardeur brouillonne d'enfants lâchés en cour de récréation après trop d'heures d'école. Il y eut les inévitables bousculades dans l'obscurité, les rires nerveux, les cris ici et là quand on se trompait. David menait l'ensemble, donnant un tempo à ce qui n'était encore qu'un piétinement confus.

Dans la salle, les techniciens s'étaient joints à Didier pour applaudir et crier bravo. Une façon d'encourager leurs camarades comédiens. Une solidarité de principe qui contribuait à faire de cet exercice un moment très joyeux et un peu fou. On réglait les saluts, bien sûr, mais on exorcisait aussi l'énorme tension accumulée durant les dernières vingt-quatre heures.

Et, brusquement, surmontant tout ce tapage, une voix se mit à hurler :

— Arrêtez !

Sur le plateau, Christine, Marie-France et Linou venaient de céder la place à Marie-Lou et Alexandra. Celles-ci s'immobilisèrent aussitôt, cherchant à situer cette voix. Mais le théâtre était plongé dans l'obscurité et elles ne virent tout d'abord rien. Didier quitta sa place au sixième rang et courut se coller contre la scène.

En face de lui, au balcon, une silhouette massive venait d'apparaître. On n'en percevait que les contours mais aucun doute n'était possible quant à son identité. « Arrêtez ! » hurla-t-on de nouveau. Et d'une voix éraillée, si proche de se briser qu'elle en donnait le frisson : « C'est de la merde ! »

Les acteurs, un par un, quittaient les coulisses et se joignaient à Marie-Lou et Alexandra. David se détacha du groupe et gagna le bord du plateau. Sa voix s'éleva, extraordinairement calme.

— Arrêter quoi, Lucerne ? Qu'est-ce qui est de la... ?

Même dans les pires situations, prononcer certains mots lui répugnait.

— Mon spectacle ! hurla Lucerne.

— La salle et les services ! cria Didier.

On ralluma dans tout le théâtre. Ce fut si brutal, si rapide que cela produisit comme une sorte de syncope. Acteurs et techniciens, accoutumés à l'obscurité, clignaient des yeux, tentaient

336

d'accommoder leur vue à cet afflux de lumières. Ils cherchaient à distinguer Lucerne, toujours au balcon, et dont le grand corps immobile pendait en partie dans le vide.

— Lucerne ! appela Didier.

Le corps renversé sur la rambarde tressaillit, roula à gauche, tangua à droite, se redressa et fit face. Un « Oh ! » unanime monta du parterre. Lucerne s'était rasé et avait coupé très court ses cheveux. Cela lui donnait des airs d'idiot du village, ou de bagnard, on ne savait pas, on n'avait pas envie de se prononcer. Cela lui faisait une petite tête posée sur un corps trop grand, cela révélait un drôle de crâne bosselé vers la nuque. C'était bizarre, agressif, indécent, sans que l'on comprenne au juste pourquoi. Lui, là-haut, cabotinait de la pire façon, saluait en se dandinant un public imaginaire. Il semblait beaucoup s'amuser. Très vite, il prit la parole.

— Mes chers camarades, si je me permets d'interrompre si malencontreusement votre travail aujourd'hui — et je vous prie de bien vouloir m'en excuser — c'est en raison de l'urgence de la communication que j'ai à vous faire. Nous avons, vous et moi, pendant de longues semaines travaillé ensemble avec infiniment d'application, de conscience, de talent, même, et quelquefois, osons le dire, davantage encore. Peut-être de génie. Mais que sont, je vous le demande, l'application, la conscience, le talent — et même davantage encore — lorsque tant d'efforts et de qualités

337

aboutissent en fin de compte à ce que j'ai pu contempler, avec d'abord de la surprise, ensuite un peu de tristesse, et pour terminer, je vous le dis fraternellement, pour terminer, une immense consternation. J'aurais pu, eu égard à l'amitié qui nous lie, vous dissimuler la vérité, et vous prodiguer les vaines flatteries qui ne sont que trop courantes dans notre métier. J'aurais pu. Mais ce que je vous dois avant tout, c'est la vérité. Aussi c'est le cœur brisé, certes, mais avec le profond sentiment du devoir accompli, que je vous supplie de regarder en face cette vérité au visage sévère mais tellement honnête : mon spectacle n'est pas autre chose que de la merde. Aussi... Aussi...

Lucerne avait déclamé son discours d'une traite, sans hésiter, sans se tromper et d'une voix anormalement claire. Mais il ne put l'achever. Il riait. Un fou rire énorme, féroce, et qui semblait ne jamais devoir s'arrêter.

— Il est ivre, dit Didier. Tellement ivre que je ne vois pas ce qu'on peut faire pour lui.

— Qui parle de faire quelque chose pour lui?

Alma avait rejoint David à l'extrême bord de la scène.

— Lucerne! appela-t-elle. Tu vas quitter le théâtre! Tu vas nous laisser travailler en paix! Rien de ce que tu peux faire ou dire ne nous empêchera de jouer le spectacle! C'est le nôtre autant que le tien! Nous le défendrons contre tous, y compris contre toi!

Titubant dangereusement le long de la rampe, Lucerne applaudissait à tout rompre.

— Bravo ! Bravo ! Chère Alma ! Ridicule Alma ! Dérisoire Alma ! Touchante Alma ! Courageuse Alma qui se prend pour la Jeanne d'Arc du... de...

Il bafouillait, perdait définitivement le fil de son discours. Il tanguait si fort qu'il lui fallait s'agripper des deux mains à la rambarde.

Sur le plateau, David avait passé un bras autour des épaules d'Alma.

— Désolé, Lucerne, cria-t-il à son tour, mais nous finirons le travail sans toi. Tu peux nous insulter tant que tu veux, nous jouerons tout à l'heure et ce sera au public de juger.

Derrière eux, les huit autres acteurs, un instant divisés et hésitants sur ce qu'il convenait de faire, se pressaient maintenant les uns contre les autres, résolus, combatifs, plus unis que jamais.

Les techniciens reprirent leurs places et Didier la sienne, au sixième rang où se trouvait pour un moment encore la table de travail. René fit le noir. Il y eut une sorte de silence solennel, puis la lumière se ralluma et Marie-Lou et Alexandra vinrent saluer, aussitôt suivies par David et Alma.

Mais Lucerne, en haut, ne l'entendait pas ainsi. Les insultes recommencèrent, toutes dirigées contre lui-même, contre Kleist, contre Gracq et contre Didier. « Ne l'écoutez pas, criait-il. Il est viré. Viré ! »

Enfin, Didier mit un terme à cette ultime répétition.

— Allez vous reposer... Détendez-vous...

Il était épuisé. Jo ne valait guère mieux qui courait de la salle au plateau, aboyant des ordres dans le talkie-walkie, rappelant à tous que la représentation commençait à vingt et une heures. « Ne te fatigue pas, on ne risque pas de l'oublier », raillaient certains. Mais Jo n'était plus en état d'entendre quoi que ce soit.

— Tout de même, remarqua un technicien, des saluts décidés par le metteur en scène et réglés sous les lazzis du même metteur en scène, je n'avais encore jamais vu ça.

— Quoi ?

Jo le fixait d'un air hébété, sans comprendre.

— Des saluts décidés par le metteur en scène... reprit patiemment l'accessoiriste.

Mais Jo ne le laissa pas poursuivre.

— Va t'occuper de remettre le sable en place, il y a des traces de pas partout !

Et dans son talkie-walkie :

— Plus personne sur le plateau... Libérez le plateau...

Alexandra suivait le flux tumultueux et charnel qui reliait le palais des Papes au reste de la cité. Un mouvement incessant, profond, régulier, contre lequel il ne fallait pas tenter de lutter. On se laissait conduire, on se laissait porter. Perdue parmi la foule des visiteurs, elle avait caressé les murs du palais des Papes. Un geste furtif et secret qui ressemblait à une prière. Elle avait encore allumé un cierge dans la cathédrale. Notre-Dame-de-Tout-Pouvoir promettait sa bienveillance dans l'obscurité veloutée de sa chapelle et Alexandra l'avait implorée comme elle avait auparavant imploré les ombres de Gérard Philipe et de Jean Vilar. Puis, le flux qui l'avait menée la ramena.

Elle avançait, insensible à la chaleur, au vacarme, en récitant son texte à voix basse. Au fur et à mesure qu'elle approchait du théâtre, son estomac se nouait. Elle avait mal partout : au ventre, à la tête, aux dents ; ses muscles et ses articulations tardaient à lui obéir. À croire que tout son organisme se révoltait. « Et si je n'y arrivais pas ? » se demanda-t-elle soudain distinctement.

Devant elle, se dressait maintenant la façade refaite à neuf du *Regina*. À n'en pas douter, elle était parvenue sur les lieux de son supplice. Et c'est en martyre qu'elle se dirigea vers l'entrée des artistes, une petite porte anonyme située à l'arrière du théâtre, dans une cour accolée à un terrain vague.

Lucerne était là, embusqué dans l'embrasure de la porte, avec ses éternels vêtements noirs devenus gris de poussière, son visage nu et son crâne presque rasé. D'un mouvement du bras, il intima à Alexandra l'ordre de s'arrêter. C'était inutile, la peur venait de l'immobiliser. Un chat tigré surgit de derrière une palissade et vint se frotter contre ses jambes. Elle l'entendait ronronner. Comme elle entendait les rumeurs de la ville et les battements affolés de son cœur. « Quelqu'un va arriver, pensa-t-elle. Ce n'est pas possible que nous soyons seuls. »

Il n'était pas très solide sur ses jambes mais tout de même, il tenait debout. Il fit un pas en avant.

— Tu ne joueras pas mon spectacle, articula-t-il.

Une certaine énergie passait dans sa voix, opérant un curieux contraste avec sa démarche hésitante. Était-ce cela ? Cette voix et ce drôle de physique ? Alexandra sentit qu'un peu de sa terreur se dissipait. Le chat se frottait toujours contre ses jambes.

— Va-t'en, reprenait Lucerne. Le spectacle n'aura pas lieu ou il aura lieu, peu importe, mais sans toi...

Il fit une pause, attendant d'elle une réponse, la manifestation de sa panique. Il voulait la voir crever de peur. Il voulait l'entendre supplier. Il voulait que quelque chose se brise en elle. Définitivement. Mais pour l'instant, elle conservait cet air fragile et têtu qui le touchait tant, jadis, et qui lui retirait toujours un peu de sa colère, un peu de son désir de lui faire mal. Mais aujourd'hui, ce charme n'agirait pas. Malgré tout l'alcool ingurgité depuis quarante-huit heures, Lucerne se sentait extraordinairement lucide. Sans illusions. C'était comme une nouvelle force, cette absence d'espoir, cette certitude qu'elle ne l'aimerait jamais, que c'était fichu, irrémédiablement fichu. Déjà, il voyait ce qu'il cherchait : la respiration désordonnée qui soulevait ses seins sous le chemisier, les narines qui palpitaient.

— Tu n'as pas rempli le contrat, mademoiselle Seguin.

— Quel contrat?

Mais il n'entendit pas la question posée à voix basse, sur le souffle. Il poursuivait, pressé d'en finir tout à coup, de lui cracher tout ce qu'il pensait d'elle. Et de la briser. Il en revenait sans cesse à ça : la briser. Une idée fixe, maintenant.

— J'ai monté *Penthésilée* pour toi... pour te

reconquérir... pour t'enseigner ce que c'était que l'amour. Et qu'est-ce que j'ai à l'arrivée ? Une pimbêche amoureuse d'un petit bourgeois qui l'a plaquée. Une pimbêche qui m'a refusé jour après jour, pendant des semaines, des mois, alors que j'œuvrais pour elle !

Devant lui, à deux mètres, Alexandra venait de ramasser le chat errant et le serrait contre sa poitrine. C'était grotesque, absurde. Pourquoi faisait-elle ça ? Mais de voir l'animal dans ses bras renforça la colère de Lucerne : il semblait si heureux, si confiant. Son ronronnement visible était une insulte de plus à sa souffrance.

— Tu crois que je vais t'offrir un spectacle ? J'ai fait de toi une actrice. Je t'ai donné une morale, le goût du théâtre ! Mais tout ça, mademoiselle Seguin, je le retire. J'aime encore mieux tout détruire que de te donner les moyens de triompher ! Et tu resteras dans la mémoire des gens comme celle par qui le malheur arrive !

Un fou rire soudain le secoua et il se mit à tanguer d'avant en arrière. Alexandra serrait toujours le chat contre sa poitrine. Elle n'écoutait plus Lucerne, elle cherchait par où s'enfuir s'il avançait davantage. Alors, elle les vit qui arrivaient en groupe devant le théâtre : Didier, David, Sylvain, Michel, Gérard. Et René, l'éclairagiste !

— Malheur à celle par qui le scandale arrive ! répétait Lucerne sur un ton parodique de prophète.

Déjà ils l'entouraient et faisaient comme une barrière entre lui et elle.

— Tu es ivre, Lucerne, dit doucement David. Tu vas boire du café, te reposer, dormir. Pendant ce temps, nous défendrons ton spectacle et tu seras heureux et fier de ta *Penthésilée,* comme nous sommes tous heureux et fiers de jouer pour toi... d'incarner tes rêves... d'être tes amis.

David l'enlaçait tendrement et Lucerne se laissait faire. « Je suis si malheureux... J'ai tout perdu », l'entendait-on gémir.

— Va dans ta loge, Alexandra, il t'a oubliée. Et puis lâche cet infect chat !

Sylvain la tirait par le bras pour l'entraîner avec lui. Le chat tomba à terre.

Ils coururent vers l'entrée des artistes. Il claqua la porte derrière eux et seulement alors il la lâcha. Il était très en colère.

— J'en ai par-dessus la tête de toi, de lui, de vos histoires ! Je ne suis pas ton garde du corps, Alexandra, personne ne me paye pour ça ! Je suis un acteur ! Un acteur ! Un acteur !

Sa voix grimpait dans les aigus. Il s'entendit et en rectifia la portée.

— Jusqu'au bout ! Jusqu'à la dernière minute, tu nous auras cassé les pieds !

Il prit l'escalier en colimaçon qui descendait au sous-sol des loges. Pour se retourner une dernière fois.

— J'espère qu'après Avignon, tu vas donner ta démission ! Que le festival d'Automne et la tournée, ce sera sans toi !

Le reste se perdit dans un fracas métallique. Il

avait descendu l'escalier furieusement, en écrasant toutes les marches. Le bruit attira l'accessoiriste qui achevait de recenser les arcs et les carquois des Amazones.

Alexandra avait glissé le long du mur. Elle pleurait, agenouillée sur le sol. Des larmes qui roulaient sur ses joues et qui s'écrasaient sur le chemisier.

— Ne reste pas ici, jeune fille, dit l'accessoiriste.

Mais elle sanglotait de plus belle, le poing collé contre la bouche pour retenir un flot de plaintes.

— Descends dans ta loge. C'est rien, ce qui t'arrive... C'est le théâtre... C'est les nerfs... Tout ira mieux après la première.

À travers l'écran de ses larmes, Alexandra aperçut une deuxième silhouette masculine qui remontait du sous-sol et qui s'accroupit à ses côtés. Elle sentit sur son front, sur ses joues, passer les doigts nerveux de Jérémy, son souffle et son haleine de fumeur de cigarettes anglaises.

— C'est encore l'hétéro-coq qui te persécute ? demanda-t-il.

Elle s'accrocha au blouson de Jérémy.

— Je n'y arriverai pas ! C'est sûr ! C'est fichu !

Et elle se remit à sangloter en répétant : « C'est fichu ! C'est fichu ! — Mais non, c'est pas fichu », répondait Jérémy que ce désespoir prenait de court. Il la serrait contre lui sans trop savoir quoi lui dire d'autre. Mais quand il l'entendit réclamer la présence d'Adrien, il s'irrita.

346

— La barbe, Adrien ! La barbe, Lucerne ! Oublie-les ! Rien d'autre ne compte hormis le spectacle !

Il la soulevait de terre, la secouait. « Je ne peux pas ! Je n'y arriverai pas ! » continuait de gémir Alexandra. « Si, tu peux ! Si, tu y arriveras ! » ripostait Jérémy durement. Mais quand il la vit qui commençait à se calmer, il reprit un ton normal.

— Rejoins ta loge, rentre en toi.

La crise était passée. Déjà elle allait mieux. Enfin, presque.

— J'ai l'impression que je vais mourir, dit-elle.

— Classique.

Elle levait vers lui des yeux noyés de larmes. Il refusa de se laisser attendrir davantage.

— À tout à l'heure, dit-il fermement.

Le brouhaha de la salle arrivait dans les loges retransmis par les haut-parleurs ou, plus exactement, par ce que l'on appelle dans le jargon théâtral les « retours ». La voix de Jo s'y superposait qui chuchotait : « Le spectacle démarre dans trente minutes... Attention, le spectacle va commencer dans un quart d'heure. » Le son était si parfait qu'on ne perdait rien de ce qui se passait dans la salle. On entendait même les gens se disputer pour une place ou un strapontin. Comme souvent, il y avait plus de spectateurs que de fauteuils. Le théâtre, une demi-heure avant, était déjà plein. Dehors, piétinait une foule d'impatients que l'on autoriserait peut-être à s'installer à même le sol, dans les travées. Mais il leur fallait attendre le dernier moment. La tension, partout, montait. Le bouche à oreille avait opéré au-delà de toutes les prévisions pour faire de *Penthésilée* le spectacle à voir en priorité. *Pièce canine*, répétait-on sans comprendre, mais sur le ton des initiés.

Malgré les ventilateurs qui avaient fonctionné toute la journée, il faisait de nouveau très chaud. Alors on protestait : « Un théâtre qui n'a pas l'air conditionné, c'est un scandale ! » lança distinctement une voix mâle et bien timbrée. « Ou un suicide ! » répliqua une autre. Des rires nerveux fusaient ici et là.

— Ils sont bien agités, murmura Marie-Lou en affectant le mépris.

Elle se tenait debout sous le haut-parleur. Dans sa main droite tremblait une cigarette qu'elle n'avait pas allumée par égard pour ses camarades de loge. Ses yeux inquiets allaient de l'une à l'autre, mendiant un ultime réconfort. Mais chacune à sa façon était un bloc d'effroi et de solitude.

Alma était la plus farouche. Elle fixait son reflet dans le miroir, poursuivant avec lui un dialogue secret, incompréhensible et terrible. Il n'y avait rien de plus dur, de plus impitoyable que ce regard qu'Alma posait sur elle-même. Parfois, elle se saisissait d'un gros pinceau de maquillage et rectifiait les ombres destinées à creuser ses joues. Régulièrement, ses dents attaquaient ses lèvres.

« Attention, attention, murmurait la voix de Jo. Le spectacle commence dans cinq minutes. Je répète : cinq minutes. Les garçons, en coulisse ! »

— Mon Dieu ! cria presque Marie-Lou.

Et de façon désordonnée, elle se signa. Mais de dos, de manière qu'aucune de ses camarades ne puisse la surprendre.

La porte de la loge voisine s'ouvrit. Les quatre garçons sortaient. On les entendit s'étreindre et se chuchoter des mots d'encouragement. David passa la tête dans la loge des filles. « Good luck, darlings ! » dit-il. Son beau visage maquillé était presque méconnaissable : la peur en avait enlevé les couleurs, durci tous les traits. Seuls les yeux bruns pailletés de jaune étincelaient. Mais de fièvre. « All the best ! » dit-il encore. « All the best ! » répondirent les filles en écho.

On entendit ensuite l'escalier de fer résonner au passage des quatre garçons, puis la voix de Jo : « Noir dans la salle... Lumières plateau. » Le brouhaha partout s'apaisa. Il y eut un silence à peine coupé de « Oh ! » et de « Ah ! » au fur et à mesure que la scène s'éclairait et que le camp des Grecs apparaissait. Puis de nouveau un silence et la voix de Gérard, enfin, s'éleva, un peu modifiée par le trac.

— *Salut, ô Rois. Comment va notre guerre depuis que nous nous sommes quittés sous les murs d'Ilion ?*

La voix plus ferme de Sylvain y répondit.

— *Mal, Antiloque. Regarde cette plaine. L'armée des Amazones et celle des Grecs s'y saignent comme deux louves enragées et pourquoi elles se battent — pourquoi ? — elles ne le savent même pas.*

— Ça y est, c'est parti ! dit Alma.

Pour la première fois depuis son arrivée dans la loge, elle se tourna vers les cinq jeunes femmes qui suivaient, tendues, nouées par la peur et l'émotion, les répliques retransmises par les haut-parleurs. Une de ses mains attrapa la main d'Alexandra tandis que l'autre tâtonnait sur la tablette pour y trouver celle de Linou.

— C'est parti, répéta-t-elle.

Elle souriait. Un sourire de carnassier. Un étrange sourire de louve. Puis, elle lâcha les mains de ses compagnes, ramassa son arc et son carquois et sortit dans le couloir. De la loge, on la voyait passer et repasser, absente, comme déjà dans le désert des Amazones. À la regarder évoluer de la sorte, Alexandra en oubliait la loge, les bouquets offerts par le festival et tassés en désordre dans différents récipients, les petits mots et les télégrammes épinglés autour de chaque miroir — à l'exception du sien — l'odeur de poudre et de sueur humaine. À la terreur qui lui broyait les entrailles se substituaient, par vagues successives, des envies de vomir. Mais aussi — et c'était inédit, et cela seul comptait — le désir aigu d'être sur le plateau.

Alors elle prit son arc et son carquois et, à son tour, se jeta dans l'étroit couloir. Un va-et-vient nerveux, musclé et animal, où Alma et elle se croisaient et s'effleuraient, chacune furieuse de n'être pas la seule à posséder ce minuscule territoire.

— Ça va être à vous, ça va être à vous, ça va être à vous, répétait Marie-Lou d'une voix étranglée.

Elle s'adressait à Marie-France, Christine et Alexandra qui s'apprêtaient à suivre Alma dans

351

l'escalier. Elle et Linou n'intervenaient que plus tard, après la longue première scène des Amazones. C'est pourquoi, imitée par Linou, elle les embrassait passionnément.

En haut, la scène qui opposait Achille et ses compagnons allait s'achever.

Dans la salle, un murmure flatteur avait d'abord accueilli l'entrée de David. De nombreux spectateurs n'étaient là que pour lui. Il y eut des applaudissements aussitôt matés par des « Chut ! » et des « Silence, on n'est pas au Châtelet, ici ! » Puis, le murmure reprit, différent, presque hostile, quand David lança ses premières répliques, pourtant courtes : la peur lui nouait la gorge, il avait retrouvé un peu de son accent britannique.

— C'est pas gagné, les enfants ! C'est pas gagné du tout ! s'affolait Marie-Lou.

— ... *Je n'irai pas revoir Troie, avant de lui avoir taillé sur le front à coups de lame sa couronne de fiancée...*

La voix de David, retransmise par les haut-parleurs, venait de perdre son accent. Elle résonnait maintenant, pure et virile, joyeuse et guerrière.

— À nous, les filles ! rugit Alma.

Déjà engagée dans l'escalier en colimaçon, elle se retourna brusquement, bousculant sans égard Alexandra qui montait derrière elle et qui heurta à son tour Christine et Marie-France. Sa main puissante attrapa la nuque de Linou qu'elle attira contre la rampe. « Aïe ! » protesta Linou. Mais le visage d'Alma se penchait sur le sien, sa bouche cherchait la sienne. Linou ferma les yeux et tendit ses lèvres. Docilement, en souriant. Pour hurler aussitôt de douleur. D'un coup de dents, Alma venait de lui déchirer la lèvre supérieure. Une morsure sauvage qui teinta de rouge les deux bouches. Et c'est ainsi qu'Alma entra en scène, avec un peu du sang de Linou au coin des lèvres.

Au bas de l'escalier, pour la deuxième fois, Marie-Lou se signa.

— Mon Dieu, dit-elle. Si celle-là se met à disjoncter, elle disjonctera plus fort que nous toutes réunies !

Et à Linou qui pleurait tout à la fois de rage, de douleur et d'humiliation :

— Ferme-la, tu ne l'as pas volé !

La chaleur était telle que quelques personnes se sentaient au bord de l'évanouissement. Elles gémissaient, s'éventaient à l'aide de leur sac ou du programme et contribuaient à dramatiser une atmosphère de minute en minute plus tendue.

Deux camps commençaient à se dessiner, parfois au sein d'une famille, d'un groupe d'amis, entre critiques d'un même quotidien. Ceux que le spectacle révulsait et qui voulaient le faire savoir avec des « Plus fort ! », des « Articulez ! », aigres, agressifs et furieux, et ceux qui, à l'inverse, suivaient de plus en plus fascinés la tragique histoire d'amour de Penthésilée et Achille. Ceux-là tentaient de faire taire les premiers avec des

« Silence ! », des « Sortez ! ». Mais trop émus, ils donnaient, à tort, l'impression d'être en minorité. Les deux camps, toutefois, respectaient encore un relatif statu quo.

Didier et Jérémy, assis côte à côte au centre de l'orchestre, sentaient de toutes parts monter les colères.

Les yeux rivés à la scène, ils suivaient le travail des acteurs ; ce qu'ils voyaient, ce qu'ils entendaient allait au-delà de leurs espérances. Une magnifique fidélité à la mise en scène de Lucerne, mais aussi une liberté toute neuve, fière, impertinente et juvénile qui prenait naissance pour le public, devant et à cause de lui. Ce public imprévisible et capricieux qui tout à coup se taisait, obéissant à quelque bizarre lubie, à quelque mystérieux mot d'ordre. Un fragile et délicat silence alors s'installait, le temps d'une scène ou d'un court échange de répliques. Les mots de Kleist, retransmis par Gracq, souvent murmurés, comme l'exigeait Lucerne, trouvaient alors enfin leur chemin et s'en venaient frapper au cœur une salle troublée jusqu'au malaise.

Sur le plateau, autour de Penthésilée évanouie, Achille et Prothoé achevaient de sceller le pacte tragique. David et Alexandra jouaient comme jamais.

— Sandra est sublime, s'émerveillait Jérémy à voix basse.

— Tu en doutais ?

— Je n'avais rien vu depuis quinze jours.

354

— Chut! protesta une voix.

— Pardon, s'excusa Jérémy.

— *Dis-lui que je l'aime,* poursuivait David.

— *Comment ? Que dis-tu ?*

— *Comment ? Par les Dieux ! Mais comme les hommes aiment les femmes : chastement, et d'un cœur plein de désir — en toute innocence, et avec l'envie de la leur faire perdre. Je veux en faire ma Reine.*

Alors, des coulisses, parvint une sorte de son étrange, entre le fou rire et la plainte. Les spectateurs l'attribuèrent spontanément à un bruit venant de la rue et l'oublièrent : seul comptait ce qui se déroulait sur scène où Penthésilée, lentement, revenait à la vie.

Il n'en était pas de même pour Didier et Jérémy.

— Lucerne ?

— J'espère bien que non ! Je l'ai confié aux bons soins de la secrétaire du théâtre...

Sur le plateau, Achille et Penthésilée, enfin, se retrouvaient. De sa place, côté cour, Alexandra pouvait voir ce qui se passait en face, côté jardin : un Lucerne titubant, une bouteille de whisky vide à la main. À trois reprises, il se cogna à la structure en bois qui tendait le vélum. Des secousses parcoururent la toile et provoquèrent dans la salle quelques « Oh ! » étonnés.

— J'y vais, décida Didier.

Malgré les grognements et les protestations, il se fraya un chemin le long de la rangée, puis dans la travée où les spectateurs en surnombre suivaient la représentation assis à même le sol, si serrés, si nombreux qu'il fallait presque les piétiner pour passer. « Pardon », s'excusait Didier. Une jeune femme très énervée le frappa méchamment aux chevilles. D'autres l'insultèrent.

Alma, David et Alexandra poursuivaient courageusement leur scène. Rien ne leur échappait du drame tragi-comique qui se déroulait côté jardin où deux machinistes avaient empoigné Lucerne pour l'empêcher de rejoindre les acteurs sur le plateau. « C'est mauvais... C'est nul ! » Il suppliait Didier, arrivé à la hâte et qui le tirait en arrière : « Ma mise en scène... de la merde... de la télévision... pas du théâtre... de la télévision : FR3... que dis-je ? FR12 ! »

Les acteurs et les actrices qui attendaient dans les loges avaient tout entendu grâce aux haut-parleurs. Ils étaient remontés du sous-sol et se tenaient serrés dans les coulisses : les filles côté cour et les garçons côté jardin. De tout leur cœur, ils accompagnaient les efforts de leurs camarades sur scène, espérant leur transmettre un peu d'amour, un peu d'énergie. « Mais aidez-moi », supplia Didier. Sylvain, Gérard et Michel se décidèrent alors à porter la main sur Lucerne. Et c'est seulement ainsi, à six, plus le pompier de service, qu'ils parvinrent enfin à l'expulser.

Dans la salle, on n'avait rien remarqué. Jérémy jugea que cette partie — le combat qui opposait Lucerne à son propre spectacle — était gagnée. La première manche, du moins. Pour combien de temps ? Il ne pouvait détacher son regard d'un éclat de verre qui dépassait du cadre de la scène et qui étincelait sur le sable. Deux ridicules petits centimètres que personne ne remarquait et qu'il avait, lui, aussitôt identifiés : le goulot de la bouteille de whisky.

Au fur et à mesure que la représentation avançait et que la tragédie d'Achille et de Penthésilée se précisait, une stupeur générale gagnait le public. De l'orchestre au balcon, on se taisait, accablé, fasciné, choqué. Des corps se tendaient en avant, comme pour se rapprocher des personnages, les accompagner, être au plus près de leurs souffles, de leurs chuchotements, de leur sueur et de leurs larmes. On en oubliait momentanément de siffler et de protester.

Sur scène, les comédiens se surpassaient, humbles et fiers. Ils percevaient le lien magique qui les reliait maintenant à la salle et ce lien les nourrissait et les soutenait.

Lucerne était de retour dans les coulisses.

Entouré par quatre machinistes, Didier et le pompier, il suivait son spectacle, muet, comme hébété.

Sur le plateau, les acteurs l'avaient vu et tentaient d'oublier sa présence. Alexandra comme les autres. Mais Lucerne avait cessé de lui faire peur. Ou si elle craignait quelque chose, c'était pour la représentation, pas pour elle. Tout s'effaçait devant cette seule urgence : tenir son personnage jusqu'au bout, ne pas s'en laisser distraire, ne pas dévier. Elle faisait preuve d'une stupéfiante autorité. Elle émouvait, elle rayonnait. Pour Jérémy qui suivait cette métamorphose, elle devenait l'égale d'Alma et de David. Mais ça, Alexandra l'ignorait encore.

Le récit de la mort d'Achille, son cadavre et l'apparition d'une Penthésilée barbouillée de sang, provoquèrent dans la salle des remous divers. Beaucoup de spectateurs s'enfonçaient dans leurs fauteuils, dégoûtés et furieux. « Trop, c'est trop », entendait-on ici et là.

— *Il est mort de mes baisers ? Non ? — Pas mes baisers ? — Je l'ai déchiré — réellement ?* demandait Penthésilée.

« Assez ! » cria un spectateur en quittant bruyamment sa place, très vite imité par un autre. Des huées et des sifflets éclatèrent sans que l'on sache s'ils étaient destinés au spectacle ou à ses détracteurs. Pendant quelques secondes, on n'écouta plus les imprécations de la Grande Prêtresse.

— Silence ! hurla alors Lucerne.

Il avait crié si fort, si puissamment qu'on l'entendit dans tout le théâtre et jusque dans le hall, comme devait le raconter plus tard une ouvreuse. Ce fut, pour le public, comme une semonce venue du ciel. Tout, miraculeusement, s'apaisa.

Penthésilée, agenouillée devant le cadavre d'Achille, poursuivait :

— Il y a tant de femmes pour se pendre au cou de leur ami et pour lui dire : je t'aime si fort — oh ! si fort ! que je te mangerais. Et à peine ont-elles dit ce mot, les folles, qu'elles y songent, et se sentent déjà dégoûtées ! Moi, je n'ai pas fait ainsi, bien-aimé ! Quand je me suis pendue à ton cou, c'était pour tenir ma promesse — oui — mot pour mot.

Elle se glissait le long du cadavre, caressait de ses joues le torse ensanglanté, mêlait ses jambes aux jambes de son amant. Une étreinte de quelques secondes où, à la voir ainsi enroulée à ce corps inerte, on avait le sentiment qu'elle lui faisait une dernière fois l'amour. Mais cela ne durait pas. Très vite, elle se redressait pour mieux le contempler et l'adorer. Son visage maculé de sang rayonnait de bonheur, apaisé, pacifié, comme déjà dans l'au-delà. Ses paroles coulaient, simplement, innocemment.

— Maintenant je descends en mon cœur comme au fond d'une mine et j'en retire — aussi froide que le métal — la pensée qui va m'anéantir. Ce métal, je le purifie au feu de la détresse — j'en fais un dur acier — je le trempe de part en part dans le venin du remords...

Comme un écho grotesque aux déchirantes paroles de Penthésilée, des grognements s'échappaient de la coulisse, côté jardin. Des grognements qu'on tentait de retenir mais qui fusaient tout de même et qu'on entendait du plateau.

Toujours encadré par quatre machinistes et surveillé par le pompier, Lucerne maintenant pleurait les morts d'Achille et de Penthésilée. De gros sanglots spasmodiques, sonores et qu'il cherchait à étouffer en s'enfonçant un pan de sa chemise dans la bouche. Un bâillon de fortune sans grande efficacité et qui révélait un ventre blanc et mou.

Sur scène, Penthésilée achevait de mourir du seul fait de sa volonté. Le ciel entier s'enflammait, une aurore glorieuse commençait qui niait la mort et le destin tragique des deux amants. C'était comme la fin d'un cauchemar. Enfin, le noir se fit.

Aussitôt, dans la salle, éclatèrent les premiers applaudissements. Enthousiastes, frénétiques, d'autant plus nourris que des hurlements de mécontentement y faisaient écho. Tout de suite, on s'insulta avec une rage inouïe. Les acteurs saluaient, éberlués par cet accueil, épuisés physiquement et nerveusement, presque en état de choc. Leur retour sur scène attisait toutes les passions. Les hurlements et les applaudissements redoublaient. La salle entière était maintenant debout, tournée vers le plateau, criant qui son bonheur, qui sa détestation. Des bravos à n'en plus finir, mais aussi des insultes ordurières. Les deux camps s'affrontaient au balcon, à l'orchestre, dans le hall, partout. Et toujours Jo, de la cabine technique, envoyait les noir-lumières.

Sur scène, main dans la main, les dix acteurs continuaient de saluer. Ils regardaient, encore incrédules, la tempête qui secouait leur théâtre, qu'ils avaient provoquée malgré eux, mais à laquelle déjà ils prenaient plaisir.

Alma et David conduisaient le mouvement. Ils avaient très vite compris l'ampleur de cet accueil. « C'est gagné », avaient-ils murmuré aux autres en profitant d'un noir. « C'est gagné », répétait chacun intérieurement.

Alexandra tenait la main de David d'un côté et celle de Marie-Lou de l'autre. Mais c'était un seul et même courant qui passait au travers de toutes les mains et qui les électrisait. Tous savaient l'importance de ces minutes. C'était bouleversant, vertigineux, ce public debout qui criait d'amour depuis vingt minutes sans donner le moindre signe de fatigue. Alexandra se demandait si elle ne rêvait pas. Mais le sourire triomphant d'Alma la rassurait : c'était bien réel. Tout ce qu'elle avait vécu ces derniers mois s'expliquait et se justifiait. Il lui semblait qu'elle venait au monde pour la deuxième fois et que cette fois-là était la bonne. Elle débordait d'amour et de gratitude pour ses camarades, pour le théâtre, pour le public. Sa main serrait convulsivement celle de David. Elle voyait Jérémy au huitième rang de l'orchestre qui applaudissait et sifflait à l'américaine, Lucerne qui titubait en coulisse et qui semblait ne pas comprendre ce qui se passait, Didier qui le surveillait mais qui applaudissait lui aussi, imité par tous les techniciens du *Regina*.

Jo avait rallumé dans la salle de manière à encourager le public à quitter le théâtre. Mais le public, ce soir-là, ne voulait rien savoir. Il continuait de hurler, de taper du pied. De jeunes spectateurs, au balcon, criaient le nom de Lucerne : à défaut de Kleist, de Gracq, on réclamait le metteur en scène.

— Va le chercher, dit David à Alma.

Alma ,disparut· en coulisse parlementer avec Didier et Lucerne. Celui-ci tenait à peine debout et tanguait d'avant en arrière. « Je t'en supplie... fais un effort, un seul », le priait Alma en le tirant vers le plateau. « Jamais ! » répondait Lucerne d'une voix pâteuse. Il lui résistait, s'accrochait à tout ce qu'il rencontrait sur le trajet. « Jamais ! Jamais ! — C'est ton spectacle... c'est un triomphe... ils te réclament. » Dans la salle, le silence s'était fait : un silence comme il en existe au cirque avant le numéro final des trapézistes. « Aide-moi », demanda Alma à Didier. Et Didier, comme s'il n'attendait que ça, que cette minute pour le venger de toutes les émotions que lui avait causées Lucerne, Didier envoya un formidable coup de pied dans les reins de son ami. Un coup de pied si puissant et si efficace que Lucerne se trouva brutalement propulsé au centre du plateau, en pleine lumière.

Une clameur enthousiaste le salua. De partout on l'applaudissait, on l'ovationnait. Il y eut bien quelques huées et quelques insultes, mais c'était dérisoire comparé au triomphe que lui faisaient ses partisans, maintenant largement majoritaires.

Ébloui et abasourdi, Lucerne reculait. Il se heurta à la chaîne formée par les acteurs et faillit, une première fois, basculer en avant. Marie-Lou l'intercepta de justesse. Elle lui prit le bras gauche et Alma le droit. Mais Lucerne ne l'entendait pas ainsi. Il grommelait des injures et se débattait avec un surprenant retour d'énergie. « Laissons-le saluer tout seul, décida David. Laissons-le faire ce qu'il veut. » Le premier, il se recula côté cour, suivi par Alexandra et les huit autres acteurs.

Demeuré seul au centre du plateau, Lucerne parut d'abord hésiter. Les yeux mi-clos, il regardait avec colère les coulisses, le public et le groupe formé par les acteurs. On aurait dit un taureau prêt à charger en train de choisir sa cible. Lors de sa lutte avec les machinistes et le pompier, sa chemise s'était déchirée de part en part.

— Silence ! hurla-t-il.

Le silence, de nouveau, se fit. Alors Lucerne bougea, la tête et les épaules soudain redressées, si bien que pour le public il parut très grand. Quelque chose de furieux et de désespéré se dégageait de ce géant à demi nu. C'était si impressionnant que le silence se prolongeait. Personne ne songeait plus ni à l'acclamer ni à le huer. On suivait fasciné sa lente avancée vers le public. On assistait à sa métamorphose. Ce n'était plus un taureau prêt à charger mais une victime offerte à on ne savait quel sacrifice. Il souriait d'un sourire innocent d'enfant triste.

Arrivé à l'extrême bord du plateau, au ras de la fosse d'orchestre, il marqua une courte pause. Puis son buste plongea en avant tandis que son bras droit balayait gracieusement l'air et le sol.

Dans un déséquilibre total, en prenant tout son temps, Lucerne exécuta alors le plus raffiné des saluts : une révérence héritée du XVIIe siècle, dans le plus pur style de la Comédie-Française.

Dans la salle, ce fut le délire. On l'acclamait, on hurlait son nom, on criait bravo.

— Attention !

David se précipita en avant. Sans son intervention, Lucerne basculait dans les premiers rangs de l'orchestre.

Dans les coulisses et dans les loges, on n'en finissait plus de s'étreindre. Une joie folle explosait partout. « On a gagné ! » scandaient inlassablement les comédiens qui se pressaient dans les bras les uns des autres pour s'embrasser encore et encore, à s'étouffer, à se donner le tournis, comme s'ils ne parvenaient plus à se séparer, même un quart d'heure, même cinq minutes, le temps de se laver et de se démaquiller. Les peurs, les tensions, les amertumes et les inimitiés n'existaient plus, oubliées, balayées par le moment présent.

Une foule d'amis et de parents avaient envahi le sous-sol du théâtre. On s'arrachait les acteurs, on les félicitait, on célébrait leur talent, leur courage et leur sincérité. On applaudissait Lucerne, affalé sur une malle en osier et qui souriait vaguement, abruti, hébété, hors d'état de répondre. Didier, assis à ses côtés, remerciait à sa place et écoutait les récits des spectateurs présents dans la salle qui n'en finissaient pas de raconter

« leur première ». « Je sais, j'y étais », répondait-il parfois. Mais personne n'en tenait compte.

— C'était la bataille d'*Hernani* ! répétait-on partout.

Et en écho, toujours :

— *Penthésilée* est l'événement du festival ! Vous avez créé l'événement, les enfants ! L'événement !

Une légende, déjà, était en train de naître. « On en reparlera dans vingt ans », certifiaient les responsables du festival en serrant toutes les mains qui se tendaient, soulagés, heureux, faussement modestes : « Nous n'avons jamais douté de Lucerne. » Et de façon plus confidentielle : « Bien sûr, ce n'est pas quelqu'un de facile... Mais c'est un grand homme de théâtre... Un génie... Le public ne s'y trompera pas. »

— Ils n'ont pas tort, c'est un génie, ton Lucerne, murmurait Jérémy à l'oreille d'Alexandra.

Le brouhaha était tel qu'Alexandra n'entendait pas. Mais derrière le rideau des cils noirs, elle voyait briller de plaisir les yeux de son ami. « Et toi, tu es formidable, merveilleuse », ajouta-t-il.

— Comment ?

— Formidable ! Merveilleuse !

Il avait crié, elle le comprit. Mais elle lui fit répéter. Pour le bonheur de s'entendre dire ces mots dont elle ne se lassait pas, que des inconnus déjà lui avaient dits et dont elle doutait encore.

— C'est vrai ? Ce n'est pas pour me remonter le moral ?

— Et comment que c'est vrai !

C'était au tour de Sylvain de se glisser près d'elle et de la serrer dans ses bras.

— Satanée fille ! Ce soir, je te pardonne tout... Je te supplie de faire le festival d'Automne, la tournée !

Il l'embrassait, s'amusait, cherchait ses lèvres. Alexandra se débattait en riant. Enfin il la lâcha et se retourna vers Jérémy, le visage tout à coup grave et inquiet.

— Et moi, mon vieux, comment tu m'as trouvé ?

On avait dressé un buffet dans la cour, à l'arrière du *Regina*. Les gens s'y pressaient, avides de boire, de manger, de faire la fête. C'était le début du festival, plusieurs spectacles venaient de démarrer et les bruits les plus divers couraient. On prononçait sans hésiter les mots « succès », « bide », « four ». C'était prématuré, inexact, injuste et parfois carrément mensonger. C'était excessif, c'était Avignon.

La rumeur concernant la représentation de *Penthésilée* et son triomphe final s'était répandue comme une traînée de poudre. On s'empressait de partout pour en entendre le récit, pour voir les acteurs, pour approcher Lucerne, plus que jamais objet de toutes les curiosités et de toutes les craintes.

Dans la cour, derrière le *Regina*, chacun à sa façon refaisait le spectacle. On n'en finissait plus de commenter la performance d'Alma et l'interprétation si personnelle de David. On se demandait qui était cette nouvelle venue, cette Alexandra Balsan que peu de gens connaissaient. On se faisait épeler son nom. On la cherchait, on la réclamait.

Alexandra n'avait jamais été aussi sollicitée. Les yeux agrandis de surprise, elle entendait des gens de théâtre s'enquérir de ses projets. Elle n'en avait pas au-delà de *Penthésilée*. Elle l'avouait. « Prenons rendez-vous », lui proposait-on alors. « Je rêve, je crois bien que je rêve ! » murmurait-elle à Jérémy qui ne la quittait pas. « Qu'est-ce que je t'avais dit ? » triomphait-il.

Alma, à l'inverse, semblait trouver tout cela très naturel. Elle écoutait les compliments amoureux que ne cessaient de déverser sur elle ses admirateurs, un verre de champagne à la main, souriante et détendue, souveraine. Elle donnait le sentiment que c'était elle qui recevait et que le *Regina* était son théâtre. Lucerne, présent à ses côtés, répondait à peine aux questions ou alors sous forme de grognements et seulement quand elle insistait. Il lui obéissait en tout. Mais son regard, de nouveau, cherchait Alexandra. Un regard que l'ivresse et la fatigue embuaient.

— Linou, viens ici ! dit Alma.

C'était la quatrième fois qu'elle l'appelait, essayant de l'intercepter d'un geste, d'un mot, et même d'un long sifflement de girl-scout qui, comme le reste, demeura sans effet. Linou avait la lèvre supérieure exagérément enflée et ses yeux, quand ils se posaient sur Alma, se plissaient de rage.

Elle agissait presque de la même façon avec Jo. Même volonté affichée de l'ignorer et quand il approchait trop, de le fuir. Mais qui se souciait d'eux ? À mesure que l'heure passait, une ivresse euphorique gagnait les uns et les autres et personne ne faisait plus attention à personne.

David qui d'ordinaire ne buvait que de l'eau avait accepté une deuxième coupe de champagne. Il se tourna vers Alexandra.

— Je bois à ta santé ! C'est comme si c'était tes débuts, ce soir, non ?

— Comme si, oui.

Quelqu'un avait apporté un appareil radio qui diffusait de la musique africaine. Des couples aussitôt se formèrent. Parmi les premiers, il y avait Marie-Lou et René, Linou et Sylvain. Christine, très vite, se joignit à eux avec un grand jeune homme timide et doux qu'elle présentait à tout le monde comme son fiancé.

Ils bougeaient à peine, collés l'un à l'autre, si parfaitement assemblés, si complices, si heureux qu'Alexandra tout à coup eut froid. Autour, elle ne voyait plus que des couples à l'image de celui de Christine. Près d'elle, David et Jérémy commençaient à voix basse une conversation hésitante, faite de silences, de coups d'œil en coin et de sourires. Une tristesse la gagnait, contre laquelle elle ne tentait plus de lutter. Il aurait dû être là dans la salle, au milieu du public. Il aurait dû assister à leur triomphe, à son succès. Mêler son enthousiasme à celui de ces inconnus. La prendre par la main et lui murmurer la formule magique, celle-là même qu'elle avait utilisée durant son enfance avec son frère Olivier et qu'il s'était, lui, ensuite appropriée : « On s'échappe ? » « Adrien ! » dit-elle. Le prénom venait de jaillir comme une plainte, comme un appel au secours. David se détourna de Jérémy et la considéra quelques secondes en silence. Puis il posa une main légère sur son épaule et la conduisit vers le centre de la cour où les couples dansaient.

C'était si tendre, si délicat qu'Alexandra craignait de se mettre à pleurer. Il lui semblait qu'elle pourrait sangloter des heures dans des bras comme ceux de David. Il suffirait pour cela qu'il la serre un peu plus, qu'il continue de lui parler à voix basse, avec cet accent britannique qui bizarrement revenait, peut-être parce qu'il était fatigué, peut-être parce qu'il avait bu du champagne, peut-être parce qu'il était ému.

— Pourquoi vous torturez-vous tous ? Cette énergie perdue... cet amour gaspillé... pourquoi ces simulacres ? On dirait que vous ne savez pas ce que c'est que de perdre pour de bon la personne que l'on aime...

— Si, dit Alexandra d'une voix étranglée par les larmes. Justement, je sais.

— Non. Nous ne parlons pas de la même perte, toi et moi. Et tant mieux pour toi, darling.

370

Un bref brouhaha, près du buffet, les fit se retourner. Linou, malgré le double rappel à l'ordre d'Alma et de Jo, grimpait à l'arrière d'une puissante moto.

— Ciao! criait-elle à la cantonade.

La moto disparut dans une pétarade assourdissante. Quelqu'un monta le niveau sonore de l'appareil radio.

— Pourquoi? demanda David à voix basse. Pourquoi?

Son regard désignait Jo qui fixait, hébété, la direction empruntée par la moto, une rue déserte où plus personne ne passait et où il s'engageait à petits pas, en vacillant, criant d'une voix méconnaissable le prénom de Linou. Lucerne le rattrapa. Éclairé par un lampadaire, on le voyait qui tentait de ramener Jo vers la cour. Pour quelqu'un qui n'aurait pas assisté au début de la scène, ils avaient l'air de deux ivrognes sur le point de se battre.

— Je ne comprends pas ce gâchis, dit encore David.

Il s'efforça de sourire.

— Je vais rentrer. Je me couche rarement aussi tard.

Il embrassa Alexandra sur le front.

— Pas de souffrance inutile, Sandra. Pas de souffrance inutile...

Il la ramena auprès de Jérémy et commença à dire bonsoir aux uns et aux autres, embrassant équitablement tous les membres de l'équipe, trouvant pour chacun un mot gentil, un compliment. Alexandra le regardait faire avec quelque chose de si rêveur dans le regard que Jérémy en fut irrité.

— Tu n'as aucune chance avec lui non plus, ma fille !

Ils étaient tous les deux appuyés contre la palissade qui séparait la cour du terrain vague. De l'autre côté, un figuier faisait de l'ombre. Il semblait à Alexandra qu'il s'en dégageait une odeur particulière qu'elle connaissait depuis toujours. Un parfum végétal lié à son frère Olivier. Lui non plus ne s'était pas manifesté.

— Tu es jaloux ? demanda-t-elle à Jérémy. Tu fais une tête de jaloux !

— À cause de David ? Tu plaisantes ?

Jérémy eut un rire qui s'arrêta net. « Attention », murmura-t-il.

Lucerne marchait sur eux, bousculant les couples de danseurs. Il venait d'abandonner Jo qui pleurait au milieu de la rue, indifférent à toute cette curiosité que son chagrin suscitait, aux regards apitoyés, aux moqueries. « Viens, Jo, ne reste pas ici », lui répétait Didier. Parce que c'était lui, Jo accepta de quitter le milieu de la rue et de rejoindre le trottoir.

Lucerne fixait haineusement Alexandra, un cigare planté entre les dents. Jérémy s'était reculé. Sa main, toutefois, tenait encore fermement celle de son amie.

— L'autre, la petite garce...

Il cracha le prénom de Linou.

— Et c'est pour des petites garces comme elle... comme toi... qu'on fait du théâtre ? Qu'on souffre à en crever ?

— Laisse tomber, Lucerne, dit Sylvain.

Arrivé depuis peu, il tentait de s'interposer en feignant la bonne humeur, comme s'il s'agissait d'un jeu dont tout le monde détenait les clefs et les codes. Mais Lucerne le repoussa. Il avait retiré de sa bouche l'énorme cigare et le dirigeait vers Alexandra.

— Je vais te l'écraser sur la joue...

Alexandra reculait en aveugle, en trébuchant, guidée par Jérémy qui cherchait à gagner la rue. Elle voyait le bout incandescent du cigare se rapprocher, elle entendait les injures que psalmodiait Lucerne, de plus en plus ordurières, à se demander d'où ça lui venait, de quelle profondeur de son être il les extirpait. En cinq secondes à peine, elle s'était couverte de sueur. Des gouttes qui partaient du front et qui lui inondaient le visage. Elle transpirait de peur. Elle ne voyait plus rien.

Soudain, Lucerne chargea. Elle entrevit une silhouette s'élancer devant elle, sorte de miraculeux bouclier contre lequel il se heurta. C'était Sylvain. Il y eut un bruit mat suivi d'un hurlement. D'un seul coup de poing, Sylvain venait d'écraser le nez de son agresseur. Lucerne porta ses mains à son visage et les retira ensanglantées. De nouveau, il hurla. Des hurlements de possédé qui attirèrent près de lui toutes les personnes présentes dans la cour. On se bousculait, on voulait appeler les pompiers, la police, le SAMU ; on s'affolait. Seul Sylvain conservait son flegme. Mieux, il souriait, frottant d'un air satisfait son poing droit à sa main gauche, comme un héros de feuilleton télévisé.

— Désolé, Lucerne. Remarque, ça fait un moment que j'en avais envie !

— Don't stay here. Don't you see he is lunatic to-nigth ?

David entraînait Alexandra vers la rue où Jérémy les attendait. « Mais tirons-nous ! Tirons-nous ! » s'énervait-il. Et comme un écho aux paroles de David : « C'est ce soir qu'il est vraiment dangereux. Sa *Penthésilée* vit sans lui... » Le reste de sa phrase se perdit. Il s'était mis à courir. Droit devant lui, sans se soucier si on le suivait ou pas. David voulut se lancer à sa poursuite. Sa main, fermement, tenait le poignet d'Alexandra. Une dernière fois, ils se retournèrent pour entrevoir la silhouette d'Alma qui s'éloignait en sens inverse, la tête haute, de son pas assuré de reine des Amazones. Personne ne l'accompagnait.

Suivre David ne fut pas difficile. Sans effort, spontanément, la foulée d'Alexandra s'accorda à celle du danseur. « Mon pied va très bien ! » dit-il gaiement.

Ils coururent longtemps tous les trois, sans se lasser, avec un plaisir diffus qui tenait à la nuit, aux rues désertes, à cette sensation soudaine d'enfance et de liberté. Ils ne fuyaient plus Lucerne, ils l'avaient même oublié. Ils couraient pour courir. Parce que toujours une rue en appelait une autre, parce que leurs pieds chaussés de tennis rebondissaient sans faire de bruit sur le macadam, parce que les étoiles, haut dans le ciel, les guidaient et que plus rien n'existait en dehors de cette course silencieuse au cœur de la nuit, au cœur de la ville.

Jérémy, le premier, donna des signes de fatigue.

Ils venaient de déboucher place du Palais, près d'une série de marches qui montaient vers la cathédrale Notre-Dame-des-Doms. Jérémy se coucha sur la plus haute, les mains collées sur la poitrine comme pour retenir les battements de son cœur. Il gémissait. De douleur, de bien-être, sans doute les deux à la fois. David et Alexandra

375

l'imitèrent aussitôt. Un fou rire naquit tout à coup et les retint allongés sur les marches, pareils aux gisants des églises.

Au-dessus d'eux, s'élevait la masse imposante du palais des Papes. Le spectacle de la cour d'honneur était terminé. De toute cette fièvre, il ne restait qu'un amoncellement de prospectus, de programmes, de papiers gras et de bouteilles vides. Mais aucun des trois n'en tenait compte. Ils regardaient, fascinés, les tours illuminées du palais.

— À droite, la tour d'angle, à gauche, la tour de la Campane, au milieu la porte des Champeaux, récita Jérémy en agitant un bras dans les directions désignées.

Sa respiration redevenait normale.

— Encore à gauche, la tour des Trouillas et accolée à la tour de la Campane, l'aile des Familiers. Je continue?

— Non, répondit Alexandra pour le taquiner.

— Tu connais bien Avignon? demanda David.

— J'y suis né.

Jérémy s'assit de façon à mieux voir David étendu une marche en dessous, et Alexandra, un peu plus bas.

— *Mon* palais, *ma* cathédrale, *ma* cité, dit-il sur un ton emphatique. Tout cela est à moi et je vous l'offre.

— Nous acceptons ton cadeau, répondit David avec sérieux.

— Hum, hum... fit Alexandra.

Jérémy s'allongea de nouveau sur la marche, à plat ventre cette fois. Sa main jouait avec celle de David, ses doigts se mêlaient aux siens. David le laissait faire et chantonnait :

Alas my love ! you do me wrong
To cast me off discourteously...

Alexandra contemplait le ciel et les étoiles. Si intensément qu'elle ne voyait plus ni ses amis, ni les tours du palais, ni les toits de la ville. Un parfum de lauriers et de géraniums arrivait par instants jusqu'à eux, porté par la brise. Un parfum qui lui donnait envie de s'envoler.

— *Deuxième à droite, et tout droit jusqu'au matin*, dit-elle brusquement.

— Et tu arriveras au Never-Never Land, compléta David.

Il se releva à moitié, sa main toujours dans celle de Jérémy.

— Mais vous irez au Never-Never Land de Peter Pan sans moi. Il faut absolument que je rentre me coucher.

Il était debout maintenant, malgré Jérémy qui s'amusait à le retenir.

— Vous devriez aussi vous coucher. Alexandra joue, ce soir.

— « Alexandra joue ce soir », répéta Alexandra. C'est drôle, mais je n'arrive pas à y croire...

— Il faudra bien.

Au seul ton de sa voix, on comprenait que

377

David en avait fini et qu'il s'apprêtait à prendre congé.

— Si tu veux me rejoindre, ajouta-t-il à l'intention de Jérémy, tu sais où sont les clefs. Mais ne me réveille pas, surtout.

Il se pencha, prit dans ses mains la tête d'Alexandra. Sa bouche effleura le front, le nez, les joues. Ses lèvres étaient fraîches et douces. Si légères qu'elle en frissonna.

— Ne me raccompagnez pas, dit-il encore. J'habite tout près.

Et sans plus attendre, il s'en alla. Alexandra et Jérémy le virent traverser la place du Palais d'un pas rapide, les poings enfoncés dans les poches arrière de son jean. Ses cheveux blonds semblaient absorber toute la lumière de la lune. Il disparut enfin complètement et Alexandra quitta sa marche pour rejoindre Jérémy sur la sienne.

— Bah ! dit-elle sans savoir elle-même à qui s'adressait cette onomatopée.

Jérémy achevait de rouler une cigarette avec des gestes vifs et agiles. Quand il eut fini, il la tendit à son amie. « Tu as tort », dit-il comme elle refusait. Il l'alluma. L'odeur douceâtre de l'herbe les enveloppa. Alexandra regardait autour d'elle avec inquiétude.

— Il n'y a personne, dit Jérémy.

Et sur un ton ironique où l'agacement se mêlait à l'indulgence :

— Ce que vous êtes pénibles, David et toi.

Toi, avec tes préjugés, et David avec ses principes de vie saine...

— David et toi... commença Alexandra.

Elle se tut, incapable de formuler jusqu'au bout sa question. Elle espérait que Jérémy la tirerait d'embarras en lui faisant de son plein gré des confidences. Mais non. Jérémy fumait sa cigarette. Un vague sourire figeait déjà son visage. Le sourire de quelqu'un qui s'éloigne. Alexandra en conçut une sorte de frayeur.

— Ne me laisse pas, implora-t-elle.

— Hein ?

— Toi et David...

— Quoi, moi et David ?

— Vous ?

— Oui ? Nous ?

Il se moquait d'elle à l'abri de ses longs cils. Pas loin, deux chats s'épiaient, immobiles et ramassés, les oreilles collées, prêts à bondir.

— Vous êtes quoi l'un pour l'autre ?

La question, ainsi formulée, le fit rire. Elle attendit qu'il eût fini et accepta même une bouffée de sa cigarette que, dans un geste distrait, il lui avait tendue.

— Des camarades, dit-il enfin. De tendres camarades. Nous dormons ensemble parfois, c'est tout.

Il devina qu'elle ne le croyait pas.

— Nous ne sommes pas amoureux, si c'est ça que tu veux savoir. Moi, parce que ce n'est pas du tout mon type de garçon ; lui, parce qu'il est très amoureux de son ami, et que plus fidèle que David, on ne fait pas! C'est un mystique, David. Je t'avouerai que je n'y comprends pas grand-chose!

— Qui c'est son ami? Je le connais?

— C'est un danseur.

La tête de Jérémy se posa un instant sur l'épaule d'Alexandra. Sa voix devint un imperceptible murmure.

— Il est très malade. Il va mourir. David n'est même pas certain de le retrouver vivant après Avignon...

Il la sentait qui tressaillait contre lui.

— Chut, ne dis rien. Plus de questions pour cette nuit.

Et comme, docile, elle se taisait :

— Petite sœur. Petite sœur en chagrin.

Alexandra ne comprenait pas bien ce qu'il entendait par là, mais c'était sans importance. Ce qui comptait c'était de ne pas être complètement seule. De toutes ses forces, elle repoussait le souvenir d'Adrien.

— Je te raccompagne, décida Jérémy.

Il se redressa et l'aida à se relever.

— Parle-moi de lui, dit-il.

— J'étais en train d'essayer de l'oublier.

— Tu n'y arriveras pas.

Ils marchaient lentement, s'arrêtaient quand Alexandra avait du mal à décrire un souvenir, à cerner une image. Elle s'excusait de son imprécision. Elle s'accusait de ne pas savoir raconter. C'était la première fois depuis trois mois qu'elle évoquait ainsi Adrien. Elle s'y risquait sur la pointe des pieds, à tâtons. Avec la curieuse sensation de trahir quelque chose de très intime et en même temps, à l'inverse, de redonner vie à cet absent, à ce fantôme.

— C'est le seul homme que j'aime vraiment, près de qui je voudrais vieillir. Quand il me dit qu'il m'aime, je le crois. Les autres, ceux qui l'ont précédé, c'est comme Lucerne : c'est rien, ça ne compte pas. Ou si peu...

— Il reviendra, vous vous retrouverez, affirma Jérémy.

— Tu crois ? Tu crois vraiment ?

Cette nuit-là, tout devenait possible. Il y avait eu la première de *Penthésilée*. Quand elle y songeait, c'était comme d'avoir sauté au travers d'un cerceau en flammes. Elle était sortie victorieuse de cette épreuve. Pourquoi n'en serait-il pas de même avec Adrien ? Oui, tout devenait possible.

Il n'y avait plus grand monde dans les rues d'Avignon. Des comédiens qui rentraient se coucher, épuisés, un peu ivres d'avoir trop fêté l'ouverture du festival. Des sans-logis à la recherche d'un abri. Des solitaires.

Une voiture remontait l'avenue de la République, silencieusement, feux éteints. Jérémy, le premier, la vit et poussa Alexandra dans l'ombre d'un porche.

— Laisse-la passer, dit-il à voix basse.

Il surveillait la voiture qui avait ralenti. On y distinguait plusieurs silhouettes d'hommes jeunes au crâne rasé. La voiture s'éloigna. Jérémy sortit de l'ombre et s'engagea dans le boulevard Raspail.

— Des amis à toi? demanda ironiquement Alexandra.

Et comme il haussait les épaules, négligeant de lui répondre :

— Encore des mystères! Toujours des mystères!

Il se retourna et eut pour elle un regard sévère.

— Pas de mystères. Mais il y a certaines rencontres qu'il vaut mieux éviter. Ceux-là avaient un air à violer les filles et à casser de l'Arabe et du pédé. Avignon, ce n'est pas que le théâtre et le palais des Papes.

Tandis qu'elle cherchait sa clef dans le casier, le veilleur de nuit se réveilla à moitié.

— Quelqu'un vous attend dans votre chambre, mademoiselle Alexandra.

S'il y avait de la réprobation dans sa façon de parler, Alexandra n'y prit pas garde. Son cœur battait violemment, tout à coup. Jérémy, contre elle, s'était immobilisé. Leurs regards se croisèrent, pareillement anxieux et incrédules. Le veilleur de nuit remettait ses lunettes, des verres très épais qui lui faisaient des yeux de batracien.

— Qui ça? demanda enfin Alexandra.

— S'il fallait que je vérifie l'identité de tous vos

visiteurs, à vous les gens du théâtre... C'est Mlle
Marie-Lou qui m'a dit de le laisser entrer dans
votre chambre.

Un peu de sympathie éclaira ses gros yeux à
l'évocation de Marie-Lou. Son ton s'adoucit.

— Paraît que c'était le bordel chez vous, ce
soir, au *Regina* ?

Mais Alexandra s'écartait du comptoir. Des
pensées diverses se bousculaient dans sa tête. Un
seul homme pouvait l'attendre dans sa chambre
et cet homme, c'était Adrien. Mais il ne connaissait pas Marie-Lou. Un deuxième homme alors se
présenta et celui-ci lui faisait horreur. La même
idée traversait Jérémy.

— Lucerne ?

Il ne lui laissa pas le temps de répondre.

— Tirons-nous, Sandra. Très peu pour moi,
les bagarres, les coups de poing !

Il la tirait par les poignets, s'affolait. Elle le
repoussa.

— Fais ce que tu veux. Moi, il faut que je
sache... Et puis...

Elle bâilla. Si longuement, si profondément que
ses yeux s'emplirent de larmes.

— ... je suis tellement fatiguée qu'il ne peut
plus rien m'arriver !

L'argument était si absurde qu'il porta.
Jérémy, vaincu, se résigna à la suivre, à affronter
Lucerne. « Avec tout ce qu'il a bu depuis quarante-huit heures, il doit être assommé », se
disait-il. Cette première réflexion en déclencha

383

une deuxième : « L'hôtel est plein. » Il s'en voulait d'avoir cédé à ce début de panique. « C'est l'hétéro-coq. Tu es la vingt-cinquième sur sa liste ce soir », chuchota-t-il pour se venger tandis qu'il s'engageait à la suite d'Alexandra dans le couloir.

Alexandra tourna lentement la poignée de la porte qui ne résista pas. On avait éteint dans la chambre et laissé allumé au-dessus du lavabo, dans la petite salle de bains attenante. Un large faisceau lumineux traversait la pièce en biais.

Un homme dormait en travers du lit, couché sur le dos, tout habillé. Il avait juste défait le premier bouton de sa chemise et desserré sa cravate. Ses chaussures étaient rangées côte à côte sur le tapis ; sa veste soigneusement pliée et déposée sur le dossier de la chaise.

Jérémy se retourna vers Alexandra en quête d'une explication. Mais celle-ci était comme frappée de stupeur. Elle s'était immobilisée, un pied dans la chambre, l'autre dans le couloir. Ses yeux allaient du dormeur à la fenêtre. Là, dans un vase de fortune, se dressait un énorme bouquet de fleurs encore enveloppé de cellophane. Alors Jérémy se décida et doucement, sans qu'aucune latte de plancher ne craque, il s'approcha du lit.

L'inconnu avait un beau visage d'homme de trente ans, aux traits réguliers et virils. Sa peau hâlée était striée de petites marques claires autour des yeux. Ses lèvres, bien dessinées, laissaient passer une respiration calme, silencieuse et large. Son bras gauche était replié et sa main se détachait sur la blancheur de la chemise. Une main gracieusement alanguie, brunie par le soleil, aux ongles courts et soignés. À l'annulaire, étincelait une alliance.

Alexandra avait fini par rejoindre Jérémy. Elle se tenait derrière lui, il discernait sa respiration désordonnée et bruyante. Sans aucun rapport avec celle du dormeur. Pourquoi continuait-elle de se taire? Jérémy se recula de manière qu'elle puisse entendre ses chuchotements.

— Félicitations : bel homme, ton Adrien. Pas exactement mon genre, mais assez sexy tout de même...

Elle s'approcha à son tour du lit.

— Crétin! dit-elle à l'intention de Jérémy à qui, maintenant, elle tournait le dos. Ce n'est pas Adrien, c'est Olivier! Mon frère Olivier!

D'entendre son prénom réveilla le dormeur. Il se redressa d'un coup, fixa Alexandra, puis Jérémy dont la silhouette se détachait en contre-jour dans le faisceau lumineux de la salle de bains.

— Qui c'est? demanda-t-il d'une voix claire.

Mais Alexandra se jetait dans ses bras. Il retomba sur l'oreiller, l'entraînant avec lui.

— Tu es venu ! Tu es là ! Vraiment là ! disait-elle.

— Relève-toi, tu m'écrases !

Le ton irrité, presque froid, de l'un contrastait avec le ton émerveillé de l'autre. Enfin, il parvint à la repousser. Il déplaça l'oreiller et le cala contre le mur de manière à s'en faire un appui. Ses bras retenaient solidement Alexandra à distance. Il la dévisageait avec sévérité.

— Tu as mauvaise mine !

— Mais non.

— Si. Tu as maigri. Tu es verdâtre. Tu as pris dix ans depuis la dernière fois.

— Trop aimable. Si c'est pour me dire ça que tu es venu !

On la devinait blessée. Mais son frère était décidé à l'ignorer.

— C'est pour ça et pour autre chose. J'étais dans la salle de ton théâtre, ce soir, au milieu de ces hystériques...

Alexandra l'interrompit avec un rire heureux. Son rire de très jeune fille.

— Tu as vu le spectacle, c'est merveilleux !

Jérémy eut alors un début de quinte de toux. Une façon comme une autre de leur rappeler son existence, de se signaler à eux. Olivier leva vers lui un visage méfiant et hostile.

— Qui c'est ? Ton nouvel amant ?

— Mais non, pas du tout !

Alexandra se lança dans une série d'explications concernant Jérémy, son rôle dans le spectacle, leur amitié. Son débit rapide, la confusion de son récit la rendaient difficile à suivre. Olivier avait croisé les bras sur sa poitrine. Sa mauvaise humeur évidente était de nature à troubler et Alexandra, et Jérémy. Ce dernier comprit qu'il ne lui restait plus qu'à s'en aller. Il s'y résigna à regret. Sans serrer cette main qui se refusait obstinément à se tendre vers la sienne.

Alexandra le raccompagna dans le couloir. Elle était agitée, avec des rires étouffés d'enfant et une inquiétude poignante dans le regard.

— Quelle histoire! soupira-t-elle.

Et d'une toute petite voix, comme elle l'aurait fait s'il s'était agi non pas de son frère, mais de son amant, d'Adrien:

— Comment tu le trouves?

— Je te l'ai déjà dit: beau garçon...

Et un peu par dépit, pour se venger d'avoir été en quelque sorte chassé de la chambre de son amie par ce frère inconnu:

— ... mais square. Terriblement square. Tu ne vas pas t'amuser. À part ça, n'oublie pas ce que te dirait David: tu dois te reposer, tu joues demain soir, enfin, ce soir.

— Je joue ce soir, répéta Alexandra en regagnant sa chambre. Je joue ce soir. Je joue ce soir. Ah, mon Dieu!

Elle se laissa lourdement tomber sur le lit, sans se soucier d'Olivier. Il dut se pousser pour lui faire une place.

— Je joue ce soir, dit-elle d'une voix mourante.

— Justement, c'est de tout ça que je voudrais te parler.

Quelque chose dans le ton de sa voix, dans sa façon lente et réfléchie d'articuler chaque mot, alerta Alexandra. Un signal d'alarme se déclenchait qui l'incitait à se protéger, à refuser le discours qui allait suivre. Pour le moment, du moins. Elle sauta à pieds joints hors du lit.

— Tu me parleras plus tard. Il faut que je dorme quelques heures.

Elle était maintenant aussi déterminée que lui. Il dut le sentir car il ne protesta pas.

— Bien sûr, tu dois dormir. Après tout ce que tu as vécu depuis...

Il ne put achever, Alexandra se déshabillait. Tranquillement, posément, comme indifférente à sa présence. Il se détourna. La nudité de sa sœur s'ajoutait au reste pour l'exaspérer. Enfant, déjà, elle se comportait ainsi. Mais ce qui lui était naturel jadis ne tenait plus passé vingt ans. Pour lui, c'était tout à la fois de l'impudeur, de la distraction et du laisser-aller. « Mets un vêtement », ordonna-t-il. Inutilement : Alexandra dépouillait le bouquet de son enveloppe de cellophane et ne l'entendait pas.

— Des roses ! Des lis ! Des arums ! Tout ce que j'aime ! Merci, mon Olivier !

— Je n'y suis pour rien. Pourquoi est-ce que je t'offrirais des fleurs ?

« Parce que ça se fait, au théâtre, un soir de première », voulut-elle répondre. Mais elle ne le

389

fit pas. Ses pensées se bousculaient. Il n'y avait pas le moindre mot, pas la moindre carte de visite. Elle avait affaire à un envoi anonyme. Anonyme, mais signé. Elle se rappela un énorme bouquet d'arums livré un matin chez elle, rue Servandoni, et anonyme, lui aussi. Comme elle s'était posé des questions à son propos ! La déception d'Adrien, ensuite. « Comment ? Tu n'as pas deviné ? Des arums. A. La lettre A. A comme Adrien. » Une joie inouïe la submergeait tandis que montait vers elle le parfum sucré des fleurs blanches. De l'autre côté de la fenêtre, le ciel s'éclaircissait de minute en minute. « Adrien... Adrien... Adrien. » Le prénom chuchoté s'accordait aux battements de son cœur.

Étonné par ce silence qui se prolongeait, Olivier prudemment se retourna. La vision de sa sœur nue, de dos et penchée au-dessus des fleurs, lui arracha un cri de colère.

— Mets quelque chose !

— ... Tee-shirt, sous l'oreiller.

Il trouva le vêtement et le lança au travers de la pièce. Puis se détourna de manière à ne plus la voir.

— Cette représentation infernale... cette violence... !

Alexandra allait et venait entre la chambre et la salle de bains. Il y eut des bruits d'eau : elle s'aspergeait le visage, se lavait les mains et les dents. À l'obscurité soudaine, il comprit qu'elle avait éteint la lampe et tiré les rideaux.

— ... Comme si l'Art excusait tout ! Comme si le théâtre vous mettait au-dessus du reste du monde ! Comme s'il vous autorisait à tous les excès, à tous les débordements !

— Pousse-toi.

Alexandra rejetait le couvre-lit et se glissait sous le drap. Il eut le temps de l'entrevoir. Elle portait un tee-shirt déchiré à l'épaule mais qui lui arrivait à mi-cuisse. C'était mieux que rien.

— ... Toi qui disparais une partie de la nuit ! Ton amie qui me raconte des horreurs sur ta liaison avec ce metteur en scène ! Il t'aurait battue d'après ce qu'elle m'a dit. C'est vrai, il t'a battue ?

Il ne comprit pas le grognement supposé répondre à sa question. Alexandra, sous le drap, s'agitait, creusait le matelas. Comme un jeune animal qui se fait une place. C'était agaçant qu'elle l'écoute si peu. Olivier sentait sa colère l'abandonner au profit d'un désarroi imprévu au programme. Néanmoins, il s'acharna à poursuivre.

— Cette Marie-Lou... Cette pauvre femme solitaire et alcoolique ! C'est ce que tu souhaites devenir ?

— Non.

Enfin une réponse claire.

— Et toi, pendant ce temps avec ce minet. Qu'est-ce qui me prouve que ce n'est pas ton amant ? Est-ce qu'on ramène des types dans sa chambre sans qu'ils soient vos amants ? Bien sûr, ta vie privée ne me regarde pas...

— Tu me l'enlèves de la bouche.

Depuis quelques secondes, Alexandra ne bougeait plus. Olivier se taisait, à bout d'arguments, à bout de forces. Sa clairvoyance, le pourquoi de sa visite et ses idéaux, il lui semblait que tout se brouillait, que tout se dissipait devant le mutisme paisible de sa sœur. Soudain, il sentit deux bras tendres et chauds l'enlacer. Puis tout un corps se serrer contre lui. Alexandra l'étreignait. Seul le drap les séparait.

— Olivier, méchant Olivier, cruel Olivier, injuste Olivier, Olivier chéri, Olivier adoré, mon frère Olivier, stupide Olivier...

Les mots qu'elle prononçait devenaient inaudibles. De cette litanie chuchotée à son oreille, il n'entendait plus que son prénom. Et son prénom ainsi murmuré, le souffle tiède et vaguement parfumé à la menthe qui l'accompagnait, lui donnaient des frissons. Il tenta une dernière fois de réagir, de résister à toute cette douceur molle et délicieuse dans laquelle ils se fondaient jadis quand ils étaient enfants et qu'ils se croyaient seuls au monde, abandonnés par leurs parents.

— Sandra, ta vie actuelle, ça ne va pas du tout. Tu ne peux pas continuer comme ça. Sandro ?

Les bras qui l'enlaçaient devenaient lourds. Un soupçon furieux le traversa.

— Tu ne dors pas, j'espère ? Sandra ! Sandro ! Pas quand je te parle ? J'ai fait ce voyage exprès pour te voir, pour parler avec toi !

Une plainte déchirante s'éleva qui protestait,

qui suppliait : pitié, grâce, laisse-moi dormir. Elle en gémissait jusque dans son sommeil. Il regardait ses paupières closes. Cette bouche dont on disait qu'elle ressemblait à la sienne. Le petit nez impertinent qui se moquait de lui.

— Sandra ! dit encore Olivier mais avec moins de conviction. Sandro !

Le diminutif parut avoir quelque effet. Alexandra ouvrit deux yeux embués de sommeil.

— *Deuxième à droite, et tout droit jusqu'au matin,* chuchota-t-elle d'une voix pâteuse.

— Hein ?

Mais les yeux s'étaient refermés et au souffle léger et régulier qui s'échappait de ses lèvres, Olivier comprit qu'elle venait de s'endormir. Après lui avoir confié un des mots de passe de leur enfance.

— *Deuxième à droite, et tout droit jusqu'au matin,* ne put-il s'empêcher de répéter.

C'est peut-être ça le plus curieux : tous ces mois passés loin de lui et cette impression d'évidence en le retrouvant au réveil. Comme si le temps, la distance, leurs vies si différentes ne pesaient plus, n'avaient jamais compté. Pourtant, il avait tout d'un étranger, cet homme qui revenait du dehors avec les quotidiens du jour coincés sous le bras et cette moue réprobatrice à la vue d'Alexandra toujours couchée et du désordre partout dans la chambre.

— Donne ! réclama Alexandra.

Il n'obéissait pas. Il étalait sur les draps les quotidiens ouverts à la page spectacles. En choisissait un qu'il lisait sur un ton morne et ennuyé.

— Donne voir ! insistait Alexandra agacée.

Elle lisait à son tour, impatiente et inquiète. Pour éclater ensuite en protestations diverses. « Mais enfin, Olivier, tu n'y comprends rien ! C'est excellent ! » Lui ne voulait pas l'admettre. Il détestait aussi ce ton de professionnelle qu'elle prenait pour dire : « C'est excellent ! » Qu'est-ce qui était *excellent* ? Elle repoussait les journaux et le regardait avec une tendresse qu'il jugeait condescendante. Une condescendance d'aînée envers son cadet. Alors que c'était lui l'aîné. Pas de beaucoup, il est vrai : d'un an.

— Tu ne connais rien au théâtre, dit-elle gentiment.

— Pas moins que toi, il n'y a pas si longtemps.

— C'est vrai.

C'était assommant cette façon nouvelle qu'elle avait de ne rien nier, de ne pas se défendre, d'admettre tout ce qu'il lui reprochait. Elle brandissait un quotidien où sa photo s'étalait sur un quart de page. On la voyait de profil, à genoux dans le sable faisant face à David Mathews. Devant eux, au premier plan, le corps endormi d'Alma. Devait-il le lui confier ? Il n'avait pas aimé cette actrice. Elle lui faisait peur. Cette voix rauque, cette allure virile. Rien, elle n'avait rien de ce qui le touchait ordinairement chez une femme. Mais sa sœur se moquait bien de comment il jugeait Alma.

— Et moi, Olivier, moi ? Tu n'es pas fier ?

— De voir ta photo dans le journal ?

— Oui !

— Non.

Elle semblait si désarçonnée, tout à coup. Mais elle revint à la charge.

— Fier de ce qu'on a écrit sur moi...

Il se taisait.

— De mon interprétation. Tu étais dans la salle... Tu m'as vue jouer...

Comment lui expliquer cette gêne épouvantable qu'il avait éprouvée à la voir ainsi exposée ? Comment lui raconter sa peur ? Peur qu'elle ne tombe. Peur qu'on ne l'entende pas. Peur qu'elle oublie son texte. Peur qu'on la siffle. Peur de quoi, encore ? Peur tout le temps. Au point qu'il était soulagé chaque fois qu'elle quittait le plateau.

— Je ne connais rien au théâtre, avoua-t-il.

Elle se contenta de cette réponse. Elle terminait les croissants du petit déjeuner, avalait un reste de café froid. Avec une voracité d'animal bien portant. Il s'étonnait de son visage si lisse, si reposé, si frais. À croire qu'elle revenait de vacances. Il s'agaçait aussi des miettes sur la couverture. Des vêtements abandonnés ici et là dans la pièce. Comme s'il s'agissait de son lit à lui, de sa chambre. Par une sorte d'automatisme venu de très loin, il se mit à ranger. Les chemisiers, les tee-shirts et les sous-vêtements dans le tiroir, les jeans... Que faire de deux jeans qu'il soupçonnait de n'être plus vraiment propres ?

— Laisse tomber, dit Alexandra la bouche pleine.

Elle raclait ce qui restait de confiture dans la soucoupe, buvait le lait froid à même le pot.

— Tout ce désordre... Comment peux-tu vivre là-dedans, Sandra ?

— C'est *mon* désordre.

Il déplaçait le vase pour récupérer un chandail et des chaussettes oubliés sous la fenêtre. Elle adorait son air sérieux, cette concentration de chaque seconde. Elle s'étira de tout son long dans le lit, repoussa le plateau du petit déjeuner et les journaux.

— Invite-moi à déjeuner dans un bon restaurant ! J'ai encore faim ! Comme si je n'avais pas mangé depuis des mois !

Elle avait choisi une brasserie, place Crillon, commandé des entrées, des plats et des desserts. « Pardon, mais j'ai faim », s'excusait-elle. Et aussitôt d'ajouter : « Je dois prendre des forces pour ce soir. »

Autour, toutes les tables étaient occupées. Beaucoup par des gens de théâtre. Alexandra les observait et pour Olivier, à voix basse, livrait des noms, racontait des anecdotes. Mais ce n'était pas amusant. Olivier ne connaissait personne. Il eut même très vite l'air de s'ennuyer. Alors, elle changea de sujet et lui demanda des nouvelles de la famille. Il s'amadoua un peu, sortit des photos de ses petites filles. Alexandra reconnut les prairies de son enfance et la plage de galets au bord du lac.

Un inconnu se présenta : il avait vu le spectacle, il tenait à féliciter Alexandra. Elle l'écouta, aux anges. « Qu'est-ce que t'en dis ? » chuchota-t-elle à Olivier tandis que l'inconnu se retirait. Mais Olivier rangeait les photos, l'air soucieux. Alors elle reparla de ce qui les concernait tous deux, de la Suisse.

— Parfois, je t'envie d'être resté vivre là-bas, dit-elle.

— Viens vivre près de nous. Ma femme t'aime beaucoup.

— Moi aussi, je l'aime beaucoup.

Elle rêva un instant. Une maison voisine de celle d'Olivier. Avec Adrien et l'enfant qu'ils auraient ensemble. Mais cette vision s'estompa d'elle-même.

— Je veux faire du théâtre, s'entendit-elle dire tout à coup. Vraiment.

Olivier la regardait en fronçant ses épais sourcils. Des sourcils qui n'étaient pas sans lui rappeler ceux d'Adrien. Pour la première fois, elle songea que les deux hommes se ressemblaient et cette découverte l'occupa un moment. Au point de cesser d'écouter Olivier qui maintenant lui parlait avec des airs d'aîné, de chef de famille, en lui caressant les mains sur la nappe.

— Ce n'est pas une vie, Sandra. Pas une vie

397

pour toi, pas une vie pour une femme, pour ma sœur. C'est trop perturbant, trop dangereux. Pense à toutes ces actrices qui finissent si mal, qu'on retrouve à quarante ans avec des rêves fracassés. Il y a si peu d'élues ! Même moi qui ne sais rien, je sais ça !

S'en rendait-il compte ? Les mots glissaient sur elle. Alexandra n'était sensible qu'à la caresse de ses doigts, qu'à l'insistance de ses yeux. Et surtout à cette tendresse naïve qui se dégageait de lui et qui l'enveloppait.

— Si ton Adrien décide de divorcer, ce n'est pas pour épouser quelqu'un qui mène la vie désordonnée et hasardeuse que tu mènes.

Adrien ? Il avait bien dit : Adrien ? C'est vrai qu'elle lui en avait parlé, il y avait de cela six mois. Olivier était un homme très attentif, qui n'oubliait rien. La preuve.

— Bien sûr qu'il t'aime pour ce que tu es actuellement. Mais quitter sa femme, ses enfants pour suivre une actrice...

— Je t'en prie, murmura Alexandra la gorge soudain nouée, n'en dis pas plus...

— ... alors qu'il a besoin d'un foyer, d'une vie équilibrée... comme moi, comme tous les hommes...

— Je t'en prie...

Il vit ses yeux qui se remplissaient de larmes.

— Je n'en dirai pas plus puisque tu le souhaites. Mais souviens-toi de mes paroles. Je ne crois pas me tromper.

Elle repoussait son assiette de crème brûlée, avalait d'une traite son café.

— Allons-nous-en, dit-elle sombrement. Il faut que je me repose, maintenant, je joue...

— ... ce soir, compléta Olivier. On le saura.

Il la tenait familièrement par le bras et la guidait parmi la foule. Une autorité masculine, agréable et qui la réconfortait.

Un soleil brûlant écrasait la ville. Des touristes erraient au ralenti, hébétés, inattentifs et pourtant avides. Ils allaient peu vêtus. Des shorts, des robes trop courtes. Olivier enregistrait ces détails avec sévérité. C'étaient autant de pièces à rajouter à un dossier déjà lourd : celui du fourvoiement de sa sœur. Il ne réalisait pas qu'il était le seul homme en costume d'alpaga gris. Alexandra imagina un instant de le lui faire remarquer, histoire de calmer ses récriminations, et puis y renonça.

Elle ne pouvait s'empêcher de l'admirer, son frère. Bien sûr, il était péremptoire, arrogant et souvent injuste. Mais si touchant avec ses airs d'aîné. Qu'il ait fait tout ce voyage pour peut-être la ramener avec lui en Suisse la touchait et l'irritait. Tout se mélangeait, en fait, sous ce soleil de plomb, dans cette lumière blanche.

Lui s'emportait maintenant contre cette chaleur, cette absence d'air. Il vantait les promenades en montagne, les régates sur le lac. Car il faisait de la voile et de l'alpinisme comme il élevait ses enfants : très bien. C'était aussi un chercheur, un médecin nutritionniste qui travaillait pour le compte de la FAO et pour qui les problèmes de la faim dans le monde étaient des problèmes concrets. Il était pur, honnête et généreux. Il était parfait, elle l'adorait. Elle le lui dit. Mais il se méfiait. « Tu te moques de moi. » Néanmoins, il la serra contre lui, tira par jeu sur la queue de cheval. « Je t'interdis de te moquer de moi, détestable petit hippocampe ! »

— Comment tu m'as appelée ?

— Détestable petit hippocampe.

— Cela faisait si longtemps. J'avais oublié que tu me traitais d'hippocampe.

— Tu me traitais bien... De quoi, déjà ?

Ils étaient repartis dans leurs souvenirs. Si une fugace et méchante petite crampe ne survenait pas de temps à autre pincer son estomac et lui rappeler qu'il n'y avait pas matière à se détendre, qu'elle n'était en rien en vacances, Alexandra en aurait oublié la représentation de vingt et une heures.

Sous les remparts, ils se trouvèrent soudain nez à nez avec Lucerne. Aussitôt, Alexandra sentit le raidissement d'Olivier, sa détermination à frapper le premier. Elle n'avait plus peur de Lucerne, plus peur du tout. Il lui faisait même pitié avec son allure de clochard, ses airs de somnambule, son visage tuméfié.

Le regard qu'il posa sur elle était étrange. Comme s'il hésitait à la reconnaître. Quant à

Olivier, il ne le voyait tout simplement pas. De toute sa masse, il occupait le centre du trottoir.

— Bonjour, Lucerne, dit enfin Alexandra.

Elle s'étonnait de la fermeté de sa voix. Le bras d'Olivier pesait sur ses épaules. Comme Lucerne ne bougeait pas et continuait de la fixer de ses yeux hagards, elle poursuivit :

— Je te présente Olivier. Mon frère Olivier. Il était dans la salle hier soir.

Lucerne tendit maladroitement une main molle qu'Olivier serra à regret. Déjà il guidait sa sœur de manière à les faire contourner Lucerne, toujours planté au milieu du trottoir.

— Tu as vu Alma ? Je la cherche partout depuis...

Il faisait de gros efforts pour se faire entendre, comme si les mots ne parvenaient pas à sortir, comme si la mémoire lui faisait défaut.

— ... depuis cette nuit, ce matin, je ne sais plus...

Ses yeux appelaient au secours.

— Elle m'a quitté... Elle a emporté toutes ses affaires...

Il s'était mis à trembler.

— Je ne supporterais pas qu'elle me quitte pour de bon... Je ne pourrais pas vivre sans elle... Je l'aime... Tu peux comprendre, toi, Sandra, je l'aime !

« Tu parles, si je comprends ! » faillit dire Alexandra entre le fou rire nerveux et quelque chose d'autre qu'elle n'aurait pas su nommer tout

de suite mais qui ressemblait à de l'aigreur.
« Fallait y penser plus tôt... » marmonna-t-elle
froidement.

— Vous la retrouverez ce soir au théâtre, votre
Alma, dit Olivier. C'est à vingt et une heures et
c'est par là...

Son bras indiquait une rue, n'importe laquelle,
à l'opposé de celle qu'il avait l'intention de
prendre avec sa sœur. Il eut la satisfaction de voir
Lucerne s'ébranler dans la direction désignée.
Mais son sourire s'effaça dès qu'il eut disparu.

— Comment tu as pu ? Avec cet horrible type !
Ce fou furieux ! Ce malade ! Déjà, hier, pendant
les saluts, je l'ai trouvé ignoble. Mais de près...

— Assez, s'il te plaît.

Elle levait vers lui un petit visage soudain
fatigué et qui implorait.

— Ne gâchons pas le temps qui nous reste en
disputes idiotes. Je regrette que tu doives partir
tout à l'heure. Si tu pouvais rester quelques jours
avec moi, je suis sûre que tu comprendrais mieux
ces gens, que tu les aimerais.

— Ça m'étonnerait.

— Alors, c'est vrai ? Tu t'en vas vraiment ? Tu rentres à Genève ?

Olivier faisait oui, faisait non. Depuis dix minutes, il travaillait à détacher des affichettes collées sur le capot de sa voiture. Il pestait contre Avignon, contre le théâtre, le in, le off. Il en oubliait même sa sœur, le discours final qu'il avait préparé à son intention.

Elle le regardait faire avec un début d'impatience. Qu'il s'en aille puisqu'il l'avait décidé. L'heure tournait, il était temps de regagner le *Regina*, de faire le vide. Beaucoup de signaux dans son corps lui rappelaient qu'elle allait bientôt remonter sur scène : les crampes, les frissons, un peu de nausée, la salive qui se retirait et qui laissait la bouche sèche. Si sèche qu'elle renonçait, pour l'instant, à parler. Déjà, elle commençait à répéter son texte. Intérieurement, seules ses lèvres bougeaient. Ça, en se retournant brusquement, Olivier le surprit.

403

— Qu'est-ce qui t'arrive ? Tu pries ?

Elle agita sa queue de cheval. Il lui désigna le capot de sa voiture où la moitié de l'affichette demeurait collée.

— Impossible de faire mieux.

— Ça te fera un souvenir.

Ouf, la salive revenait. De soulagement, elle lui sourit. Olivier l'examina avec une attention inquiète. Il percevait cette espèce de fièvre qui la gagnait et qu'il trouvait bizarre, l'éclat anormal des yeux. Il la sentait qui s'éloignait de lui. Il revoyait le théâtre qu'elle avait tenu à lui faire visiter, il y avait de cela à peine une heure. Les loges étroites et sans air. « Insalubres », avait-il dit sans qu'elle daigne relever. Les bouquets de fleurs qui agonisaient entassés dans des seaux. Il croyait respirer l'odeur de sueur et de melon pourri qui entrait par le soupirail. Et, en contre-partie, la fierté de sa sœur, le regard amoureux qu'elle promenait sur la salle vide et éteinte, sur le plateau recouvert de sable.

— Il faut que j'y aille, dit Alexandra.

Il voulut protester, argumenter des « rien ne presse, il est tôt ; tu as le temps », mais elle mit un doigt sur ses lèvres. Alors, il la prit dans ses bras et la serra contre lui. Une étreinte violente et qui se prolongea.

— Viens nous voir, après... dit-il en remontant dans sa voiture.

— Après... répéta Alexandra en écho.

Elle n'attendit pas que la voiture démarre. Elle

craignait de s'attendrir. Elle tourna les talons et se mit à marcher en direction du *Regina*. Très vite, en courant presque.

Et puis, elle l'aperçut avec sa façade crème nouvellement restaurée, mais qui gardait son aspect de cinéma de quartier des années vingt, son théâtre, le *Regina*. Les six lettres étaient éteintes. Bientôt la nuit viendrait, on allumerait les néons roses. Bientôt les spectateurs se presseraient sur le trottoir, dans le hall, dans la salle. Bientôt, maquillés, costumés, le cœur battant, ils graviraient les uns derrière les autres l'étroit escalier de fer qui reliait le sous-sol au plateau. Bientôt...

« Mon Dieu, pensa Alexandra un peu étonnée, je crois que je suis heureuse. »

DU MÊME AUTEUR

Aux Éditions Gallimard

DES FILLES BIEN ÉLEVÉES
MON BEAU NAVIRE, *Folio nº 2292*
MARIMÉ, *Folio nº 2514*
CANINES

COLLECTION FOLIO

Composition Bussière
et impression B.C.I.
à Saint-Amand (Cher), le 13 septembre 1995.
Dépôt légal : septembre 1995.
Numéro d'imprimeur : 1439-4/679.
ISBN 2-07-039353-4./Imprimé en France.